Нина Шабалина

ЛЕГКИЙ СПОСОБ ПОБЕДИТЬ БЕССОННИЦУ

Москва
ЭКСМО
2007

УДК 615.89
ББК 53.59
Ш 12

Оформление серии *Н. Никоновой*

Шабалина Н.

Ш 12   Легкий способ победить бессонницу / Нина Шабалина. — М.: Эксмо, 2007. — 288 с. — (Легкий путь к красоте и здоровью).

ISBN 978-5-699-22750-1

Тот, кто хоть раз «считал овец», знает, какими проблемами чре-
ваты нарушения сна: ослабляется внимание, снижается работоспособность, возникает раздражительность. Так что же, принимать снотворное? Но с этой проблемой можно и нужно справиться без
помощи таблеток! В данной книге содержатся простые и эффектив-
ные способы борьбы с бессонницей. С помощью правильного питания, физических упражнений, водных процедур и доступных средств
народной медицины вы сможете победить коварного врага, а специальная антистрессовая программа и учет биоритмов закрепят результат. Помните: дефицит сна опасен для здоровья!

УДК 615.89
ББК 53.59

ISBN 978-5-699-22750-1

ОДА СПЯЩЕЙ КРАСАВИЦЕ

Увы, ни окружающая среда, ни возросшие физические и эмоциональные нагрузки не делают женщину красивее. Часто мы живем, как бы плывя по течению, не задумываясь о здоровье. Но рано или поздно спохватываемся: на кого я стала похожа! Надо срочно приводить себя в порядок. Как?

Уверена, чтобы отлично выглядеть, прежде всего необходимо как следует выспаться. Хороший сон уже сам по себе косметолог — прекрасное средство продлить красоту и молодость. Сон — это такая же активная часть нашей жизни, как и бодрствование. Погружение в сон — приятное завершение каждого прожитого дня. Существует теория о том, что сон в процессе эволюции человека был выработан как инструмент запоминания, а точнее — организации всех тех чувственных ощущений, которые поступили в мозг за день. Согласно этой точке зрения, во сне, отключившись от всех внешних раздражителей, мозг «сортирует» весь чувственный опыт, преобразуя его — в воспоминания, знания и навыки. Поэтому сон очень важен для обучения, а также для творческой и продуктивной работы.

То есть сон, являясь важнейшим фактором качественного обучения (а значит, продуктивной деятельности) и одновременно следствием естественно-биологических циклических процессов активности организма, не может и не должен искусственно регулироваться, изменяться и уж тем более исключаться из процесса жизнедеятельности.

Известно, что сон восстанавливает силы, лечит дневные раны, освобождает от тревог. Главный вывод — сон является активным процессом. Когда мы спим, отдыхают мышцы, а мозг напряженно работает. На примере мобильного телефона легко понять, зачем надо спать. Сон необходим для подзарядки аккумуляторных систем мозга.

В последнее время, увлекшись пропагандой активного отдыха, мы невольно стали забывать, что для сохранения и укрепления здоровья человека не менее важен и отдых пассивный, в частности полноценный, «сладкий» сон.

Продолжительность сна может быть разной: от трех до двенадцати часов. Сон удался, когда после него ощущается свежесть, бодрость, прилив сил. Ну впрямь, будто тебя подзарядили. Бессонница опасна тем, что она лишает мозг энергии.

Сон — единственное средство, обеспечивающее восстановление функций нашей нервной системы. Как и любое средство, он иногда портится. Повторяющийся ночной кошмар и даже хорошие события могут надолго лишить нас покоя и сна.

Каждый человек, который неоднократно «считал овец», помнит, насколько это утомительно и какие затем в течение дня возникают проблемы. Таких людей много. Говорят, если каждый страдающий бессонницей зажжет в своей комнате свет, отпадет необходимость в уличном освещении.

Врачи утверждают, что последствия дефицита сна настолько тяжелы, что представляют опасность для жизни. При постоянном недосыпе наши волосы, глаза и кожа тускнеют. А мы стареем. И еще, нарушение сна может спровоцировать ожирение.

Современная наука насчитывает 78 форм расстройства сна. Интенсивные эмоциональные нагрузки, недостаточное обеспечение нервной ткани питательными веществами приводят к расстройствам сна в виде увеличения времени засыпания, частых пробуждений во время ночного сна, раннего пробуждения, поверхностного сна, ночных кошмаров, неудовлетворенности сном и т. д.

Применение же снотворных препаратов приносит лишь кратковременное облегчение. Тем более, что многие препараты вызывают привыкание и дают побочные эффекты (токсическое воздействие на жизненно важные органы). Такой сон не является в полной мере физиологическим, так как он не обеспечивает надлежащего отдыха и восстановления функций организма.

О дефиците сна нас предупреждают ослабленное внимание, возросшая раздражительность, уменьшение продуктивности и способности творчески мыслить.

Так что же — снотворное?

Ну уж нет, с проблемой можно справиться и без помощи таблеток! Надо всего лишь подкорректировать отдельные моменты своего поведения.

Итак, маленькие хитрости для утомленных бессонницей:

— заведите хорошую привычку регулярно заниматься физическими упражнениями;

— откажитесь от дурных привычек: курения, злоупотребления кофе и алкоголем;

— следите за своим весом;

— правильно питайтесь;

— не решайте проблемы перед сном.

И ЭТО ВСЁ О НЕМ

ГЛАВА 1. ВСЁ О НАС

1.1. Мы в цифрах и фактах

Мы — загадочные и уникальные создания (нежные и удивительные!). Посмотрим на себя внимательнее. Факты и цифры, относящиеся к анатомии и физиологии человека, поражают воображение, несмотря на современный уровень развития науки и техники.

Например, общая протяженность всех наших сосудов — около 100 тыс. км. При этом диаметр самых мелких сосудов — капилляров — не более 4 мкм. А средний диаметр эритроцитов — 7 мкм. Как же они «протискиваются» в капилляры? Количество крови в организме (примерно 7% массы тела) не превышает 7—10 л. Этого явно недостаточно, чтобы заполнить все кровеносные сосуды.

С точки зрения физиологии, такие «неувязки» вполне нормальны. Оказывается, не все сосуды заполнены кровью. Происходит перераспределение крови между органами и тканями. Наиболее интенсивно работающие в данный момент получают больше крови, другие — меньше. Так, после очень плотного обеда наиболее энергично работает система пищеварения, к ее органам направляется значительная часть крови, а для нормальной работы головного мозга ее начинает не хватать, и человек испытывает сонливость.

Ответ на вопрос об эритроцитах еще проще. Эритроциты — живые клетки, имеющие очень эластичную мембрану. Они просто вытягиваются и свободно проходят по самым узким капиллярам.

И таких удивительных вещей в организме великое множество. Вот еще примеры.

Человеческий организм состоит примерно из 10^{15} (одного квадриллиона) клеток.

Наш скелет образуют 206 костей: 85 парных и 36 непарных. Большеберцовая кость может выдержать осевую нагрузку в 1600—1800 кг (легковой автомобиль). Она же — самая длинная кость скелета.

Бедренно-подвздошная связка выдерживает нагрузку на растяжение в 360 кг. Самые маленькие кости — слуховые, их вес не превышает 0,05 г. Лопатка не связана ни с какими костями туловища, ее фиксируют 15 мышц.

Кость на 50% состоит из воды. Рост человека к вечеру уменьшается на 1—2 см, к утру — возвращается к прежнему показателю.

Общее количество мышц — более 600. Челюстные мышцы на коренных зубах развивают усилие в 72 кг. Самая сильная на растяжение мышца — икроножная. Она способна удержать груз весом до 130 кг. 1 кв. см поперечного сечения мышцы рассчитан на 10 кг нагрузки.

За один час в организме синтезируется около 100 г белков. Энергетические резервы человека массой 70 кг: около 15 кг жиров (жировая ткань), 6 кг белков (в основном в скелетных мышцах) и только 0,9 кг углеводов (в виде гликогена).

Масса головного мозга у мужчин составляет в среднем 1375 г, а у женщин — 1275 г. При этом вес мозга на умственные способности не влияет. Интересно, что постоянно работают только около 4% имеющихся клеток головного мозга, остальные находятся в резерве. Ежечасно гибнет около тысячи нейронов.

Длина спинного мозга у мужчин — около 45 см, у женщин — 40—42 см. Диаметр нейронов спинного мозга не более 0,1 мм, а длина их отростков иногда достигает полутора метров. Скорость нервного импульса, бегущего по рефлекторной дуге, может достигать 120 м в секунду!

Продолжительность жизни зрелых клеток крови: эритроцитов — до 120 суток, тромбоцитов — 10—4 суток, лимфоцитов — 2 суток, лейкоцитов — 8—10 часов.

Время пребывания смешанной пищи в желудке — примерно 6 часов. Емкость желудка — в среднем 1,5—2 л. В сутки в желудке образуется около 1,5 л желудочного сока. Обычная смешанная пища, составляющая наш дневной рацион, находится в тонкой кишке 6—7 часов, а в толстой — 18—20. Общая площадь всасывающей поверхности ворсинок тонкой кишки — 4—6 кв. м. Всего этих ворсинок — около 4 миллиардов.

У взрослых длина тонкой кишки — 6—6,5 м, толстой — 1,5—1,8 м, диаметр толстой кишки может увеличиваться с 6—8 до 40—45 см.

Клетки здоровой печени за сутки перерабатывают 720 л крови.

В глазу — около 110—130 млн рецепторов («палочек»), отвечающих за восприятие света вообще, и только 5—7 млн «колбочек», отвечающих за восприятие цвета. Глаз способен различать 130—250 чистых цветовых тонов и 5—10 миллионов смешанных оттенков. Глаз не способен воспринимать неподвижное изображение, поэтому, даже когда мы смотрим в одну точку, наши глаза все равно движутся, делая в секунду от 20 до 70 движений с минимальной амплитудой.

За сутки в норме выделяется около 1 мл слезной жидкости. А при плаче может выделиться до 10 мл (2 чайные ложки) слез. При совершенно прозрачной атмосфере «палочки» сетчатки глаза могли бы среагировать на свет свечи, находящейся на расстоянии 30 км.

Ухо человека способно улавливать звуки с частотой от 10 Гц до 20 кГц (речевой диапазон составляет 1—3 кГц).

Бронхиальное дерево имеет 24 уровня ветвления. Общее количество альвеол в легких достигает 300—350 миллионов! Общая площадь дыхательной поверхности легких — более 90 кв. м. В норме кожное дыхание составляет 3—5% всего дыхания, в экстремальных ситуациях — до 30.

Основные биологические системы человека имеют тройной «запас прочности», а когда речь идет о жизни и смерти организма, эти резервы могут возрастать еще вдвое, но на короткое время.

Длина капилляров в почке составляет около 25 км. Фильтрационная поверхность почки достигает 1,5 кв. м.

Продолжительность жизни сперматозоида — около 36 часов, яйцеклетки — 12—24 часа. Во время эякуляции общий путь сперматозоидов, который они проходят за считанные секунды, составляет 6,3—7,8 м. Мужские половые железы начинают функционировать в возрасте 7 лет. В течение жизни женщины в ее яичниках созревает около 400 фолликулов (13 фолликулов в год). Длительность менструального цикла у женщины может колебаться от 21 до 32 дней.

Общее количество терморецепторов в коже человека — около 280 тысяч, из них только 30 тысяч тепловых, остальные — холодовые. Минимальное количество болевых рецепторов находится в области щеки.

Сердце — это небольшой полый мышечный орган массой всего 250—300 г, состоящий из четырех слоев. Средний слой (миокард) отвечает за перекачивание крови. Сердце чутко реагирует на все жизненные события и активно участвует в эмоциональном отклике на них. В то же время сердце — это насос, который поддерживает постоянную циркуляцию крови в организме. Здоровое сердце в покое сокращается в среднем 60—75 раз в минуту, то есть около 100 тысяч сокращений в день. Оно прокачивает через себя около 300 л крови в час и около 10 тонн в сутки. При большой нагрузке это количество увеличивается в 5 раз.

Согласитесь, мы действительно уникальные, загадочные и удивительные.

Как же сложно нашему организму жить и работать! Любая мелочь может «выбить из седла» наш организм. И не удивительно, что проблемы со здоровьем все чаще со временем донимают нас.

По результатам опросов лиц старше 16 лет, проведенных медиками России, было выяснено, какие проблемы со здоровьем чаще всего их тревожат:

— головная боль — 34%;
— боли в спине — 20,2%;
— усталость и утомление — 18,6%;
— насморк — 18,2%;
— простуда — 17,4%;
— кашель — 12,9%;
— боли в мышцах — 12,7%;
— бессонница — 12,2%;
— зубная боль — 11,6%;
— грипп — 11,4%.

Бессонница, наряду с усталостью и утомлением, занимает одно из главных мест в ряду «хворей»!

1.2. Биоритмы нашей жизни

Мы утомляемся даже от самой любимой работы. Выносливость — способность долго работать, сопротивляясь утомлению, — главный показатель работоспособности. Но и выносливость имеет свои пределы, за которыми работоспособность падает и наступает «старость работоспособности» — утомление. Эта фаза работоспособности — естественная ответная реакция организма на нагрузку. Реакцией организма является бессонница и утомление.

Утомление поражает психику и тело. Но современная женщина на работе физически утомляется от недогрузки, а психически, напротив, от перегрузки. И хорошо, если ручной домашний труд ликвидирует этот перекос.

Работая в комфортных условиях, но в постоянном нервном напряжении, которое нельзя разрядить движением мышц, женщина теряет гармонию взаимодействия умственных и физических сил; при небольшой общей физической нагрузке на мышцы в офисной работе много мелких движений; противоестественна динамика психической нагрузки современного человека — то быстрая смена дорожных ситуаций, то, наоборот, монотонная работа перед экраном компьютера.

Признаки утомления в результате бессонницы:
— ошибки, запаздывание;
— навязчивая зевота, отяжелевшие веки слипаются сами собой, глаза с трудом открываются;
— ощущение песка в глазах;
— движения замедляются, хочется переменить позу;
— пересыхает во рту;
— воображение «блуждает», мысли «тянутся»;
— приятные грезы и безразличие к текущим делам;
— непроизвольные переключения или отключения внимания.

При усталости особенно страдает внимание. Оно ухудшается по всем показателям. Утомление расстраивает и разрушает навыки, особенно сложные. В этом состоянии для выполнения даже самых привычных действий требуется волевой контроль. Переутомление ведет к утрате даже самой способности восстанавливать силы. Утомление, однако, опасно еще и тем, что его можно и не почувствовать.

Самочувствие оценивают разумом или чувством. Или тем и другим вместе, согласованно. Согласия может и не быть. Бывает и разногласие, когда разум говорит одно, а чувство другое. Что вернее? Что не обманет?

Заметны периодические сезонные, суточные и недельные колебания состояния организма. Они зависят не только от погоды. Существуют так называемые циркадные циклы.

Что такое циркадные ритмы?

Циркадные ритмы воздействуют на образование гормонов, химических веществ и нейромедиаторов, которые определяют наш процесс мышления, сон и наши чувства. Если у Вас имеются расстройства сна или настроения, это означает, что у Вас нарушение циркадного ритма.

В природе жизненные процессы состоят из ритмов и циклов. Обычный цикл — это четыре сезона. Каждый год мы переживаем весну, когда происходит обновление растительного и животного мира. Этот цикл продолжается все лето, осень и, наконец, зиму.

Другой цикл — это вращение Земли вокруг Солнца, составляющий год, или вращение для создания дня. Фактически такие циклы — это хорошо отлаженные ритмы и естественный путь для образования баланса.

Подобно природе, наш организм тоже имеет ритмы, и он также взаимодействует с природой. В действительности наш организм реагирует на ключевые факторы природы, создавая идеальные ритмы. Этим можно объяснить, почему мы изменяемся с каждым проходящим сезоном и почему мы реагируем на естественный 24-часовой цикл.

Задумывались ли Вы когда-нибудь о том, почему Ваш организм нуждается в сне? Или что заставляет его пробуждаться? Почему он чувствует голод? Такое поведение представляет одно целое в отношении ответной реакции Вашего организма на его цикл, или циркадный ритм, по мере прохождения по естественному 24-часовому циклу.

Циркадные ритмы — это приливы и отливы: они говорят о том, каким образом и в какое время организм выделяет и использует гормоны и нейроносители. Эти ритмы влияют на каждый аспект нашей жизни, начиная с того, как мы спим и насколько мы активны после пробуждения, прежде чем мы вливаемся в активную деятельность. Несбалансированный циркадный ритм выделяет гормоны не в то время дня, в результате чего возникают проблемы сна и настроения. Медицинские журналы пишут о том, что нарушения циркадных ритмов являются основным фактором в большинстве случаев расстройств настроения.

Наши циркадные ритмы контролируют выбор времени, количество и качество гормонов, химических веществ и нейромедиаторов, которые они образуют. Они являются элементами, определяющими наши чувства, наш шаблон сна, наш аппетит, нашу сексуальную энергию и иные относящиеся ко сну и к настроению факторы. При правильном функционировании наши циркадные ритмы создают циркадный баланс.

Циркадный баланс — это такое состояние, когда человек чувствует себя прекрасно. Это состояние, при котором мы чувствуем себя физически здоровыми, когда организм высыпается, когда у нас хороший аппетит, отличное настроение и мы полны энергии. Мы ощущаем себя наилучшим образом. Мы находимся в своем ритме!

Но когда существует несбалансированность нашего циркадного ритма, то происходит путаница в ответной реакции организма на естественные циклы. Когда наши циркадные ритмы не синхронизированы, наступают нарушения циркадного баланса.

Если это происходит, мы чувствуем себя плохо. И это происходит из-за того, что гормоны, химические элементы и нейромедиаторы, которые определяют, как мы ощущаем себя, находятся в несинхронном и непропорциональном состоянии.

Нарушения циркадного ритма проявляются в различных нарушениях настроения и сна. Некоторые люди страдают от нарушений настроения, таких, как, например, депрессия, беспокойство, сезонные расстройства, тревога или даже потеря аппетита. Другие могут испытывать хроническую усталость, вялость, чрезмерную усталость или просто плохо себя чувствуют. Женщины часто страдают от затяжных и болезненных менструальных циклов, симптомов менопаузы и врожденной или послеродовой депрессии.

Причины нарушения циркадного ритма

Нарушение циркадного ритма может быть вызвано несколькими факторами:

— смена сезонов года — сокращение светового дня осенью и зимой;
— изменение поясного времени;
— отсутствие света;
— сменная работа;
— хирургическая операция;
— применение медикаментов;
— беременность;
— изменение образа жизни.

Типичная причина — это смена сезонов. Во время сокращения светового дня, осенью и зимой, множество людей страдает от расстройств, связанных с наступлением другого сезона. Иными словами, происходит нарушение циркадного ритма.

Современный образ жизни, возможно, самый главный виновник такого явления. В современном мире большинство людей не просыпаются на рассвете или не засыпают после наступления сумерек. Мы проводим за работой большее количество времени или засиживаемся допоздна за работой. Мы сдвигаем время сна. И, в результате, происходит недосыпание в несколько часов.

Восстановление циркадного ритма может быть простым и безболезненным процессом без приема лекарств. Главное — это нормализация циркадного цикла, поскольку наш цикл сам определяет время и образование основных гормонов, химических элементов и нейромедиаторов.

Выделение веществ не в нужный момент может вызвать существенные проблемы в настроении и здоровье. Установление циркадного баланса наилучшим образом достигается с помощью лечения методом мощного света — самым эффективным существующим и испытанным методом лечения.

Метод светотерапии прост. Вы располагаетесь перед специальным устройством, излучающим свет, для стимуляции образования основных гормонов. Устройство создает волны определенной длины, цвета и интенсивности, которые не приводят к раздражению глаз и нейтрализуют все вредные ультрафиолетовые лучи. Лечение с помощью светотерапии занимает 15—30 минут в день.

Учтите, Вы не будете себя чувствовать абсолютно здоровой, пока не установится циркадный баланс.

Если начать наблюдение суточной работоспособности с утра, то после 6 часов она будет довольно быстро нарастать. Суточного максимума она достигнет к 10 часам и сохранится до полудня. После 13 часов уровень работоспособности начнет быстро снижаться и упадет ниже показателей утреннего старта.

Обычно в это время люди обедают и отдыхают. После 14 часов работоспособность снова начнет расти, хотя и не так быстро как в начале дня. К 17—18 часам она достигнет своего вечернего максимума, а потом начнет опять плавно снижаться. К 22 часам работоспособность снизится до минимальной утренней точки. Вот тогда и пора ложиться спать.

О снижении работоспособности организма человека можно судить по работоспособности сердечно-сосудистой системы, поэтому полезно учитывать, что в 13 часов и в 21 час работоспособность сердца значительно снижается.

Итак, суточная работоспособность организма похожа на две волны, покачивающие его как пловца в океане. Первая — повыше и покруче, вторая — пониже и подлиннее.

Когда же бывает наивысший уровень работоспособности? Она бывает утром и после обеда, с 8 до 12 и с 14 до 17 часов. Хотя, конечно, индивидуальные особенности и привычки могут внести в эти ритмы существенные поправки.

Те же горки работоспособности можно наблюдать в недельных, месячных, годовых, многолетних ритмах.

Недельные ритмы все чувствуют на себе. Работоспособность нарастает от понедельника (если в выходные удалось хорошо отдохнуть и выспаться), в среду — легкий спад, в последний день недели — конечный порыв и спад в последние часы. Пятница, суббота, предпраздничные дни: все усталые, но все спешат.

Конечно, работоспособность зависит от интереса к делу, от внутренних переживаний, радостей, горестей и конфликтов, от удобства рабочей позы, условий работы, физической подготовки, психических качеств и других причин.

Поговорим о влиянии лунных фаз на наше самочувствие.
Если Луна силой своего притяжения в состоянии приводить в движение моря и океаны, то надо ли удивлять-

ся, что она влияет на все живое на Земле? И вот Вам самые убедительные примеры: морские организмы, от моллюсков до больших рыб, откладывают и оплодотворяют икру только в полнолуние.

А ежемесячный лунный календарь начинается с того, что примерно на три-четыре ночи спутник Земли как будто «умирает» — мы не видим его на небе.

На этой фазе влияние Луны на наш организм чрезвычайно велико, хотя она и не видна. Именно в темные безлунные ночи (и дни между ними) наш организм способен освобождаться не только от токсинов или шлаков, но и от вредных привычек, таких, как курение, пьянство. Этот темный период весьма удобен, чтобы «сесть» на диету или порвать отношения с человеком, который Вам неприятен.

И вот, наконец, на небе появляется тоненький серпик Луны.

В этот день наш организм находится на нижней точке жизненной активности. Наш иммунитет ослаблен, мы можем испытывать необъяснимое чувство страха, подавленность, депрессию. Организм как бы освобождается от груза, накопленного за предыдущий лунный месяц, и готовится начать новую жизнь.

На фазе прибывающей Луны желательно провести укрепляющее лечение. В этот период усиливается действие медицинских препаратов, эффективнее усваиваются витамины и минеральные вещества, особенно магний, кальций и железо. И вообще все оздоровительные меры оказываются действеннее, чем в любую другую фазу Луны. Первая лунная четверть — наилучшее время для применения кремов (витаминных, против морщин и увлажняющих), массажей и всего, что полезно для кожи.

Однако не все так гладко. Усиливается не только действие лекарств, но и любая форма интоксикации — от укуса насекомого до отравления грибами либо испорченными продуктами. Кроме того, с большей интенсивностью, чем в другие периоды, в организме идет процесс накопления жира, поэтому надо особенно тщательно следить за собственным весом.

В любви растущая Луна — пора надежд и обещаний, в деловой жизни — период конструктивных мыслей, новых проектов, сулящих удачу. По мере роста Луны и мы становимся сильнее, как бы готовимся к предстоящим победам и свершениям.

Ближе к смене лунных фаз надо быть внимательнее к себе и окружающим. В такие дни люди становятся менее уравновешенными и более конфликтными. Повышается острота эмоционального восприятия мира. Когда знаешь об истинной причине своего неблагоприятного состояния, справиться с ним бывает гораздо легче.

Вторая фаза начинается с того дня, когда освещенная часть занимает ровно половину лунного диска. Энергия организма продолжает нарастать: мы становимся сильнее, активнее, эмоциональнее. Жизненные силы постепенно приближаются к своему пику. Можно начинать действовать. Очень многое нам удается, как правило, именно в дни этой фазы. Сил уже достаточно, они не растрачены, усталость еще не пришла, и человек способен на многое.

Наступает полнолуние — пора перехода от накопления сил к их активной трате. В этот день нерастраченная энергия может стать неуправляемой. Избыток энергии не дает уснуть — именно в полнолуние и несколько последующих дней многие жалуются на бессонницу. В старину верили, что в эти дни кровь обильнее течет из ран, а лунатики гуляют во время сна. Обостряются нервные расстройства, увеличивается число дорожно-транспортных происшествий. Люди больше раздражаются, часто скандалят ни с того ни с сего.

В такие дни важно знать, что неуравновешенность, душевные бури, толкающие Вас на необдуманные поступки, — временные явления, и очень скоро это пройдет. В общении с людьми старайтесь быть спокойнее, не повышать голос, не раздражаться. Не суетитесь, отложите на время все дела, требующие нервного напряжения, и займитесь каким-нибудь монотонным делом.

Опытные травники знают, что лекарственные растения, собранные в полнолуние, действуют лучше, чем собранные раньше или позже этого дня. День полнолуния хорош и для лечебного голодания. Но он неблагоприятен для пациентов, только что перенесших операцию. В течение трех дней не рекомендуется делать прививки.

Полнолуние — время свершений. Дела идут наилучшим образом, романтические встречи проходят бурно и страстно. А тем, кому некуда сбыть бьющую через край энергию, рекомендуется заняться физическим трудом или спортом. Начало третьей фазы связано с ощущением полноты бытия, радости, жажды жизни. Этот период связывают с наступлением полной зрелости — человек должен сполна осуществить все, на что способен.

В период убывающей Луны эффективнее, чем в другое время, действуют расслабляющие массажи, массажи для снятия спазмов, выводятся вредные вещества из организма. Эффективно и действие лечебных трав.

В те дни, когда Луна убывает, выздоровление идет быстрее. Бородавки, родинки и ангиомы должны лечиться и удаляться только в период убывающей Луны, независимо от типа терапии. Если к моменту наступления новолуния лечение еще не закончено, то его надо прервать и продолжить после полнолуния.

Убывающая Луна — хорошее время для глубокой очистки кожи и удаления токсинов. Это прекрасное время для эпиляции — она проходит легче, а волоски будут потом расти медленнее.

И еще интересное наблюдение. В дни убывающей Луны пища усваивается хуже обычного, поэтому можно баловать себя любимыми лакомствами и не прибавлять в весе.

Убывающая Луна несет осознание происшедших событий, пересмотр взглядов. Свидания носят скорее дружеский, духовный, нежели чувственный, характер.

Чем тоньше становится серпик Луны, а это происходит в дни завершающей, четвертой, фазы, тем ущербнее и энергетика нашего организма. Мы теряем активность, начинаем уставать, все валится из рук. Это похоже на приближающуюся старость: Вы работаете вроде бы и неплохо, но не с таким энтузиазмом, как в самом расцвете сил. Вы как бы подводите итоги пережитого. Этот период надо прожить с ощущением, что месяц прошел не зря: Вы сделали все, что могли.

Лунный серпик становится еще тоньше, еще, и вот уже мы совсем не видим Луну на небе. Четыре дня она будет прятаться в земной тени, а затем родится вновь. Вместе с этим и у нас как бы начнется новая жизнь.

Как показывает практика, женщины довольно часто относятся к теории биоритмов с предубеждением. А зря... Ведь знание собственных циклов может помочь женщине справиться с проблемами сна и ухода за собой.

Так, эффективность косметических процедур зависит от биоритмов почти напрямую.

Дело в том, что не каждый час в сутках подходит для ухода за кожей. Наиболее благоприятное для этого время — с 8 до 13 часов. Кожный покров в эти часы наиболее восприимчив ко всяким препаратам. А вот с 21 часа в организме активно вырабатывается серотонин, или гормон сна. Тонус всего организма, в том числе и кожи, резко снижается. Специалисты рекомендуют снять дневной макияж до 21 часа.

Но не только это надо знать, чтобы сохранить здоровье и свежий, привлекательный внешний вид. Очень большое значение в жизни имеют суточные биоритмы. Правильное распределение своего дня позволит Вам избежать многих проблем и неприятностей.

На что стоит обратить внимание?

Во-первых, имейте в виду, что промежуток с 6 до 7 утра больше всего подходит для перехода от сна к бодрствованию. Многие знают, что если проспишь дольше этого времени, заставить себя подняться чрезвычайно тяжело. Вы спросите, а как же «жаворонки» и «совы»? Как ни странно, этот период оптимален и для тех, и для других. Иное дело, что «совы» ложатся значительно позже. Поэтому они раньше почувствуют усталость в середине дня.

Но если соразмерять свой образ жизни с суточным циклом, то и этой усталости можно избежать. Просто с 16 до 18 часов лучше заменить интеллектуальную активность на физическую и усталость как рукой снимет. А вот с 10 до 12 лучше не отвлекаться на несущественные дела. Это время очень благотворно для умственной активности. В эти часы Вы сможете сделать очень много.

Если Вы не смогли полностью исключить алкоголь из своей жизни, лучше всего пропустить рюмку-другую между 18 и 20 часами. В этот период печени легче справляться с сивушными маслами и прочими продуктами распада спиртных напитков. Ну а с 22 часов лучше ограничить любую свою деятельность. С 22 часов защитные силы организма ослабляются. Значит, пора потихоньку готовиться ко сну. Доказано, что физиологически самое лучшее время для сна — с 22 часов до 5—6 часов и что тот, кто спит при температуре 17—18 °C, дольше остается молодым.

Глава 2. ПОД КРЫЛОМ МОРФЕЯ

2.1. Физиология сна

А что такое сон? Чем регулируется универсальный цикл бодрствования и сна, столь же естественный, как смена дня и ночи? Почему одни спят, «как убитые», а другие мечутся и ворочаются всю ночь?

Сон — это определенное физиологическое состояние, потребность в котором регулярно возникает у человека. Данное состояние отличается относительным отсутствием сознания и активности скелетной мускулатуры. Сон обычно определяется медиками как «физиологическое, регулярно повторяющееся, обратимое состояние организма, характеризующееся относительным его покоем со снижением активности физиологических процессов и сознания со значительным снижением чувствительности к внешним стимулам по сравнению с состоянием бодрствования».

Глубоко спящий человек во сне выглядит как выключенная или переведенная в «спящий режим» машина: стереотипное положение тела, минимальная двигательная активность, снижение реакций на внешние стимулы.

Во сне мы проводим около трети жизни. Но сожалеть об этом времени, как потраченным впустую, несправедливо. Ведь мы спим не только потому, что наше тело нуждается в отдыхе. Пробуждение после крепкого здорового сна можно сравнить с маленьким рождением — обновлением организма. Ведь только благодаря сну мы способны каждый день полноценно работать и активно отдыхать, ясно мыслить и чем-то увлекаться в жизни.

Природа сна всегда вызывала повышенный интерес и служила поводом для множества догадок и предположений. Это неудивительно, поскольку треть жизни человек проводит во сне. В древних культурах существовали различные божества, покровительствовавшие сну. В греческой мифологии бог сна назывался Гипносом, в римской — Сомнусом. Морфей, бог сновидений, был одним из тысячи сыновей Сомнуса. Бог сна считался братом бога смерти, и оба они были сыновьями богини ночи.

Потребность в сне и его физиология определяются прежде всего высшим отделом нервной системы — корой больших полушарий головного мозга, которая контролирует все процессы, происходящие в организме.

Нервные клетки, составляющие кору больших полушарий головного мозга, обладают удивительной способностью отвечать на малейшие раздражения из внешней или внутренней среды организма. Когда через наши органы чувств мозг воспринимает эти раздражения, начинается активная работа корковых клеток. Они посылают импульсы-распоряжения к исполнительным органам нашего тела (мышцам, железам и т. д.). Это свойство нервных клеток коры головного мозга называется высокой реактивностью.

Корковые клетки чрезвычайно хрупки и быстро утомляются. И здесь в качестве средства самозащиты, предохраняющего эти нежные клетки от истощения и разрушения, выступает другой нервный процесс — торможение, задерживающее их деятельность. Торможение, так же, как и возбуждение, не стоит на месте: возникая в каком-либо участке коры больших полушарий, оно может переходить на соседние. А если ему не будет противостоять возбуждение в других частях коры, то торможение может распространиться по всей ее массе и даже опуститься на нижележащие отделы мозга. Такова разгадка внутреннего механизма сна.

Сон — это разлившееся торможение, охватившее всю кору больших полушарий, а при глубоком сне — спустившееся и на некоторые нижележащие отделы мозга. Сон возникает в условиях, благоприятных для победы торможения над возбуждением. Так, усыпляюще действуют и долго, ритмично повторяющиеся слабые и умеренные раздражения — тиканье часов, перестук колес поезда, тихий шум ветра, монотонная речь, негромкое однообразное пение, полное отсутствие раздражений в окружающей среде, например отсутствие шума, света, и т. п.

Все, что снижает работоспособность нервных клеток мозга, — утомление, истощение, перенесенное тяжелое заболевание — повышает потребность в сне, увеличивает сонливость. Понаблюдайте за собой, и Вы убедитесь, что в результате раздражений, действующих на мозг в течение дня, к вечеру развивается утомление, а с ним и желание спать — сигнал о настойчивой потребности организма в отдыхе.

Изучение торможения показало, что оно не просто препятствует дальнейшей работе нервных клеток. Во время этого внешне пассивного состояния (именно только внешне, ибо в это самое время внутри клетки совершаются активные процессы обмена веществ) клетки мозга восстанавливают нормальный состав, набирают силы для дальнейшей активной работы. Во сне, когда заторможена подавляющая часть мозга, создаются наиболее благоприятные условия не только для восстановления работоспособности его нервных клеток, более всего нуждающихся в такой передышке, но и для отдыха всего организма.

При спокойном сне тело спящего неподвижно, глаза закрыты, мышцы расслаблены, дыхание замедленно, контакт с окружающим отсутствует, но во всех частях, органах и системах организма в это время совершаются активные, жизненно важные процессы, способствующие его самообновлению.

Почему человек засыпает?

Сон контролируется сложными механизмами нервной и эндокринной регуляции. Основные структуры, отвечающие за контроль сна, располагаются в определенных структурах головного мозга: стволе, ретикулярной формации, таламусе и коре. Инициация процесса засыпания и регуляция организма в период сна обеспечиваются многочисленными биологически активными веществами, обеспечивающими передачу нервных импульсов в ткани головного мозга, или нейромедиаторами, среди которых ключевую роль играют гормоны серотонин, мелатонин, ацетилхолин, нор-адреналин, дофамин и др.

Какой сон следует считать полноценным?

«Идеальным» сном следует считать такой, при котором засыпание происходит быстро, а продолжительность и глубина достаточны для обеспечения хорошего самочувствия и бодрости после пробуждения. Важным аспектом благополучного сна является его непрерывность, то есть отсутствие ночных пробуждений.

Человек без сна может обходиться гораздо меньше времени, чем без пищи и воды. Человек, бодрствующий долгое время, проходит периоды сильной усталости, но может преодолевать их и продолжать функционировать без сна. Однако люди, в течение долгого времени лишенные сна, становятся все более дезориентированными и утомленными психически и физически. После примерно 10 дней полного отсутствия сна наступает смерть.

Все функции сна до сих пор еще не выявлены, но можно утверждать следующее.

Во время глубокого сна у детей повышается выработка гормона роста. В это время также происходят восстановительные процессы и заменяются мертвые клетки.

Наш мозг способен адаптироваться к периодам без сна, длящимся 2—3 дня. Но со временем недостаток сна приводит к раздражительности, иррациональности, галлюцинациям и помешательству. Мозг во время сна не отдыхает. Деятельность мозга продолжается.

Одна из функций сна — позволить произойти переменам в мозгу, чтобы включились механизмы обучения и запоминания.

Существует гипотеза, согласно которой наши ощущения физической усталости создаются мозгом ввиду его нежелания продолжать управлять телом. И единственный выход — дать мозгу отдохнуть.

Сон — очень чувствительный индикатор здоровья. Практически любое заболевание отражается на состоянии сна. В то же время, собственно нарушения сна оказывают влияние не только на общее самочувствие человека, но и на процесс развития многих заболеваний, например таких, как гипертоническая болезнь, ожирение, инфаркт миокарда, инсульт, сахарный диабет, депрессия. Более того, качество и количество сна напрямую влияет на внешний вид. Согласно мировой статистике, расстройства сна случаются чаще у женщин, чем у мужчин, и учащаются с возрастом.

О важности сна для человека говорит тот факт, что у людей, длительное время лишенных сна, часто развиваются расстройства мышления и восприятия, подобные тем, что наблюдаются при шизофрении. Люди, лишенные сна, способны поддерживать эффективную деятельность лишь очень короткое время; если же они работают длительно, то совершают большое количество ошибок, особенно в условиях ограниченного времени.

2.2. Стадии сна

Что происходит с нашими чувствами в мире сна? Много ли мы можем слышать? Каковы движения наших глаз, когда мы «смотрим» сны?

Иногда поспишь пару часов, и кажется, что ты уже выспалась, или, наоборот, спишь 8—10 часов, встаешь и чувствуешь себя разбитой.

Почему же так происходит?

Дело в том, что сон имеет сложную структуру и состоит из 5 стадий.

Первые две стадии — это стадии засыпания сознания. Подсознание в этот момент продолжает бодрствовать.

1-я стадия сна — это состояние, когда мы дремлем, часто возникают какие-то рваные зрительные образы, мышцы начинают слегка подергиваться, избавляясь от напряжений. 1-я стадия является непродолжительным (несколько минут) переходом от состояния бодрствования или легкой сонливости к последующим этапам и занимает не более 5% времени ночного сна. В этой стадии мы входим в сон и выходим из него и нас легко разбудить. Наши глаза совершают медленные движения, и мышечная активность снижается. Люди, разбуженные в 1-й стадии сна, часто вспоминают фрагменты зрительных образов. Многие также ощущают внезапные мышечные сокращения, называемые сонной миоклонией, часто сопровождаемые ощущением начала падения. Эти непроизвольные движения похожи на прыжок в начале бега.

2-я стадия сна — зрительные образы пропадают, температура тела слегка снижается, дыхание становится ровным, движения глаз прекращаются, веки медленно смыкаются и размыкаются, активность мозга замедляется (около 45% времени сна).

И только на *3-й* и *4-й стадиях* (дельта-сон) начинается глубокий восстанавливающий сон. В этот период нас трудно разбудить, тело полностью расслаблено, нервные клетки восстанавливают свой потенциал. 3-я стадия в большей степени представляет собой переход от 2-й к 4-й стадии сна, занимает около 7% времени сна и содержит до 50% «медленноволновой активности», выявляемой на электроэнцефалограмме (ЭЭГ).

Электроэнцефалограф регистрирует слабые электрические импульсы мозга и записывает их в виде электроэнцефалограммы. Подобно тому как стереосистема усиливает импульсы, зафиксированные в фонографической записи, а затем передает эту информацию на громкоговорители в виде звука, электроэнцефалограф преобразует наши мозговые волны в графические картины, которые исследователь может увидеть и расшифровать. Независимо от того, спим мы или бодрствуем, мозг непрерывно посылает разнообразные импульсы. Когда мы работаем, мозг выдает импульсы определенного типа.

Когда мы спим, волны изменяются в соответствии с различными стадиями сна.

Когда Вы не спите, мозг генерирует низкоамплитудные быстрые волны, или альфа-волны (10 колебаний в секунду), а во время сна — более медленные и высокоамплитудные волны, называемые дельта- и тета-волнами.

Это связано с тем, что в период бодрствования электрические разряды нервных клеток мозга не синхронизированы. Регистрируемая ЭЭГ отражает усредненную активность миллионов нервных клеток; при суммировании положительных и отрицательных зарядов общий результат равен нулю. Именно поэтому амплитуда волн низка, а колебания от положительного знака к отрицательному происходят очень быстро. Во время сна большинство нервных клеток работает синхронно, так что их разряды можно сравнить с дружным топотом ног, при этом получаются медленные высокоамплитудные волны ЭЭГ.

Когда медленноволновая активность превышает этот уровень, человек входит в 4-ю стадию сна — наиболее глубокий сон, у здоровых людей она занимает около 15% времени сна. В этой стадии движения глаз отсутствуют, мышечная активность существенно снижена.

Люди, разбуженные в этих стадиях, не могут немедленно адаптироваться и часто чувствуют себя заторможенными и дезориентированными в течение нескольких минут после пробуждения. У детей во время глубокого сна возможны энурез, ночные страхи, снохождение.

В период сна происходит также секреция гормонов, в том числе гормона роста. В начале 4-й стадии отмечается максимальный в течение суток выход гормона роста в кровь. Этот гормон нужен не только для роста, но и для восстановления тканей.

5-я стадия сна — фаза парадоксального сна, которая характеризуется повышенной активностью организма:

сердце начинает биться быстрее, дыхание становится частым, повышается давление и температура тела, начинается обильное потоотделение, глаза под закрытыми веками начинают совершать быстрые движения в различных направлениях, а у мужчин часто возникает эрекция. Человек, проснувшийся во время парадоксального сна, как правило, может описать свои сновидения.

Эта фаза сна досталась нам от далеких предков, от того давнего времени, когда человека на каждом шагу подстерегала опасность — в любую минуту из темноты мог появиться хищник. Если бы человек на протяжении всех 7—8 часов расслабленно спал, то он бы не смог быстро отреагировать на опасность, тонус мышц за это время существенно снижается.

Природа придумала выход из этой ситуации и решила каждые 1,5—2 часа проводить своеобразную встряску организма, чтобы мышцы не теряли свой тонус и были готовы быстро реагировать в случае опасности.

Таким образом, существуют две основных формы сна — парадоксальный сон, называемый также сном с быстрыми движениями глаз (REM-сон), и сон без быстрых движений глаз (NREM-сон). Эти стадии последовательно сменяют одна другую во время сна примерно каждые 90—110 минут (это время одного цикла сна): сначала 1-я стадия, потом 2-я и так до стадии парадоксального сна. Потом этот цикл повторяется сначала.

В течение ночи обычно бывает 4—5 циклов сна.

На рисунке графически изображено чередование стадий сна в течение ночи (затемнены фазы парадоксального сна).

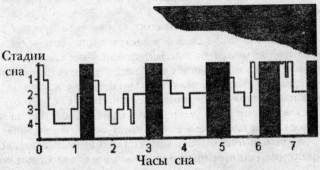

Итак, сон доходит до 4-й стадии только в первые 3 часа — это самый крепкий и восстанавливающий сон, когда мы по-настоящему отдыхаем. Первые циклы сна в начале ночи обычно содержат относительно непродолжительные периоды парадоксального сна и длительные периоды глубокого сна. В течение ночи продолжительность периодов парадоксального сна увеличивается, а глубокого сна — уменьшается. К утру люди проводят практически все время своего сна в 1-й, 2-й стадиях сна без быстрых движений глаз и парадоксальном сне.

Интересно, что во время 3-й и 4-й стадий сна, когда в организме идут восстановительные процессы, большая часть крови направляется в мышцы. В мозгу в этот период, хотя и могут возникать мысли, они разрознены и отрывочны, поскольку при недостаточном кровоснабжении мышление не может поддерживаться на нормальном уровне.

Когда наступает парадоксальный сон, активность мозга повышается и возникают сновидения, к мозгу поступает больше крови, а в остальные части тела — меньше. При этом через мозг, согласно оценкам, идет одна четверть общего объема крови. Вероятно, такое усиление мозгового кровообращения необходимо для обеспечения повышенного уровня активности мозга во время сновидений.

Подводя итог, можно сказать, что основная функция первых четырех стадий сна — восстановительная (накопление энергетических, в первую очередь фосфатергических связей, синтез пептидов и нуклеиновых кислот), в этой фазе наблюдаются пики секреции сомато-тропного гормона, пролактина, мелатонина, а в 5-й стадии — переработка информации и построение программы поведения.

Почему некоторые люди спят лучше, чем другие? Естественно, что такая сложная система, как «сон—бодрствование», не может быть одинаковой у всех, как и рост у одного человека бывает больше, а у другого меньше. Чем слабее у Вас система сна (или сильнее система бодрствования), тем более внимательно Вам следует относиться к своему сну. Сильная или слабая система сна часто достается по наследству. Иногда люди рассказывают, что их мать или бабушка плохо спали. Однако само по себе наличие бессонницы у нескольких членов семьи еще не доказывает генетического происхождения этого нарушения. Вполне возможно, что семья состоит из мнительных людей, которые беспокоятся о качестве сна друг друга и чрезмерно озабочены собственным сном.

«Жаворонки» и «совы»

Может быть, Вы — «жаворонок»? Ответить на этот вопрос легко: если Вы в 22 часа начинаете непрерывно зевать, а к 23-м уже крепко спите, но зато просыпаетесь вместе с рассветом, —значит, Вы «жаворонок». А кто такие «совы»? Это тот, кто может увлеченно читать и после полуночи, но зато утром разбудить его будет трудно: организм в 8 часов утра категорически отказывается проснуться.

«Жаворонки» и «совы» по поведению напоминают своих «прототипов» в животном мире. Какой же образ жизни лучше: утренний или ночной? Однозначного ответа здесь не существует. «Жаворонок» сказал бы, что работать утром, когда вместе с тобой просыпается весь мир, — чудесно. Но если Вы прирожденная «сова», сломать себя и заставить вставать ранним утром будет трудно.

Другое дело, если ночной образ жизни развился в результате неправильного режима и распределения труда. Такая «сова» может измениться. Но меняться надо мягко и постепенно, иначе все может закончиться бессонницей и тяжелым стрессом. Самое же опасное — это нерегулярный сон. И «сова» и «жаворонок» будут страдать одинаково, если их то будить рано утром, то не давать спать до позднего вечера.

2.3. Нормальная продолжительность сна

Ежедневно мы имеем дело с огромным потоком информации. Часто это становится причиной нарушений сна. Лежа в кровати, анализируем прожитый день или строим планы на следующий. Поток мыслей остановить трудно, но остановить жизненно необходимо. Ведь сон — дело не менее важное, чем учеба или работа. Распространенное представление, что, экономя время на сон, можно больше успеть сделать, совершенно ложно. Во время сна мозг реструктурирует информацию, что улучшает понимание проблемы и помогает подыскать для нее оптимальное решение.

В часы бодрствования на мозг обрушивается лавина информации. Чтобы ее переработать (систематизировать, соотнести с уже имеющейся информацией, обобщить и «уложить» в памяти), необходимы время и подходящие условия. Получив дозу сведений за день, мозг подводит во сне итоги.

Сколько следует спать, чтобы сон считался нормальным? Одни специалисты говорят, будто человек проводит во сне треть жизни, то есть минимально для сна нужно не менее 7—8 часов в сутки.

Около 5% населения могут спать менее 6 часов, и им этого вполне хватает, тогда как для других 5% людей нормальный сон составляет 9 и более часов. Классическими примерами обычно служат Альберт Эйнштейн, который спал более 10 часов в сутки, а также Виктор Гюго и Уинстон Черчилль, которые никогда не спали более 5 часов в сутки. А вот Софи Лорен требуется 9 часов для сна. Гете мог проспать 24 часа подряд.

Потребность в сне индивидуальна и может несколько отклоняться в ту или иную сторону от средней 8-часовой нормы, но все же, по статистике, большинство людей недосыпает. Эксперименты ученых показали, что у тех людей, которые недосыпают по три часа ежедневно, интеллектуальные способности снижаются на 15%.

Человек, занятый тяжелым физическим трудом, обычно спит без проблем. Люди интеллектуального труда тоже не жалуются на сон, если работают интенсивно и эффективно. При вялой жизнедеятельности человеческий мозг вместе с механизмами сна изнашивается скорее.

Специалисты утверждают: естественно то, когда человек спит не потому, что спать пора, а потому, что спать хочется. И также естественно, что он просыпается не потому, что так надо, а потому что выспался.

Недельное недосыпание по три-четыре часа за ночь весьма негативно влияет даже на молодых здоровых людей: их организм начинает хуже справляться с перевариванием и усвоением углеводов и хуже переносить стрессовые состояния. Появляются отклонения от нормального гормонального равновесия и ослабляется иммунная система. Постоянное недосыпание может приводить к ожирению, способствовать развитию диабета или гипертонии.

Исследования медиков показали, что статистически люди, которые меньше спят, весят больше. Регулярное сокращение часов сна отражается на соотношении гормонов лептина и грелина в организме. Первый из этих гормонов «говорит» организму, что мозг не нуждается в большем количестве пищи, а второй, наоборот, усиливает чувство голода. Так, при сне всего 4 часа в течение двух ночей уровень лептина обычно сокращается на 18%, а уровень грелина поднимается на 28%. При этом в течение следующего дня имеется тенденция предпочитать сладкую и крахмалистую пищу (печенье, пироги) овощам, фруктам и молочным продуктам. Возможно, обеспокоенный нехваткой сна мозг «ищет» простые углеводы для своего питания.

Так может лучше больше спать? Не всегда сон должен иметь определенную продолжительность. При сочетании движения и покоя кровь циркулируют свободно. При чрезмерном сне ток крови замедляется, возникает чувство лени во всем теле. В древности говорили: «Нельзя спать до окоченения». Это непременно отрицательно отразится на здоровье.

Современные исследования также показывают, что смертность от сердечных болезней вдвое выше у людей, которые спят по 10 часов, чем у людей, которые спят по 7 часов. Этот вывод был сделан в результате 20-летних обследований нескольких сотен тысяч людей. Специалисты пришли к заключению, что вероятность внезапных сердечных приступов и апоплексии со смертельным исходом увеличивается с ростом продолжительности сна. Выдвинута гипотеза, согласно которой причиной этого является замедление циркуляции крови во время сна, что увеличивает опасность застоя крови в сердце или мозге.

2.4. Изменяется ли сон с возрастом?

Раньше считалось, что чем старше человек, тем больше он спит. Теперь известно, что после достижения совершеннолетия длительность сна практически не зависит от возраста.

Однако структура сна изменяется. С возрастом мы часто спим более чутко. Ухудшается качество сна — он становится поверхностным, менее эффективным, недостаточно освежает. На протяжении жизни постепенно падает продолжительность наиболее глубокого сна, во время которого в организме идут процессы роста и восстановления. К 50 годам у мужчин и к 60 годам у женщин продолжительность сна в 4-й стадии уменьшается очень существенно, иногда она совсем пропадает, так что люди в этом возрасте легче просыпаются от шума и других внешних помех, не мешающих спать молодым.

Несмотря на то что продолжительность сна у здорового человека практически постоянна на протяжении жизни — от 20 до 75 лет, жалобы на качество сна с возрастом появляются в 3—4 раза чаще, чем в среднем возрасте. Сон становится прерывистым, часть ночи проходит без сна. Вы можете находиться в постели больше времени, считая, что спите дольше, но на самом деле сон у Вас перемежается частыми короткими периодами бодрствования.

Некоторые люди просыпаются за ночь сотни раз, бодрствуя при каждом пробуждении не менее 15 секунд. Подобные пробуждения создают впечатление бессонной ночи, хотя на самом деле Вы спали. Поняв это, Вы будете меньше беспокоиться о своем сне.

Запомните, что количество и качество сна у Вас нормальны, если Вы сами так считаете и не ощущаете снижения работоспособности и бодрости в течение дня.

А вот новорожденные спят в среднем по 16,5 часов в сутки, младенцы же в 6 месяцев — примерно 14 часов. К 2 годам средняя продолжительность сна у ребенка снижается до 12,5 часов, из них 1,5 часа он спит днем и 11 ночью.

К 6 годам большинство детей уже не спят днем, а ночной сон у них по-прежнему равен 11 часам. Десятилетний ребенок спит в среднем 10 часов, а подростки 15—19 лет — по 7,5—8,5 часов. У одного и того же ребенка длительность сна неодинакова каждый день, но недельная и месячная нормы, как и у взрослых, постоянны.

2.5. Мистика и реальность наших снов

К снам и их значимости можно относиться по-разному. Можно изучать теории по психоанализу или же воспринимать сны как мистику. Можно создать собственную теорию, пусть даже основанную на твердом атеизме и материализме. Но, наверное, все согласятся, что человеку (и даже животным) присуще видение снов. И во снах мы зачастую не просто зрители, мы активные участники, а собственные эмоции бывают так сильны, что после пробуждения сон продолжает будоражить наше сознание и наяву.

Еще на заре человечества шаманы или колдуны в племенах не только предсказывали погоду и гадали, но и толковали сны. Литература наводнена примерами, когда чьи-то сны имели большое значение для реальности. Сновидения всегда полны символики и смысла, и смысл этот индивидуален для каждого человека. И не удивительно, что психоаналитики в своих трудах уделяют столько места для объяснения природы происхождения и расшифровки снов.

Женщины, как более впечатлительные натуры, видят, в общем, более яркие и эмоциональные сны. И так как сон жизненно необходим для восстановления энергетических запасов нервной системы, предполагается, что роль сновидений в этом процессе тоже очень велика. Нельзя себе представить сон без сновидений.

Сновидения включают как реальные, пережитые человеком события, имевшие сильную эмоциональную окраску, так и сны в виде фантазий. Среди сновидений особое место занимают эротические.

Установлено, что 8% всех сновидений, переживаемых человеком в течение жизни, — сексуальные, так считает современная наука о физиологии сна человека. Есть данные, что около 60% мужчин и 50% женщин «смотрят» эротические сны. Причем у одной трети женщин сны сопровождались оргазмом.

Вопреки распространенному мнению, эротические сновидения, сопровождаемые оргазмом, гораздо чаще посещают женщин, не обделенных сексуально, живущих активной половой жизнью. Этим снам были присущи эротические фантазии.

Мужчины чаще воображают половое сношение с незнакомыми партнерами. Женские фантазии более эмоциональны и разнообразны. В них, чаще всего, фигурируют сексуальные поступки, которые они никогда бы не совершили в реальности. Нередки сны, в которых женщины являются жертвами насильников. Эротические сновидения могут запоминаться надолго.

Особое внимание привлекает творчество во сне, явление наиболее сильно заявляющее о скрытой работе мозга.

Можно считать, что как раз во сне мысль обретает наиболее расслабленные, освобожденные от надзора сознания состояния. «Утро вечера мудренее» — гласит народная поговорка. Каждый из нас может вспомнить ситуации, когда, засыпая с чувством растерянности и беспомощности перед навалившимися проблемами, мы просыпаемся утром с ощущением, что проблемы решены.

Насчитывается до 60 теорий сна. Чтобы переработать (систематизировать, соотнести с уже имеющейся информацией, обобщить и «уложить» в памяти) информацию, накопившуюся в часы бодрствования мозга, необходимы, как уже упоминалось, время и подходящие условия. Получив порцию сведений за день, мозг «откладывает» их и переключается на другое: он подводит во сне итоги. Начинив мозг перед сном фактами и задав программу поиска, мы должны только ждать решения. Так делал, например, известный французский просветитель и философ Э. Кондильяк. Часто он ложился спать, подготовив мысленно свою работу, но не завершив ее, а утром после пробуждения обнаруживал, что она получила в голове законченную форму.

Творчество во сне — загадочный феномен. Безусловно, сон освежает. Не случайно многие решения проблем найдены под утро, то есть после глубокого отдыха. С другой стороны, подмечено, что оригинальные идеи обычно не рождаются в усталом мозгу.

Однако не это, видимо, главное. Это только необходимые, но еще недостаточные условия. Важнее другое. Во сне мозг отключен от внешних каналов поступления информации. Между тем его деятельность продолжается.

Структуры мозга не могут не функционировать. Как полагали уже древние (Аристотель, Гиппократ), сновидения — это проявления мышления, работавшего во сне. Но в изоляции от внешних, рассеивающих внимание факторов мысль способна извлечь из запасников памяти такие знания, которые в состоянии бодрствования остаются в тени, затушеванные наплывом «текущей» информации.

Поучителен случай, рассказанный американским палеонтологом Ч. Штернбергом. Однажды он получил от музея заказ на древние листья папоротника. Долго обдумывал, где же найти эти листья. Так ничего и не придумав, лег спать. Ночью приснилось, что он стоит у подножия горы, находящейся в нескольких километрах от города, и там видит как раз заказанный ему папоротник. Ученый, хотя и с недоверием, но отправился утром к месту, которое приснилось. На удивление, там действительно был папоротник, нужный музею. На первый взгляд — какая-то мистика. Но вот узнаем, что когда-то профессор охотился в этой части горы на диких коз и машинально отметил папоротник (растение своеобразное, древнее), который там рос. Наяву он не мог об этом вспомнить: сознание рассеивалось под напором массы информации, в которой терялся нужный, едва уловимый след. Во сне же мозг явственнее улавливает импульсы, идущие из глубин памяти.

Итак, примеры. Начну с математики. Наука наиболее строгих, насквозь логических рассуждений, которую меньше всего можно было бы «обвинить» в легковесности, математика, содержит немало свидетельств открытий во сне, например, Р. Декартом, К. Гауссом, Ж. Кондорсэ.

Интересный случай описан А. Пуанкаре. После нескольких неудачных попыток проинтегрировать уравнение, полученное в одном из исследований, он решил вечером лечь пораньше спать. Сделал это намеренно, чтобы и встать пораньше, зная, насколько успешнее идет работа по утрам. Но вот уже на исходе ночи ему снится, что он читает студентам лекцию. И как раз по теме, которой занимался накануне. Более того, снилось, что он на доске интегрирует именно то уравнение, которое ему никак не давалось. Проснулся. Понял, что это только сон. Но, припомнив его содержание и записав на бумаге ход рассуждений, обнаружил, что решение верно. И это у А. Пуанкаре не единственный случай.

За установление химического способа передачи нервных импульсов австрийский ученый О. Леви был удостоен Нобелевской премии. И интереснее всего то, что мысль о наиболее важном эксперименте, определившем успех всего дела, пришла исследователю во сне. Со слов

Г. Селье, которому об этом поведал сам автор открытия, события развертывались таким образом. Однажды ночью О. Леви почувствовал, что занимавшая его тема, кажется, обретает ясность. Проснувшись, он тут же, не успев как следует прийти в себя, набросал идею эксперимента, которая пришла ему во сне. Тем не менее, когда утром стал разбирать свои ночные записи, обнаружил, что не понимает их, а содержание сна стерлось. Но мысль эта теперь уже не давала ему покоя. В следующую ночь он вновь проснулся с тем же озарением. На этот раз, пересилив себя, записал все подробно, а днем провел эксперимент, подтвердивший его идею.

Стало выдающимся открытие А. Кекуле в 1865 году формулы бензольного кольца. До сих пор признавались только линейные, разомкнутые схемы химических связей. Однако, опираясь на эту посылку, не могли объяснить свойства большой группы химических соединений. Явно напрашивался принципиально новый ход совсем в ином направлении. Над этим и бился А. Кекуле. Однажды вечером, сидя у камина, он описывал проведенные накануне исследования. Но работа не шла. Тогда он подвинулся ближе к огню и задремал. Ему снился бал, кружились в вальсе пары. И вот уже не пары, а целые группы атомов. Одна из них как-то незаметно держалась в стороне и этим привлекала внимание.

Вот рассказ самого А. Кекуле: «Мой умственный взгляд мог теперь различать длинные ряды, извивающиеся подобно змеям. Но смотрите! Одна из змей схватила свой хвост и, в таком виде, как бы дразня, завертелась перед моими глазами. Словно вспышка молнии разбудила меня! Я провел остаток ночи, разрабатывая следствия и гипотезы». Образ змеи, схватившей себя за хвост, и привел к идее замкнутой цепи атомных соединений, идее кольца. Бензол имеет не линейную $CH–CH–CH–CH–CH–CH$, а циклическую форму строения.

Это А. Кекуле и произнес свои ставшие знаменитыми слова: «Учитесь видеть сны, господа!».

Необходимо упомянуть имя нашего замечательного соотечественника Д. Менделеева. Идея периодического закона явилась ему во сне после серии утомительных, долго продолжавшихся занятий по классификации химических элементов.

Как рассказывают близко знавшие академика И. Павлова, он часто думал над захватившими его проблемами и во сне.

Немало фактов творчества во сне собрано о художниках, композиторах, поэтах, писателях. Это образ знаменитой Мадонны Рафаэля и ряд созданий Ф. Гойи, мелодия Первого концерта для фортепьяно с оркестром П. Чайковского и мотив «Дьявольской» сонаты Д. Тартини. Это план и несколько сцен 1-го акта «Горя от ума» А. Грибоедова и т. д.

Интересна работа ленинградского врача профессора В. Касаткина — диагностика по сновидениям, основанная на способности мозга во сне явственнее улавливать импульсы, идущие из глубин памяти.

Когда болезнь только разгорается, сигналы ее очень слабы, и бодрствующее сознание не может их выделить в потоке информации. Зато во сне они проявляются четче. Одному больному, например, приснилось, что он глотал металлические крючья. А через 1,5 года у него развился рак гортани. Так возникла идея: использовать сновидения в диагностике. В. Касаткин составил каталог около 300 болезней, распознаваемых с помощью снов. Например, если снится, что Вы с трудом пробираетесь через узкую щель, грудь сдавлена, или, если Вы задыхаетесь под тяжестью, есть основания подозревать сердечную недостаточность. В таких случаях можно диагностировать стенокардию.

И наконец, самое важное. В бодрствующем состоянии мысль исследователя не выплескивается из берегов традиционных течений, она ищет готовые методы, привлекает сложившиеся объяснения. Во сне — иная ситуация. И если исходные элементы для решения проблемы (необходимые знания, информация) налицо, а не хватает лишь способа по-особому, необычно их соединить, то состояние сна — как раз подходящая для этих целей «обстановка». Сны и грезы ведут к тому счастливому синтезу, который не дается при методическом обдумывании. Здесь выявляется еще одно обстоятельство, раскрывающее полезность сновидений.

Сны, как правило, протекают в образном исполнении. Не зря говорят: «видел сон». Этому тоже есть объяснение.

2*

Дело в том, что чувствительность у нервных клеток глаза и зрительного анализатора значительно выше, чем у других органов и центров. Кроме того, глубина торможения зрительных анализаторов во время сна меньше по сравнению с другими анализаторами. Поэтому все не превышающие средней степени раздражения во время сна преобразуются в зрительные ситуации. Спящему в накуренной комнате могут сниться пожары. Если близко хлопают дверью, может присниться стрельба. Даже потерявшие зрение в зрелом возрасте продолжают «видеть» во сне.

Итак, учитесь видеть сны!

2.6. Положение тела во время сна

Оказывается, поза человека во время сна во многом определяется его заболеваниями. Так, люди, страдающие хроническими заболеваниями печени, не могут спать на правом боку, а те, у кого нарушено кровообращение, дискомфортно чувствуют себя на левом. Люди с патологическими изменениями в позвоночнике предпочитают спать на спине, а при некоторых расстройствах психики, наоборот, на животе.

Правши спят преимущественно на правом боку, а левши — на левом. При сердечно-легочной недостаточности пациенты вынуждены спать в полувертикальном положении. Наиболее же комфортная для организма во сне поза — «полузародыша», то есть на боку, со слегка подтянутыми коленями.

В каком положении все-таки предпочтительнее спать? Наиболее расслабленная поза для сна — на боку. Согните ту ногу, которая оказалась сверху, и положите кисть «верхней» руки около головы. «Нижняя» нога должна быть вытянута, «нижняя» рука — лежать вдоль туловища. «А подушка?» — спросите Вы. Одна тонкая подушка. Иначе шея примет неправильное положение.

Некоторые ученые считают, что человек, следуя привычным поведенческим мотивам, как правило, спит в позе, выражающей его личность. То, как мы спим, говорит о том, как мы живем. Основная поза, которую принимает индивидуум во сне, столь же показательна по отношению к его образу жизни, как и все другие показатели, утверждают медики. Они выделили 5 сонообразующих поз.

Поза «зародыш» напоминает положение эмбриона в материнском чреве и свойственна человеку, который не осмеливается «развернуться», подставить себя событиям жизни, не позволяет себе раскрыться. Человек лежит на боку, свернувшись калачиком, ноги согнуты в коленях, колени подтянуты к подбородку. Стрессы, неудачи этого человека связаны с самореализацией.

Самую распространенную позу «полузародыша» предпочитают люди уравновешенные, надежные, без труда приспосабливающиеся к любым условиям.

«Королевскую» позу на спине с раскинутыми руками и ногами принимают люди, с детства привыкшие находиться в центре внимания. Они уверены в силе своей личности, не сомневаются в превосходстве над другими, как должное принимают и поклонение, и дары, и уступки, не оставаясь, впрочем, в долгу. В любом обществе они чувствуют себя своими, всегда открыты для контактов. Поза весьма располагает к храпу. Каждый пятый предпочитает спать на спине.

Лежа на животе спят люди, которым свойственно контролировать свою жизнь и избегать неожиданностей. Они отличаются стремлением все делать очень хорошо, их около 12%.

Закрыв голову руками, спящий как бы защищает себя от неприятных ночных сюрпризов. Такой человек испытывает стрессы от самого разного рода неожиданностей, особенно от непредсказуемого поведения других. Проблемы такого человека связаны с потребностью в прочности, устойчивости, надежности в окружающем мире.

Можно скептически относиться к толкованию относительно принимаемых во сне положений тела, но то, что для каждого человека позы сна имеют четко выраженную индивидуальность, сомнений не вызывает.

Не лишне вспомнить о существовании супружеских пар, которых ученые также не могли обойти вниманием. Супруги, спящие плотно прижавшись друг к другу, так, что поза одного полностью повторяет позу другого (а это возможно только тогда, когда партнеры спят на боку), — любящие и счастливые.

Противоположная поза, когда партнеры повернуты друг к другу спинами и расстояние между ними сравнительно велико, свидетельствует о проблемах в союзе, в котором каждый живет своей жизнью. Здесь может быть заложена напряженность в отношениях или борьба за лидерство. Если же партнеры повернуты друг к другу спиной, но их ягодицы соприкасаются — это убедительное свидетельство преобладания индивидуальной жизни над семейной, и каждый «ягодичный» партнер является личностью. При этом жизнь и дела другой личности также важны. Ученые всерьез полагают, что эта поза одновременно указывает как на интимность, так и на независимость в отношениях, и присуща опытным парам, которые давно вместе и были бы не прочь получить бóльшую свободу друг от друга.

Глава 3. БОЛЕЗНИ МОРФЕЯ

3.1. Нарушения сна и их классификация

Здоровый сон, по мнению специалистов, обладает рядом признаков:

— человек засыпает быстро и незаметно для себя;

— сон характеризуется непрерывностью и отсутствием ночных пробуждений;

— глубина сна позволяет человеку не реагировать на внешние раздражители, то есть сон не является слишком чутким;

— продолжительность сна не кажется слишком короткой спавшему.

Значит, здоровый сон — это не просто определенное время, которое человек провел в «спящем режиме». Это глубокий, спокойный и непрерываемый процесс. А достаточное для сна время зависит от индивидуальных особенностей человека. Повторю: время, нужное большинству взрослых людей для здорового сна, — 7—8 часов. Полезно прислушиваться к себе. Мы все-таки спим не потому, что спать пора, а потому, что спать хочется. И естественно, просыпаемся потому, что выспались.

И вообще, на первый взгляд сон — это полный покой: лег в постель и спишь себе до утра счастливым бревнышком. Однако дотошные ученые подсчитали, что за ночь человек делает до 40 самых разных телодвижений, о которых утром конечно же ничего не помнит. Вот из этого-то ночного «разговора тела» и можно узнать кое-что о состоянии здоровья спящего.

К сожалению, наш образ жизни не позволяет нам всегда слушаться «велений своего организма». Поэтому большинство из нас страдает от недосыпания и различных расстройств сна. И если какой-то из вышеперечисленных признаков здорового сна отсутствует, медики говорят о так называемых *нарушениях сна*.

Нарушения сна — насколько актуальна эта проблема? Нарушения сна значительно снижают качество нашей жизни за счет усиления психических и эмоциональных расстройств, нарушения функции иммунной системы, повышения частоты и тяжести всевозможных сопутствующих заболеваний, производственного и бытового травматизма (например дорожно-транспортные происшествия по причине засыпания водителя за рулем).

Дефицит количества или нарушения качества сна обычно приводит к сонливости в дневное время, трудностям при концентрации внимания, нарушениям памяти и т. п. То есть ухудшается дневное психическое и физиологическое состояние. И, как следствие, снижается работоспособность.

Согласно мировой статистике, нарушениями сна страдают сегодня до 40% жителей крупных городов. Это говорит о том, что подобные расстройства связаны в первую очередь с напряженным ритмом жизни и большими психологическими нагрузками на работе.

Есть еще одна часто встречающаяся форма нарушения сна — регулярные ночные пробуждения. У таких людей сон является очень поверхностным. А пробуждение и засыпание могут повторяться несколько раз за ночь.

Бессонница — не единственное нарушение сна.

Храп, скрежетание зубами, лунатизм, бессвязное бормотание во сне, кошмарные сновидения — это самые легкие явления, которые случаются с нами во сне, можно сказать, начало перечня болезней сна. Перечисленные «радости» кажутся естественными, хотя и небезобидными. На самом деле это болезни, которые надо лечить. Не стоит ждать, пока храп начнет перекрывать звук работающего двигателя, а зубы раскрошатся до основания.

В основном ученые выделяют три вида таких нарушений сна:

— *инсомния (бессонница)* и *агнозия* (человек спит 7—8 часов, но как бы не осознает самого факта сна);

— *гиперсомния* (нарколепсия — избыточная сонливость днем и ночью);

— *парасомния* (снохождение, сноговорение, ночное недержание мочи, скрежетание зубами).

Первые два вида нарушений сна выражаются в виде бессонницы, нарколепсии, апноэ, храпа, синдрома беспокойных ног и расстройств циркадного ритма сна (нарушение регулярности цикла «сон—бодрствование», синдром позднего и раннего засыпания).

Парасомнии же выражаются снохождением, ночными страхами, пробуждением со спутанным сознанием, разговором во сне, ночными судорогами ног, кошмарными сновидениями, сонным бруксизмом (скрежетанием зубами) и сонным энурезом.

Остановлюсь на более ***частых причинах расстройства сна:***

— нарушения гигиены сна и бодрствования (*поздний отход ко сну, раннее пробуждение, неправильное питание, снижение двигательной активности, или гиподинамия*);

— изменение факторов окружающей среды (*смена часового пояса, перемена работы с нарушением циклического ритма сна и бодрствования*);

— психофизиологические факторы (*стрессы, невозможность «отключаться» от повседневных проблем, неправильное отношение к сну и др.*);

— применение лекарственных препаратов или веществ, влияющих на функции центральной нервной системы (*бета-адреноблокаторы, антидепрессанты, метилксантины, антиаритмические препараты, антиконвульсанты, седативные препараты, алкоголь, никотин, кокаин, избыточное употребление кофеина и др.*);

— возрастные гормональные изменения (*менопауза и др.*);

— психические заболевания (*депрессия, психозы, расстройства настроения, шизофрения и др.*);

— неврологические заболевания (*травма головы, эпилепсия, деменция, мигрень, паркинсонизм и др.*);

— органическое поражение структур мозга, участвующих в регуляции сна (*опухоли, воспалительные заболевания мозга и др.*);

— другие заболевания (*артериальная гипертензия, хроническая сердечная недостаточность, астма, заболевания легких, гипертиреоз, печеночная недостаточность, почечная недостаточность, сахарный диабет, болезни суставов и др.*).

Расстройства сна могут быть ***кратковременными***, связанными с какими-то волнующими событиями, и ***долговременными***. Если подобные нарушения бывают у Вас не менее трех ночей в неделю в течение месяца, можно утверждать: Ваш сон не является здоровым! Мало того, что это вредно для организма в принципе, это может являться одним из симптомов какого-либо заболевания.

Среди многочисленных нарушений сна наиболее известна бессонница.

3.2. Бессонница

«Опять не спала всю ночь!» Эта фраза, произнесенная то вслух, то мысленно, становится постоянной в Вашей жизни и сознании. Вы «считаете стада овец», читаете самую скучную на свете книгу, открываете дверь на балкон. Но сон не идет, а Вы только злитесь на всех, кто давно блаженствует в объятиях Морфея. Опять бессонница!

Значит, с утра — опять головная боль, работа вполсилы и раздражение на всех и вся.

От бессонницы чаще всего страдаем мы, женщины. Хроническое недосыпание сокращает нам жизнь на 10—15 лет.

Человек способен находиться без сна лишь 4—5 суток. Последствия такого бодрствования самые негативные. Длительная бессонница приводит к инсультам, инфарктам и гипертонии, которые, в свою очередь, могут быть смертельны.

Бессонница — обобщенное понятие, подразумевающее нарушение отдельных свойств сна или их сочетание: трудность засыпания, изменение продолжительности или глубины сна, появление частых пробуждений во время сна или отсутствие после него ощущения отдыха.

Только бессонницей страдает около 30% взрослого населения. Женщины чаще сталкиваются с проблемой засыпания, пожилые — с поддержанием сна.

Признаками классической бессонницы являются следующие, возникающие более 4 раз в неделю: невозможность заснуть в течение 45 минут, нарушения сна из-за частых пробуждений (более 6 раз за ночь), длительность сна менее 6 часов.

Очень часто человеку кажется, что он не спит вообще. А в течение дня его постоянно клонит ко сну. Приходит ночь, и опять приходят трудности с засыпанием, или, задремав, Вы тут же просыпаетесь, при этом нередко видите одни и те же сны.

В зависимости от продолжительности выделяют следующие виды бессонницы:

— *кратковременная* — единичный эпизод;

— *преходящая* — в течение 1—2 ночей, на протяжении не более двух недель;

— *интермиттирующая* — периодически повторяющиеся эпизоды бессонницы;

— *хроническая* — более месяца.

Ночные признаки бессонницы:
— трудности засыпания;
— частые пробуждения;
— раннее пробуждение;
— сон, не приносящий отдыха и бодрости.

Дневные признаки бессонницы:
— усталость;
— утомляемость;
— раздражительность;
— снижение памяти;
— понижение концентрации внимания;
— сонливость;
— сочетание признаков.

Признаками хронической бессонницы служат:
— нарушение сна происходит постоянно более 1 месяца или периодически более 3 месяцев;
— требуется более 30 минут, чтобы заснуть;
— всю ночь в голову «лезут мысли»;
— страх перед невозможностью заснуть;
— частые пробуждения в течение ночи;
— ранние пробуждения и невозможность повторного засыпания;
— сниженный фон настроения и депрессия;
— немотивированная тревога, страх.

Если четыре признака из перечисленных у Вас имеются — это повод обратиться к врачу за помощью.

Норма засыпания проста: с того момента, как Вы опустили голову на подушку, до Вашего мирного сонного посапывания должно пройти не более 10 минут. Это достигается только тогда, когда Вы освободите свой ум от всего, что случилось за день. Тот, кто засыпает быстро, просыпается бодрым, в хорошем настроении и готовым к работе.

Здоровый человек сразу засыпает глубоким сном, который под утро становится более поверхностным. Просыпается бодрым и свежим.

Отсутствие сна даже лишь в течение одной ночи ведет к негативным изменениям в организме: снижается активность иммунной системы, в частности клеток-киллеров, необходимых для борьбы с вирусными и онкологическими заболеваниями.

У неврастеников и переутомленных людей сон неглубокий, беспокойный. Они засыпают с трудом, встают вялыми и разбитыми. Жалобы на бессонницу встречаются у тех, кто страдает невротическими расстройствами. Сон — это чуткий нравственный барометр, который изменяется (ухудшается или улучшается) в зависимости от нашего душевного состояния. Плохо спится «после недобрых разговоров и терзающих душу грехов».

Систематическое нарушение режима сна может стать причиной гипертонической болезни и язвы желудка. Доказано, что откладывание времени сна против привычного лишь на три часа ослабляет в этот день память и сообразительность примерно на 50%. Мудрая китайская поговорка гласит: «Десять правильно проведенных ночей не искупают одной бессонной ночи». Поэтому лучше не засиживаться за полночь — это сбивает ритм жизнедеятельности организма.

Как же быть? Есть ли универсальное спасение от старинного недуга?

Сначала надо разобраться в причинах бессонных ночей — тогда бороться с ними станет легче.

Шум
Меньше всех повезло живущим рядом с аэродромом или железной дорогой. Так же несчастны те, чей муж храпит, а сосед любит громкую музыку по ночам.

Запах
Новые запахи обычно связаны с новым местом. Вам могут мешать сильные неприятные запахи, например, у Вас в доме проводится ремонт.

Свет
Тут все в ваших руках: сделайте темные толстые шторы. Или — повязку на глаза, как в американских фильмах. Попросите ваших близких не включать телевизор, настольную лампу, пока Вы не уснете.

Еда
Плотный ужин не способствует засыпанию. Ужинайте за 2—2,5 часа до сна. Если невтерпеж, съешьте яблоко или выпейте стакан молока — они только способствуют засыпанию.

Температура в комнате
Одинаково плохо и мерзнуть, и потеть. Это мешает сну. Оптимальная температура для спокойной ночи — 18—21°C. Спальню перед сном достаточно проветрить.

Курение, алкоголь, кофе, шоколад

Выпитая на ночь чашка кофе или выкуренная сигарета отодвигают засыпание на 52 минуты. Не злоупотребляйте алкоголем и сигаретами. После 15 часов — никакого кофе и шоколада! Это не родительские запреты — Вы же хотите крепко спать.

Стресс

«Утро вечера мудренее» — вечером мечетесь, волнуетесь, губы кусаете от обиды: надо было не так сказать и т. д. А утром встанете — солнышко смеется, включите любимую музыку, погладите блузку, влезете в новые туфли на высоком каблуке, и — жизнь прекрасна! Так что постарайтесь на ночь не «нагружаться» проблемами, которые исчезнут утром сами по себе.

Физическое переутомление

Многим женщинам понятна фраза «так устала, что не могла уснуть». Если Вы весь день кружились, как пчелка, а потом вернулись домой, навьюченная сумками с продуктами, то сон не придет долго.

Страх перед бессонницей

К мысли о тяжкой ночи Вы почти привыкли, и ужас сковывает руки-ноги с наступлением сумерек. Не думайте «вот лягу и не усну» или «не усну ни за что» — смените ритм жизни: заберитесь с ногами в кресло, включите телевизор, возьмите журнал, притушите свет и, не глядя на часы, прислушивайтесь только к внутренним желаниям. Переместитесь в кровать, когда глаза начнут слипаться.

Депрессия

Это важная причина бессонницы. Однако силой воли женщина способна на невероятные подвиги, подчинив себя своему характеру и желанию. Дайте себе мысленно задание: «Сегодня буду спать легко и безмятежно». Вытяните руки, ноги, удобно поправьте подушку, закройте глаза. Вспомните шум волн или шуршание осенних листьев, треск дров в камине или в костре на берегу реки. Столько, сколько можете, сопротивляйтесь снотворным лекарствам. Теплая ванна для ног, молоко с медом, легкий душ — все что угодно, но без таблеток! Вы не заметите, как привыкнете к ним и со временем станете увеличивать дозу. Любая зависимость опасна для здоровья.

Возрастные нарушения сна

Возрастные нарушения сна — одно из самых распространенных недомоганий. Причин бессонницы может быть великое множество: стрессы, болезни, плохая экология, но основной медики считают недостаток мелатонина — гормона, который образуется в организме небольшой железой — эпифизом под воздействием темноты. Когда мелатонин поступает в кровь, человека начинает клонить ко сну, и через некоторое время он засыпает. На свету «гормон сна» разрушается — именно поэтому мы просыпаемся, когда наступает утро.

Если в организме вырабатывается достаточное количество мелатонина, человек крепко спит всю ночь, а утром встает бодрым, в отличном настроении и весь день себя прекрасно чувствует.

Если же «сонного гормона» не хватает, начинаются перебои со сном: температура тела поднимается в три-четыре часа ночи. После этого уже трудно оставаться в расслабленном сонном состоянии. А днем человек ощущает себя вялым и слабым, будто вовсе не смыкал глаз.

Мелатонин играет в организме чрезвычайно важную роль:

— регулирует деятельность иммунной и эндокринной систем, повышая сопротивляемость инфекциям, онкологическим и другим заболеваниям;

— нормализует давление, снижает уровень холестерина в крови и защищает клетки от свободных радикалов, возникающих в организме под воздействием неблагоприятных условий внешней среды;

— помогает справляться со стрессами и чрезвычайными физическими нагрузками;

— замедляет старение организма.

Больше всего «гормона сна» образуется в организме грудных детей (поэтому они и спят по 16—18 часов в сутки), но с годами его вырабатывается все меньше и меньше. Если уровень мелатонина падает ниже нормы, начинаются значительные гормональные сдвиги, нарушается обмен веществ, возникают сбои в работе различных органов и систем и человек стремительно дряхлеет.

Есть ли выход? Есть!

А советы здесь очень простые: спать надо в темное время суток, а днем — бодрствовать. Установлено, что больше всего мелатонина вырабатывается у тех, кто отправляется в постель не позднее 22 часов и поднимается с рассветом. Если человек постоянно ложится за полночь, а встает в полдень, уровень «гормона сна» начинает катастрофически падать. Конечно, изменить привычки и режим дня — непросто, но, если Вы заботитесь о собственном здоровье, сделать это надо обязательно.

За полтора часа до сна выключите верхний свет, оставьте только торшер или бра — снижение освещенности стимулирует синтез мелатонина. Выработку «сонного гормона» активизируют темно-синий и фиолетовый цвета. Повесьте на окна занавески из плотной ткани этих оттенков и задергивайте их за 1—2 часа до того, как отправитесь в постель, особенно весной и летом. Простыня на кровати может быть белой, а вот наволочки и пододеяльник тоже лучше заменить на темно-синие или фиолетовые.

Восстановить сон помогут продукты, в которых содержится много мелатонина: сваренные на воде ячневая, рисовая или овсяная каши (лучше из цельного зерна), картофель, запеченный в кожуре, кукуруза, помидоры. Только помните, что ужин должен быть легким, а съесть его надо за 2 часа до того, как ляжете в кровать, — тогда всю ночь будете крепко спать.

«Производство» мелатонина повышают магний (он содержится в листовом салате, укропе, петрушке, лесных орехах) и витамины группы В: их «поставляют» курага, семена подсолнуха, цельные зерна пшеницы, морковь, соя, чечевица. А вот мясо и сладости вечером лучше не употреблять, поскольку они подавляют функцию щитовидной железы. Такое же действие оказывают кофеин, алкоголь и никотин, поэтому на ночь не следует пить спиртное и тонизирующие напитки — кофе, какао, чай, особенно зеленый. Если Вы курите, то последнюю затяжку тоже имеет смысл сделать не позднее чем за час до того, как отправитесь в постель.

Для того чтобы хорошо спать ночью, в светлое время суток надо получать как можно больше света. Не включайте днем лампы, откройте пошире занавески! Если удается бывать на свежем воздухе, гулять — замечательно! Если же времени на прогулки не остается, устройте себе рабочее место у окна, чтобы как можно больше времени проводить при естественном освещении.

Эмоциональное и интеллектуальное переутомление

И все-таки чаще всего бессонница является результатом хронического переутомления. Ведь отдых — это процесс активный (в том числе и сон). И даже для того, чтобы уснуть, Вам требуются силы. Однако при бессоннице речь идет о переутомлении не физическом, а интеллектуальном. При физической усталости как раз все проще: если вы, например, хорошо потрудились физически, то уснете, как только коснетесь головой подушки. А вот когда в постоянно возбужденном, перегруженном состоянии находится мозг — тогда заснуть очень трудно.

Вообще можно сказать, что бессонница — привилегия людей с интеллектом. Тот, кто особенно не перегружает свой мозг, практически никогда не испытывает проблем со сном. А у тех, чей мозг просто физически не в силах справиться с предлагаемой нагрузкой и постоянно работает в запредельном режиме, возникают трудности с засыпанием.

Более того, современный человек со своей автоматизированной и механизированной жизнью чаще попадает в ловушку интеллектуального переутомления при отсутствии переутомления физического. Сегодня нам катастрофически не хватает движения — у большинства работа «сидячая», плюс ко всему многие передвигаются в автомобилях, да и общественный транспорт нельзя считать источником физической нагрузки — даже в часы пик. А проблемы интеллектуальные становятся все сложнее. Именно поэтому, кстати, проблема бессонницы наиболее распространена в крупных городах, где физической нагрузки минимум — за счет развитой сети транспорта и высокого уровня автоматизации, а личностных проблем больше. Да и рабочий день, как правило, более плотно заполнен именно интеллектуальной нагрузкой, и «мозговые перегрузки» — не редкость.

Состояние интеллектуального переутомления становится постоянным спутником тех, чья жизнь расписана буквально по минутам. Бесспорно, чем больше Вы успеваете сделать, тем больше, казалось бы, получаете дивидендов. Однако на практике зачастую выходит так, что, планируя собственный день «до отказа», Вы провоцируете ежедневные «недоделки». Потому что дела, не законченные сегодня, остаются на завтра и послезавтра, а там идет очередная порция задач, и так далее. Стремясь успеть многое одновременно, Вы начинаете напрягаться — и в результате страдает качество выполнения запланированных важных дел. При этом Вы напряжены больше, чем это было бы нужно, устаете неизмеримо сильнее, а чувство досады приходит чаще. Вечером мозг не в силах переключиться на сон после целого дня работы в запредельном режиме.

Такое состояние накапливается в течение месяцев и лет. Постепенно продолжительность сна сокращается. Эта ситуация, пожалуй, психологически самая простая. Чтобы найти выход из нее, необходимо прежде всего буквально приучить себя планировать собственный отдых на каждый день. Выделяйте главное в ваших делах, расставьте приоритеты.

Переутомления мозга можно «добиться» не только с помощью излишне плотного рабочего дня. Любая забота, которая так или иначе Вас донимает, может оказаться причиной бессонницы. Это и несчастная любовь, и проблемы безденежья, и нерешенная научная задача, и сексуальные неурядицы, и сложности с детьми, и потеря близкого человека, и многое другое.

Причина во всех этих случаях одна: переутомление мозга. Потому что, какова бы ни была проблема, если она заставляет Вас думать о ней день и ночь, — Ваш мозг постоянно находится в работе. При этом, кстати, мозг не в силах делать какую-либо полезную работу: все его силы уходят на обрабатывание той «психологической занозы», которая лишает Вас сна.

Иногда, для того чтобы «отключить» мозг, применяются так называемые снотворные средства (седативные психотропные препараты). Их действие основано на том, чтобы сделать Ваш мозг тупее, чтобы ему стало наплевать на Вашу проблему, он бы от нее отключился и позволил Вам заснуть. Но может быть и так, что уровень Вашего перевозбуждения будет таков, что напряженная работа мозга не остановится после небольшой «терапевтической» дозы снотворного, тогда Вам придется дозу увеличить буквально до состояния наркоза.

Сон с помощью снотворных — только иллюзия сна, самообман, он не дает отдыха. Как правило, после приема снотворных человек просыпается разбитым, не чувствует, что выспался и отдохнул.

Соматические (внутренние) заболевания

Бессонница может возникать в ответ на соматические заболевания. Поэтому Вы должны при первом же подозрении обратиться к врачу-терапевту.

Общая тактика лечения всех перечисленных нарушений сна имеет два подхода.

Первый — наиболее адекватный — заключается в устранении факторов, вызывающих бессонницу. Второй включает мероприятия по нормализации собственно сна.

Оба подхода хороши в сочетании.

Так как же победить бессонницу без снотворных таблеток?

15 советов от бессонницы

1. Снимите дневные проблемы вместе с одеждой.

Мы не спим из-за того, что нам мешают расслабиться наши тревоги и заботы. Вспомните рекомендации психологов: постарайтесь жить в сегодняшнем дне, не забивая себе голову тягостными воспоминаниями прошлого или воображаемыми проблемами будущего. Гоните от себя такие отрицательные эмоции, как гнев, обида и зависть. Англичане, например, убеждены, что хорошо спят люди, попросившие перед сном прощения у всех, с кем поссорились днем. А русская пословица гласит: «Завистливых сон неймет». Так что не стоит на ночь глядя строить в голове планы мщения, а лучше сконцентрироваться на чем-то приятном. Тогда не заметите, как уснете.

2. Легкая мелодичная музыка и шум вентилятора — отличные средства от бессонницы.

Считается, что по сравнению с другими классическими произведениями мелодии Моцарта оказывают самый большой терапевтический эффект при бессоннице. Они нормализуют артериальное давление и пульс, снимают нервозность.

Если Вы не поклонница этого композитора, перед сном можно послушать любую другую спокойную инструментальную музыку. Прекрасно, если в нее включены звуки набегающих на берег волн, крики чаек,— это хорошо расслабляет. Если же это на Вас тоже не действует, попробуйте просто включить вентилятор. Монотонность его жужжания убаюкает в два счета.

3. Еще одно средство от бессонницы — собака!

Во-первых, доказано, что общение с четвероногим другом отлично снимает стресс, а во-вторых, хочешь не хочешь, но вечером с ней надо идти на улицу. Получасовая прогулка перед сном прекрасно успокаивает нервную систему. В это время постарайтесь отвлечься от негативных эмоций и тревожащих дум. Все это обеспечит Вам крепкий продолжительный сон.

4. Умеренное физическое утомление заставит Вас спать.

Сделайте зарядку за 2 часа до сна. Не надо доводить себя до переутомления (это чревато нарушениями сна), но давать себе днем умеренную физическую нагрузку просто необходимо. Как минимум 20—30 минут в день следует отводить на физические упражнения и пребывание на свежем воздухе.

5. Не перегружайте организм пищей после 6—7 часов вечера.

Это полезно не только для спокойного сна, но и для Вашей фигуры. Хотя ложиться спать на голодный желудок тоже не рекомендуется: долго не заснете, а сон будет тревожным. Поэтому, если ужина оказалось недостаточно, выпейте стакан кефира или съешьте какие-нибудь фрукты.

6. Расслабьтесь в теплой ванне с хвойным экстрактом или морской солью.

Теплая ванна, принятая на ночь, всегда считалась отличным средством против бессонницы. Температура воды не должна превышать 37 °C, а продолжительность процедуры — 15 минут. После этого сразу же отправляйтесь в постель. Бессонницу как рукой снимет. Легкий массаж шеи и спины, расчесывание головы мягкой массажной щеткой дополнят эффект. Можно использовать эффект горячей ванны. Примите горячую **ван**ну за 2 часа до сна. При этом температура Вашего **тела** повысится, а затем будет медленно охлаждаться, тем самым настраивая организм на сон. Добавьте в ванну ароматную пену или специальные расслабляющие масла.

7. Ложитесь спать в одно и то же время!

Приучив себя засыпать в одно и то же время, Вы избавитесь от проблемы бессонницы, потому что организм будет «знать», что ему пора «на боковую». Пробуждение и подъем с постели должны происходить в одно и то же время, независимо от продолжительности сна. Это стабилизирует график «сна—бодрствования» и повышает эффективность сна. В субботу и в воскресенье можно позволить себе поспать на 1—1,5 часа дольше, чем в будние дни, но не больше.

Не следует спать днем или надо максимально сократить время дневного сна (не более 30—40 минут).

8. Скучная книга — хорошее средство от бессонницы.

Скучная книга, читаемая перед сном, гарантирует быстрое засыпание (аналогично действует на многих изучение на ночь грамматики иностранного языка).

Известный факт: когда нам что-то кажется неинтересным и нудным, артериальное давление сразу понижается, возникает вялость, появляется зевота. И ужасно хочется спать!

И, наоборот, когда мы чем-то увлечены, мы не чувствуем усталости — только прилив бодрости и сил. Поэтому-то специалисты и не советуют страдающим бессонницей работать ночью или смотреть увлекательные телепередачи.

9. Положите к ногам грелку или бутылку с теплой водой.

Можно также перед сном поставить горчичники на икры — многим людям это помогает быстро заснуть. Есть и другой способ, менее приятный, но очень эффективный: откиньте одеяло и померзните какое-то время. Потерпите, даже если появилась дрожь. Потом укройтесь одеялом: Вас охватит приятное ощущение тепла и блаженства, а постель, которая казалась ненавистной, покажется уютной.

Такого же результата можно добиться, если встать с кровати и походить босиком по полу минут 10, пока не устанешь и не замерзнешь.

10. Выпейте перед сном стакан теплого молока или теплой воды с медом.

Стаканчик теплого молока выпейте через трубочку. При сосании включается седативный (то есть успокаивающий) механизм, который был хорошо развит у всех нас в младенческом возрасте. (Кстати, за сигареткой ведь мы тоже тянемся, чтобы успокоиться. Но не курите на ночь глядя, потому что никотин не успокаивает, а активизирует.)

11. Проверенное средство от бессонницы: займитесь сексом!

Немало людей пользуются этим проверенным веками средством от бессонницы. Ведь получив разрядку, каждая клеточка нашего тела отдыхает, и мы максимально расслабляемся (сексуальное удовлетворение приводит к тому, что в организме выделяются вещества, «ответственные» за сон).

12. Выбирайте правильную позу для сна.

Засыпайте на правом боку, слегка согнув колени. Эта поза считается наиболее подходящей для сна: мышцы не напрягаются, а работу сердца ничто не затрудняет. Кроме того, она идеально подходит для храпунов, так как вероятность возникновения ночных «трелей» уменьшается.

А если все же иногда Вас будят звуки собственного храпа, постарайтесь не спать на спине и поднимите повыше подушку, облегчив тем самым дыхание.

13. Перестаньте тревожиться из-за бессонницы!

Организм изматывает не столько бессонница, сколько переживания из-за нее. Беспокойство по поводу «усну я сегодня или не усну», а также ежеминутное поглядывание на часы — «Уже час ночи, а сна все нет!» — кого хочешь доведут до нервного истощения.

14. Ваша спальня должна ассоциироваться только со сном.

Важно, чтобы спальня ассоциировалась у Вас только со сном или занятием сексом. Поэтому рекомендуется не использовать ее для просмотра телевизора, приема пищи или работы. При длительной, более 20—25 минут, невозможности заснуть рекомендуется перейти в другую комнату и постараться на некоторое время отвлечься от сна. При этом желательно не включать яркий источник света (лампу, телевизор), допускается чтение при неярком освещении, прослушивание негромкой спокойной музыки. Возвращайтесь в постель только в том случае, если у Вас появилось желание поспать. При таком подходе вырабатывается психологическая связь между спальней и сном, а не между спальней и бессонницей.

15. Соблюдайте ритуал отхода ко сну.

Перед отходом ко сну регулярно выполняйте действия, направленные на психическое и физическое расслабление. Это могут быть легкие потягивания или теплая ванна для уменьшения физического напряжения, упражнения по самовнушению или прослушивание кассет со спокойной музыкой для психического расслабления. Какой бы метод Вы не избрали, соблюдайте данный ритуал каждый вечер, пока он не войдет в привычку.

3.3. Храп и апноэ

Храп — это звуковой феномен, возникающий при биении друг о друга мягких структур глотки на фоне прохождения струи воздуха через суженные дыхательные пути.

Причинами храпа являются:

— анатомические нарушения, приводящие к сужению дыхательных путей и тонуса мышц глотки: искривление носовой перегородки, врожденная узость носовых ходов и глотки, полипы в носу, удлиненный небный язычок, маленькая, смещенная кзади нижняя челюсть (с нарушением прикуса);

— увеличение миндалин;

— ожирение.

Существуют факторы и заболевания, снижающие тонус мышц глотки:

— собственно сон (снижение мышечного тонуса);

— дефицит сна и усталость;

— прием алкоголя;

— прием снотворных препаратов;

— курение;

— снижение функции щитовидной железы;

— менопауза у женщин;

— старение.

Как отличить «нормальный» храп от патологического?

Храп может возникнуть у любого человека и в любом возрасте, однако частота его выявления прогрессивно увеличивается по мере старения. За свою жизнь каждый человек, хотя бы один раз, мирно похрапывал. Но многие и не знают об этом.

Основным критерием, определяющим границу между «нормальным» и патологическим храпом, является то, как храп воздействует на Ваше здоровье. Если храп является тривиальным феноменом без патологических последствий и никак не мешает Вам радоваться жизни, то и лечить его не надо. Однако если храп громкий, то это может испортить жизнь не Вам, а Вашим близким.

Известно, что каждый пятый житель Земли после 30 лет постоянно храпит во сне. Хорошо известно и то, что выраженность храпа увеличивается с возрастом.

Почему люди храпят во сне?

В норме, вдыхая воздух во время сна, мы создаем отрицательное давление в грудной полости, которое оказывает всасывающее действие на мягкие ткани верхних дыхательных путей. Стенки глотки и гортани втягиваются внутрь, но мышечный каркас препятствует их полному спаданию. Звук храпа слышен при колебании корня языка, мягкого неба и стенок глотки из-за чрезмерного расслабления их мышц во сне.

Во время храпа воздух, на пути в легкие, вынужден проходить через препятствие в виде перекрытых дыхательных путей, что затрудняет вентиляцию легких и создает дефицит кислорода в крови. Ткани организма, в первую очередь головной мозг и сердце, страдают от дефицита кислорода.

Во время кратковременных остановок дыхания давление может «подскочить» до 200—250 мм ртутного столба. Но есть еще одна неприятность, сопутствующая храпу: в организме сокращается выработка гормона, отвечающего за обмен жиров. В результате — они уже не превращаются в энергию, и человек, запасаясь ею, становится прожорливым и набирает лишний вес. Излишки эти откладываются в самых неподходящих местах, например в области шеи. Жировые отложения здесь сужают дыхательные пути, что и запускает механизм храпа, провоцируя дальнейшее развитие недуга.

Храпуны обычно раздражительны, рассеянны, жалуются на сонливость.

Большинство людей, страдающих храпом, даже не подозревают о том, что в течение ночи у них не раз и даже не два прекращается дыхание. Хорошо, что не очень надолго. Частые пробуждения храпящего человека, необходимые для восстановления дыхания, не дают возможности выспаться ни ему самому, ни тем, кто находится рядом с ним.

«Храпуны» подвержены нескольким довольно неприятным заболеваниям и состояниям. В первую очередь — это:

— неэффективность ночного сна (невозможно выспаться), а следовательно, ухудшение самочувствия днем и снижение работоспособности, памяти, внимания, реакции;
— снижение сексуальной функции по тем же причинам;
— повышение кровяного давления;

— перегрузка сердца и его болезни, в первую очередь нарушение сердечного ритма и «легочное сердце»;

— частые короткие остановки дыхания во сне, или синдром сонных апноэ.

Синдром сонных апноэ (ССА) — заболевание, характеризующееся наличием во сне храпа, сопровождающегося довольно продолжительными периодами, когда человек перестает дышать, так называемыми апноэ.

Апноэ — это полная остановка регистрируемого носоротового потока дыхания длительностью не менее 10 секунд, которая обусловлена спадением дыхательных путей на уровне глотки при сохраняющихся дыхательных усилиях или отсутствием дыхательных усилий. При этом прекращается легочная вентиляция, снижается уровень кислорода в крови, прерывается сон. Не у всех храпящих есть сонное апноэ, но риск его развития у «храпунов» значительно выше, чем у нехрапящих.

Часто свидетелями этого заболевания являются бодрствующие близкие, которые с тревогой наблюдают, как внезапно обрывается храп и возникает пугающая остановка дыхания, затем спящий громко всхрапывает и вновь начинает дышать. Иногда может отмечаться до 500 остановок дыхания за ночь общей продолжительностью до 4 часов, что ведет как к острому, так и к хроническому недостатку кислорода и может быть причиной прогрессирующего ожирения, импотенции, артериальной гипертонии, нарушений ритма сердца, инсульта, инфаркта миокарда и внезапной смерти во сне.

7 советов, как провести ночь тихо

1. Срочно «садитесь» на диету. Как правило, большинство «храпунов» — это люди среднего возраста с избыточным весом. Большая часть храпящих женщин находятся в менопаузе. Снижение веса приводит к устранению храпа.

При наличии храпа и остановок дыхания во сне увеличение массы тела на 10% от исходной может ухудшить показатели дыхания на 50%. Обычно при таком весе это сопровождается переходом в стадию синдрома апноэ сна. Имеются результаты наблюдений, согласно которым, если за полтора-два года масса тела увеличивается на 15—20% , то легкая форма храпа переходит в стадию синдрома апноэ со всеми вытекающими последствиями в виде значительного ухудшения качества сна, учащенного ночного мочеиспускания, кризовой утренней гипертонии, утренней голов-ной боли, дневной сонливости, раздражительности. Существенное снижение массы тела может, соответственно, значительно улучшить ситуацию.

2. Уменьшите количество алкоголя. Алкоголь перед сном еще больше усиливает храп. Он расслабляет глоточную мускулатуру, провоцируя храп и апноэ. Печень человека перерабатывает около 10—15 мл чистого спирта в час, так что можно достаточно точно определить, какую дозу и за какое время до сна можно выпить без тяжелых последствий для дыхания во сне. Например, в 100 мл водки содержится 40 мл чистого спирта, соответственно, отрицательное действие этой дозы будет продолжаться около 2,5—4 часов. Не следует одновременно принимать алкоголь и снотворные препараты.

3. Воздержитесь от снотворных таблеток. Снотворные таблетки могут заставить Вас спать, но Вашего партнера будут держать в бодрствующем состоянии. Все, что расслабляет ткани в области головы и шеи, имеет тенденцию ухудшать храп. Транквилизаторы и снотворные препараты, как правило, снижают мышечный тонус и способствуют расслаблению глоточной мускулатуры, что, в свою очередь, может утяжелять храп и апноэ.

4. Погасите сигарету. Курильщики чаще становятся «храпунами». Курение часто вызывает хроническое воспаление глотки и трахеи, сопровождающееся отечностью их стенок и снижением тонуса глоточных мышц. Это, в свою очередь, вызывает сужение дыхательных путей и усиливает храп и апноэ. Однако резкое прекращение курения может привести к увеличению массы тела и прогрессированию заболевания, что сведет на нет преимущества воздержания от вредной привычки. В данной ситуации необходимо сначала предпринять попытку существенного похудения, а уже затем решать вопрос с курением. В случае продолжения курения желательно воздерживаться от него за два часа до сна.

5. Не спите на спине. Во время сна ложитесь на бок. «Сильные храпуны» храпят практически в любом положении, но «умеренные» храпят, только когда они спят на спине.

6. Не спите на высокой подушке. Все, что вызывает перегиб шеи, например большая подушка, заставляет сильнее храпеть.

7. Боритесь с аллергией и простудами. Чиханье и храп идут рядом. Храп может развиваться в связи с аллергией или простудой.

3.4. Ночные кошмары и страхи

Каждый из нас хоть раз в жизни просыпался от ужасного сна. Большинство людей называют ночным кошмаром любой страшный сон. Однако специалисты различают два состояния: ночные кошмары и ночные страхи.

Ночные кошмары

Ночным кошмаром называется страшный сон, возникающий в фазу сна с быстрыми движениями глазных яблок, когда человек пробуждается и помнит содержание сновидения. Независимо от абсурдности сюжета и нелепости ситуации, подобные сны всегда очень динамичные и пугающие. Хотя такие сны бывают жуткими, они обычно не сопровождаются существенными физиологическими реакциями в виде усиленного потоотделения, учащения пульса и дыхания. Кошмары чаще возникают глубокой ночью. Известно, что именно приснившиеся ночью кошмары послужили сюжетами для многих рассказов Эдгара По.

Ночные кошмары часто беспокоят маленьких детей. К счастью, у взрослых людей они бывают довольно редко, хотя мало кто может их полностью избежать. Трудно указать точную причину появления кошмарного сновидения. Ясно лишь то, что взволнованные и потрясенные люди сталкиваются с ним чаще, нежели счастливчики, успешно справляющиеся с напряженным темпом современной жизни.

Периодически возникающие страшные сны не требуют какого-либо медицинского вмешательства. Если кошмары снятся регулярно, то, вероятно, Вас беспокоит какая-то нерешенная психологическая проблема, возможно даже на уровне подсознания. Иногда простое обсуждение с подругой содержания кошмарного сновидения и своих жизненных проблем может быть достаточным для обретения чувства уверенности в себе и исчезновения кошмаров.

Ночные страхи

Ночные страхи часто путают с ночными кошмарами, хотя они имеют мало общего. В отличие от сложных сценариев кошмарных сновидений, ночной страх представляет собой простой и короткий сон, возникающий во время дельта-сна — самой глубокой фазы, когда разбудить человека очень трудно, а порой просто невозможно. В детском возрасте относительная доля дельта-сна больше, чем во взрослом, поэтому дети более подвержены ночным страхам.

Поскольку дельта-сон преобладает в начале ночи, страхи обычно возникают в течение первого часа сна. Часто они сопровождаются душераздирающим воплем и бурными вегетативными реакциями организма — глаза широко открываются, сердце выскакивает из груди, бьет дрожь, человек покрывается потом,— одним словом, находится в паническом состоянии. Эпизоды могут длиться от одной до нескольких минут. Поговорить с человеком в этот момент бывает трудно, так как он не осознает присутствия других людей. Через некоторое время человек снова засыпает и, как правило, на следующее утро ничего не помнит.

Ни в коем случае не следует тормошить человека и, более того, сразу же расспрашивать о происшедшем. Желательно постараться осторожно и бережно уложить его в постель, успокоить и сказать несколько ласковых слов. Утром лучше вообще не вспоминать о ночном «приключении».

Ночные страхи не являются признаками глубоких психологических проблем, обычно они беспокоят в периоды жизни, насыщенные бурными переживаниями. И тем не менее к ним следует отнестись более серьезно. Во многих случаях они указывают на возбуждение, тревогу, агрессию. Поэтому, если взрослый человек часто испытывает ночные страхи, ему имеет смысл посетить психиатра.

3.5. Снохождение и говорение во сне

Нам не кажется странным то, что днем человек ходит и говорит. Но вызывает удивление способность человека заниматься тем же самым и во время сна.

Снохождение

Хождение во сне в медицинской литературе называется сомнамбулизмом, а в просторечии — лунатизмом. Если человек ходит во сне, Луна ни при чем — это факт. Сомнамбулизм — достаточно распространенное явление. Около 2% всех людей периодически ходят во сне.

Снохождение возникает обычно во время неполного пробуждения от глубокого дельта-сна, при этом мозг пребывает в состоянии полусна-полубодрствования. Глаза сомнамбулы обычно открыты. Он все видит, так как обходит мебель и другие препятствия, и может давать односложные ответы на простые вопросы. Воспоминания о ночных «экскурсиях» на следующее утро не сохраняются, это касается и непроизвольного мочеиспускания, характерного для лунатиков.

С явлением лунатизма связано много легенд: он считается признаком сумасшествия, утверждают, что опасно будить лунатика, и что он остро ощущает опасность и не может навредить себе. Все это неверно. Сомнамбулизм отнюдь не является признаком сумасшествия. Лунатика разбудить очень сложно — лучше осторожно проводить его обратно к постели.

Около 25% лунатиков наносят себе различные повреждения во время ночных блужданий. Бывает, что сомнамбулы выпадают из окон, ошибочно принимая их за двери. Иногда можно услышать истории о том, как в состоянии сомнамбулизма люди водили автомобили, управляли самолетами и выполняли другие сложные виды деятельности. На самом деле это маловероятно. Хотя, находясь в состоянии спутанности сознания, сомнамбула способен сесть в машину и завести двигатель, вести ее нормально он не сможет из-за отсутствия в такие моменты быстрых рефлексов — тут же произойдет авария.

Если в Вашей семье есть лунатик, следует сделать загородку перед ведущей вниз лестницей, снабдить окна спальни крепкими решетками, не оставлять электропровода, стеклянные столики и хрупкие украшения на его возможном пути. Дверь на ночь желательно запирать сложной системой замков.

У детей снохождение встречается достаточно часто, но с возрастом обычно проходит. У взрослых снохождение требует более серьезного внимания. Причинами его могут быть стресс, тревога, иногда эпилепсия. Поэтому взрослым необходима медицинская помощь, в частности применение транквилизаторов, антидепрессантов или гипноза. Если лунатизм связан с эпилепсией, требуется назначение противосудорожных препаратов.

Говорение во сне

Привычка разговаривать во сне часто связана с лунатизмом и зачастую передается по наследству. Люди разговаривают либо в фазе сна с быстрыми движениями глазных яблок (во время сновидений), либо во время неполного пробуждения от дельта-сна. В первом случае речь разборчива и понятна, во втором — бессвязное бормотание.

Слова самому говорящему беспокойства не причиняют, чего не скажешь о слушателях, ведь ночные разговоры так же мешают спать, как и храп, хотя иногда бывают весьма забавными. Серьезных медицинских последствий у этой привычки нет.

3.6. Бруксизм (скрежет зубами во сне)

Бруксизм — это периодически возникающие во сне приступообразные сокращения жевательных мышц, сопровождающиеся сжатием челюстей и скрежетом зубов. Этот термин возник от греческого слова *brychein*, которое и означает скрип зубами. Бруксизм встречается не так уж редко. По некоторым данным, 15% населения планеты с разной силой скрипят зубами во сне. Среди детей бруксизм встречается чаще, чем среди взрослых: практически каждый третий, а по утверждениям некоторых ученых, даже каждый второй ребенок дошкольного и младшего школьного возраста склонен скрипеть ночью зубами.

До настоящего времени не установлены точные причины развития бруксизма. Широко распространенная точка зрения о том, что бруксизм вызывается глистами, никакой научной базы под собой не имеет. Например, есть мнение, что «зубовный скрежет» во сне является одним из проявлений нарушения регуляции глубины сна, что ставит бруксизм в один ряд с такими состояниями, как храп во сне, сомнамбулизм, ночные кошмары и ночной энурез.

Другие специалисты полагают, что скрип зубами во сне возникает из-за аномалий прикуса. Имеются данные о наследственной предрасположенности к бруксизму. Специально проведенные исследования не показали каких-либо характерологических особенностей у людей, склонных скрипеть зубами ночью.

И тем не менее бруксизм чаще возникает у людей, регулярно испытывающих на себе какие-то стрессовые влияния, следствием которых являются внутреннее беспокойство, напряженность, гнев, возбуждение перед сном. Все это в равной степени относится как к взрослым людям, так и к детям. Впрочем, кратковременные (до 10 секунд) эпизоды бруксизма во время сна могут встречаться и у совершенно здоровых, находящихся в положительном эмоциональном тонусе людей.

Несмотря на то что дети более подвержены бруксизму, большинству из них периодически возникающий ночной скрип зубами ничем не грозит, и со временем дети его попросту «перерастают».

Если в течение нескольких месяцев и даже лет неосознанно и истово скрежетать зубами каждую ночь, то вряд ли удастся сохранить их в целости. Кроме того, в результате выраженного бруксизма иногда может возникнуть патология височно-нижнечелюстного сустава. Понятно, что бруксизм имеет не только медицинские последствия, это состояние активно и бесцеремонно создает коммуникативные проблемы у взрослых.

Что же происходит? Во время сна внезапно раздается срежет зубов, который может продолжаться в течение нескольких секунд или минут. Подобные приступы иногда повторяются много раз за ночь. Часто такие люди жалуются на мышечные и суставные боли в области нижней челюсти.

Как помочь себе?

Во-первых, необходимо, по возможности, устранить все имеющиеся стоматологические проблемы или дефекты прикуса, и, во-вторых, рассмотреть вопрос о целесообразности применения внутриротовых защитных аппликаторов из резины или мягкого пластика, которые фиксируются между зубами и предотвращают их травмирование.

Кроме того, специалисты советуют перед сном доводить до изнеможения жевательную мускулатуру с помощью тщательного перемалывания зубами яблока, моркови или чего-нибудь еще. Утомленные таким способом мышцы гораздо меньше склонны непроизвольно сокращаться ночью.

Мышечное напряжение хорошо снимает горячий компресс, накладываемый на область жевательной мускулатуры перед сном. Как дополнительное лечение можно применять препараты магния, кальция и витамины группы В. Насыщение организма данными микроэлементами и витаминами может уменьшать судорожную активность жевательных мышц во время сна.

Так как именно стресс зачастую ведет к ночному скрежету зубами, то довольно хороший эффект дают общеизвестные антистрессовые мероприятия: рациональное и регулярное питание с ограничением потребления углеводов и кофеина, прогулки на свежем воздухе и теплые ванны перед сном, разумное построение рабочего графика с устранением чрезмерных нервно-психических и физических нагрузок.

3.7. Синдром беспокойных ног

Вам знакомо непреодолимое желание двигать ногами, особенно во время отхода ко сну?

Это состояние характеризуется неприятными ощущениями в ногах, полностью или частично исчезающими только в момент движения. Потребность в движении в этом случае непреодолима, так как ощущаются дискомфорт, боль, подергивания, покалывание, пощипывание, зуд, содрогания.

Синдром беспокойных ног — заболевание, проявляющееся неприятными ощущениями в нижних конечностях и их избыточной двигательной активностью преимущественно в покое или во время сна. Больше всего страдают женщины.

Причиной бывает ревматоидный артрит, острая и хроническая почечная недостаточность, паркинсонизм, уремия, беременность, нарколепсия, синдром апноэ во сне, анемия, депрессия, тревога. Это может быть признаком недостатка железа в организме.

Основные проявления этого синдрома следующие:

— *неприятные ощущения в ногах.* Обычно они описываются как ползание мурашек, дрожь, покалывание, жжение, подергивание, шевеление под кожей и т. д. Иногда человеку трудно точно описать характер ощущений,

но они всегда бывают очень неприятными. Эти ощущения возникают в бедрах, голенях, стопах и волнообраз-
но усиливаются каждые 5—30 секунд;

— *ухудшение ощущений в покое.* Наиболее характерным
и необычным проявлением является усиление неприятных ощущений и необходимости двигать ногами в покое. Ухудшение обычно отмечается в положении сидя
или лежа и особенно при засыпании;

— *улучшение ощущений при движении.* Симптомы значительно ослабевают или исчезают при движении. Наилучший эффект чаще всего оказывает обычная ходьба
или просто стояние;

— *связь со временем суток.* Ощущения значительно усиливаются в вечернее время и в первую половину ночи
(между 18 и 4 часами). Перед рассветом симптомы ослабевают и могут исчезнуть вообще в первой половине
дня;

— *движения конечностей во сне.* Во время сна отмечают-
ся периодические непроизвольные движения нижних
конечностей через каждые 5—40 секунд;

— *бессонница.* Проблемы с засыпанием и беспокойный
ночной сон с частыми пробуждениями. Хроническая бессонница может приводить к выраженной дневной сонливости и другим проблемам, связанным с длительным
нарушением сна.

Лечение зависит от сочетания причин и тяжести заболевания и включает поведенческие, физиотерапевтичес-
кие и медикаментозные подходы.

3.8. Менопауза: как она влияет на сон

Скажу Вам честно: этого периода нам не миновать.
Климакс — естественный процесс. Это не болезнь, а сво-
еобразный переходный период в жизни женщины. Период сложный как физиологически, так и психологически. В этот период происходит переключение организма
женщины на другой режим существования. Перестройка
начинается во всем организме, но Вы легче перенесете
их, осознав, что это нормальные, естественные изменения в организме. Это еще не осень, это август нашей
жизни.

Менопауза (греч. *men* — месяц + *pausis* — прекращение,
перерыв) — фаза жизни, наступающая после последней

менструации, характеризующаяся утратой яичниками основной функции — созревание яйцеклеток. Традиционно понятие менопаузы обозначает весь период жизни женщины после прекращения менструаций.

Что же происходит с женщиной в период 45—65 лет? Организм перестраивается, меняется гормональный фон. Яичники и матка, больше ненужные для зачатия, уменьшаются приблизительно до трети от их бывших размеров. Слизистая оболочка матки (эндометрий) истончается и, в конце концов, перестает выполнять свою функцию, у женщины прекращаются менструации.

Приток крови к шейке матки и во влагалище значительно сокращается, что приводит к уменьшению выработки смазки. Это может привести к сухости, зуду в этой области. Отсутствие естественной смазки также сказывается на интимной жизни женщины (при половом акте могут возникнуть болезненные ощущения).

Мочевой пузырь теряет мышечный тонус и эластичность и становится менее способным удерживать мочу (возможно недержание мочи).

Вес тела увеличивается, так как ослабевает гормональное воздействие на обмен веществ. Жир незаметно скапливается на животе, ягодицах, бедрах и подбородке.

Кожа теряет большую часть подкожного жирового слоя, повреждаются коллагеновые волокна, которые обеспечивают упругость кожи, нарушается питание кожи, и она становится более сухой, тонкой и дряблой, появляются морщины, ухудшается состояние волос.

Кости начинают ускоренными темпами терять свою массу, нарушается их структура, они становятся более пористыми и хрупкими, поэтому возможны переломы; это также отражается на состоянии позвоночника.

Сердечно-сосудистая система больше не испытывает благотворного воздействия женского гормона эстрогена на сосуды, нарушается их тонус (они сужаются), они становятся более хрупкими, за счет этого повышается давление, затем на стенках сосудов откладываются атеросклеротические бляшки, что приводит к атеросклерозу и проблемам с сердцем.

Кроме того, исследования показали связь между менопаузой и такими заболеваниями, как артрит, склероз и болезнь Альцгеймера (тяжелая степень старческого слабоумия).

Психологические последствия менопаузы, связанные со старением, обычно более выражены, чем связанные с утратой детородной функции. В обществе молодость ценится выше зрелости, поэтому менопауза, как ощутимое доказательство возраста, у части женщин вызывает тревожность и депрессию. Особенно у женщин, уделяющих внимание своему внешнему виду. Быстрое старение кожи, особенно в постменопаузе, беспокоит многих.

В климактерический (предшествующий менопаузе) период многие женщины ощущают тревожность и раздражительность. Эти симптомы даже стали неотъемлемой частью так называемого климактерического синдрома. Это в значительной степени связано со снижением уровня эстрогенов. А само состояние тревоги и раздражительности обусловлено различными социальными факторами (выход на пенсию, конкуренция на работе, специфическое отношение к пожилым людям и т. п.).

Как выражается климактерический синдром?

Появляются приливы крови. Это внезапное ощущение жара, охватывающего все тело, в особенности лицо и шею. Одновременно начинается обильное потоотделение.

Если Вы относитесь к тем женщинам, у которых менопауза протекает с обычными симптомами, наиболее вероятным и легким из них будут приливы. Приливы, по-видимому, связаны с падением уровня эстрогена, в результате которого меняется биохимия процессов головного мозга, происходят сбои в регуляции температурного режима.

Сбой в работе терморегулятора нашего тела — небольшой железы, расположенной в центре головного мозга, — подобен сбою в работе домашнего терморегулятора. Терморегулятор ошибочно определяет, что Вам холодно, и включает отопление. К кровеносным сосудам в коже идут сигналы, заставляющие их сжиматься, что приводит к повышению температуры, и Вы ощущаете тепло. Но — так как на самом деле Вам не было холодно — Ваше тело торопливо расширяет сосуды, чтобы охладить себя. Это вызывает прилив крови к верхней части туловища и лицу — Вы ощущаете его как горячую волну — и обильное потоотделение. Насколько сильными бывают приливы? Многие женщины ощущают незначительное тепло, сопровождаемое несколькими капельками пота. У других приливы могут быть очень сильными.

Эпителий влагалища, мочеиспускательного канала и основания мочевого пузыря является эстрогензависимым, то есть при недостатке эстрогена развивается атрофия, что проявляется сухостью во влагалище, зудом, частыми бактериальными и грибковыми вагинитами, атрофическим циститом.

Атрофический цистит проявляется учащенным и болезненным мочеиспусканием, позывами на мочеиспускание, недержанием мочи при напряжении, а также частыми инфекциями мочевых путей. Обусловленные именно снижением уровня эстрогенов атрофия эпителия и укорочение мочеиспускательного канала способствуют недержанию мочи.

Женщины во время климакса часто отмечают нарушения концентрации внимания и кратковременной памяти. Ранее эти симптомы объясняли старением или нарушениями сна, вызванными приливами. В настоящее время доказано, что они могут быть обусловлены снижением уровня эстрогенов.

Имеются данные, что эстрогены снижают риск возникновения болезни Альцгеймера (заболевание, сопровождающееся потерей памяти).

Снижение содержания эстрогенов в организме после наступления менопаузы повышает риск развития сердечно-сосудистых заболеваний. Изменение уровня эстрогенов приводит к снижению эластичности стенок сосудов, в том числе и коронарных (сосуды сердца), из-за чего возрастает риск развития ишемической болезни сердца, нарушается снабжение кислородом сердечной мышцы и появляется угроза развития инфаркта миокарда.

Самое грозное проявление климакса — остеопороз. Это процесс, сопровождающийся уменьшением плотности и перестройкой костной ткани, и, как следствие,— боль в суставах, костях, переломы конечностей, искривление позвоночника (возникает так называемый «вдовий горб»). К остеопорозу приводит и низкое содержание кальция в пище. Употребление продуктов, богатых кальцием, уменьшает потерю костной ткани.

В поздней менопаузе из-за прогрессирующего остеопороза часто возникают переломы костей, особенно позвоночника, шейки бедра.

Незначительная потеря кальция костной тканью начинается еще в молодости, лет с 25, то есть с момента, когда мы прекращаем расти. Процесс ускоряется с возрастом. Снижение костной массы у женщин после 40 лет проходит практически незаметно — около 1% в год. А в первые 5 лет менопаузы на фоне дефицита половых гормонов ее потеря значительно ускоряется (от 3 до 10% в год). Потом этот процесс замедляется. Однако в целом, на протяжении всей жизни может быть потеряно около 40% костной ткани!

Что же нам угрожает?

1. Приливы жара и потливость, сильное сердцебиение, сдавливающее ощущение в груди.

2. Головные боли, которые возникают из-за снижения тонуса сосудов головного мозга и нарушения в связи с этим кровообращения в мозге.

3. Бессонница — характерный синдром при климаксе. Потеря сна вызывает нервозность, истощает умственно и физически, возникает так называемый «замкнутый круг».

4. Нервозность и раздражительность.

5. Депрессивное состояние из-за недостатка гормона эстрогена. Это переносится хуже всего. Плохое настроение, ощущение тревоги, слезы без причины. Обратите внимание: речь идет не о депрессии, наступающей после какого-либо горя или потрясения.

6. Изменения обмена веществ. В первую очередь это касается минерального обмена — приводит к остеопорозу. Нарушается и углеводный обмен — это приводит к увеличению веса, проблемам со щитовидной, поджелудочной железами. Также нередко именно во время климакса у женщин может проявиться сахарный диабет. Одним из наиболее неприятных для женщины проявлений климакса является изменение внешности. Это касается, прежде всего, появления морщин, которые вызывают беспокойство у всех женщин.

7. Мочеполовые расстройства. Слизистые оболочки влагалища, мочеиспускательного канала становятся более сухими, изменяется их кислотно-щелочной баланс, снижаются защитные свойства слизистой оболочки, что

приводит к частым инфекциям. Может появиться недержание мочи. Нередко у женщин бывает сухость слизистой оболочки глаз.

8. Повышение артериального давления.

9. Сердечно-сосудистые заболевания.

Впечатляющая картина, не правда ли?

Общие рекомендации

Вот что можно сделать для себя в такой ситуации:

— не сражайтесь с тем, чего нельзя избежать. Женщины, которые пытаются контролировать приливы, могут ухудшить свое состояние. Вместо того чтобы пытаться перебороть прилив, оставьте на время свои занятия, сядьте, расслабьте руки и ноги. Дайте приливу прокатиться над Вами подобно волне;

— будьте невозмутимы. Эффективным средством в борьбе с приливами могут быть положительные установки. Когда Вы чувствуете приближение прилива, напоминайте себе, что это — норма, что он длится недолго, Вы способны с ним справиться. В большинстве случаев эти положительные установки могут облегчить Ваше состояние;

— научитесь расслабляться. Подойдут медитации или йога либо просто ежедневно в течение нескольких минут посидите спокойно, закрыв глаза, ни о чем не думая, дышите свободно;

— определите, какие обстоятельства способствуют приливам, и избегайте их. Для некоторых женщин — это эмоциональные вспышки, для других — горячая пища, острые блюда, теплая комната или теплая постель;

— одевайтесь «как капуста». Носите свитеры и жилеты и снимайте верхний слой, когда подступает прилив. Вновь наденьте, когда прилив проходит, так как температура тела действительно падает ниже нормы, что может вызвать озноб;

— носите одежду из натуральных волокон. Одежда из синтетики усиливает жар и пот во время приливов, делая их еще более неприятными. Натуральные ткани — хлопок или шерсть — способствуют лучшей вентиляции и охлаждают тело естественным путем, впитывая влагу с его поверхности;

— ешьте понемногу. Целесообразно с трехразового питания перейти на 5 приемов пищи в день: это поможет Вашему организму лучше регулировать температуру;

— пейте больше воды. Не забудьте освежиться холодной водой или соком, особенно после физических упражнений. Это тоже способствует регулированию температуры тела;

— ограничьте потребление кофеина (кофе, кока-кола, крепкий чай). Напитки, содержащие кофеин, стимулируют образование стресс-гормонов, вызывающих приливы;

— употребляйте меньше алкоголя;

— пользуйтесь бумажными полотенцами. Купите пакетики увлажненных полотенец (или салфеток) и носите их с собой. Они снимут остроту прилива. Возможно, Вам захочется смочить лоб, когда прилив наиболее интенсивен, или стереть пот после того, как он закончится;

— избегайте жары. Жар в любом виде может способствовать наступлению прилива. Постарайтесь снизить окружающую температуру: оставьте окно открытым, пользуйтесь кондиционером, избегайте острой пищи и напитков;

— можно принимать витамин Е. Два раза в день по 400 международных единиц витамина Е. Некоторым женщинам это помогает уменьшить частоту приливов. Однако сначала надо проконсультироваться у своего врача. Витамин Е может вызывать разжижение крови.

Бессонницу, вызванную климактерическим синдромом, Вы в состоянии преодолеть.

Для этого:

— ложитесь спать и вставайте в одно и то же время;

— не спите днем, как бы этого ни хотелось, а утром заставьте себя вовремя встать и заняться делами, даже если Вы не выспались;

— перед сном проветрите комнату, а еще лучше — спите с открытой форточкой или окном под теплым легким одеялом. Подберите максимально удобные матрас и подушку. В спальне неплохо положить в вазу смесь сухих ароматических трав (мелиссы, мяты, лаванды, лепестков розы);

— не следует много есть перед сном, но и пытаться уснуть на пустой желудок — не лучший выбор. После 16 часов не пейте крепкого чая, кофе. А вот незадолго до отхода ко сну можно съесть банан или выпить стакан кефира;

— физические тренировки желательно проводить в утренние или дневные часы. Вечерние занятия спортом не позволяют быстро заснуть, так как при физических упражнениях в кровь активно выбрасывается адреналин, и его уровень остается высоким еще в течение двух-трех часов. А вот спокойная легкая прогулка на свежем воздухе, наоборот, вызывает состояние дремоты;

— перед сном не читайте захватывающий роман, особенно триллер, не смотрите по телевизору криминальную хронику. Теплый душ или ванна помогут расслабиться, снять напряжение, но вода не должна быть горячей;

— во многих случаях эффективна дыхательная гимнастика. Лягте на спину (подушка под головой). Сделайте десять медленных, глубоких вдохов, включив в дыхательный процесс и мышцы живота. Старайтесь, чтобы каждый следующий вдох был сделан через больший интервал. Отдохнув, повторите упражнение еще несколько раз, стараясь как можно больше расслабиться, представьте что-нибудь приятное, успокаивающее, например теплое море на закате, когда волны то набегают на песок, то отступают;

— если Вам не удается заснуть в течение 15—20 минут, встаньте, походите по квартире, займитесь каким-нибудь полезным делом: переберите гречневую крупу для каши, пришейте петельки на кухонные полотенца. Возвращайтесь в постель только тогда, когда захочется спать. Смысл состоит в том, чтобы постель ассоциировалась в Вашем сознании не с проблемами и делами, а только со сном. Монотонные же и скучные (даже нужные) дела имеют свойство погружать нас в полусонное состояние;

— некоторые лекарства также способны провоцировать развитие бессонницы. Поэтому выясните, не может ли что-то из назначенного Вам врачами вызвать нарушение сна. Возможно, все нормализуется после изменения времени приема лекарств или их замены;

— можно попробовать успокоительные травяные сборы или средства, на них основанные, — они безопасны и не вызывают привыкания. Современные высокоэффективные снотворные средства следует принимать только по назначению врача, иначе можно себе навредить, а не помочь (со временем требуется все большая доза, может возникнуть привыкание).

Гормонозаместительная терапия

Подумайте об использовании *гормонозаместительной терапии (ГЗТ)*. Это считается наиболее эффективным средством не только против приливов и бессонницы, но практически против всех симптомов менопаузы. Конечно, нельзя рассматривать заместительную гормонотерапию как «лекарство против старости», но ее применение позволяет женщине достойно встретить «золотую осень» своей жизни. Поскольку все неприятные симптомы климакса вызваны дефицитом женских гормонов (эстрогенов), то, чтобы их устранить, необходимо восполнить этот дефицит. Наиболее распространенным методом коррекции расстройств, связанных с менопаузой, является ГЗТ.

Гормонозаместительная терапия используется уже более 40 лет. Она представляет собой одно из самых значительных современных достижений профилактической медицины, безопасна и может длительно применяться. Бытует мнение, что ранние симптомы климакса быстро проходят и их можно перетерпеть, но известно, что большинство климактерических расстройств перерастает в серьезные заболевания: гипертоническую болезнь, ишемическую болезнь сердца, инфаркт миокарда, инсульт! Поэтому лечение необходимо.

Гормональная терапия эффективна в 80—90% случаев. Она вдвое снижает риск инфаркта миокарда и инсульта и увеличивает продолжительность жизни. Эстрогены предупреждают образование атеросклеротических бляшек. Кроме того, эстрогены, входящие в комбинированные гормональные препараты, уменьшают потери костной ткани и частично восстанавливают ее, предупреждая остеопороз и переломы.

Не следует забывать о влиянии такой терапии и на внешний вид. В Европе отмечена четкая зависимость между решением женщины о необходимости использования заместительной гормональной терапии и вниманием, уделяемым ею своей внешности: для 57% женщин крайне важно положительное влияние этой терапии на фигуру, а для 73% — на кожу.

Очень важным является осознание женщиной необходимости коррекции климактерических расстройств, то есть формирование положительного отношения к жизни. Добавьте также существенные факторы — образ жизни, качество питания, отношение к окружающему миру.

Итак, заместительная гормональная терапия благоприятно влияет на женский организм в целом. Она помогает ему активно противостоять процессам старения, сохранять работоспособность, здоровье, обеспечивает высокое качество жизни.

Что представляют собой препараты ГЗТ? Эстрогены в сочетании с прогестином — это и есть препарат, используемый при гормонозаместительной терапии. Долговременная ГЗТ оказывает благоприятное действие на здоровье женщины:

— снижается риск развития остеопороза. ГЗТ позволяет не только замедлить вывод кальция из костной ткани, но и восстановить ослабленные кости;

— под влиянием ГЗТ снижается риск развития сердечно-сосудистых заболеваний. Механизмов действия в этом случае несколько: понижение содержания в крови холестерина, сохранение эластичности стенок сосудов и повышение концентрации веществ, препятствующих тромбообразованию;

— ГЗТ снижает также риск возникновения рака толстой кишки и предотвращает истончение тканей влагалища и мочевыводящих путей;

— есть данные, что с помощью эстрогенов можно замедлить образование морщин и сохранить кожу упругой и эластичной;

— по результатам исследований — эстрогены даже улучшают память.

ТЕХНОЛОГИЯ ЗДОРОВЬЯ

Глава 4. КАК СДЕЛАТЬ НОЧЬ СЛАДКОЙ

4.1. Правила здорового сна

В нашем организме одновременно протекают два процесса — утомление и восстановление. От соотношения этих процессов зависит не только наше самочувствие, но и продолжительность жизни!

Если Вы не восстанавливаетесь после нагрузок, как физических, так и эмоциональных, то долго жить Вы не будете. Просто-напросто Ваш организм износится намного быстрее!

Самым лучшим восстановителем конечно же является сон.

Во время сна с организмом происходят следующие замечательные явления:

— значительно замедляется обмен веществ и снижается температура тела, что ведет к «растягиванию» жизненного цикла;

— максимальное расслабление всего организма. Чем сильнее расслаблена та или иная часть тела, тем лучше она питается кровью и др., и тем лучше она восстанавливается;

— резко растет выработка ряда омолаживающих гормонов (мелатонин, гормон роста и др.). Доказана способность этих гормонов увеличивать продолжительность жизни на 25—30%.

Если Вы полностью не восстанавливаетесь после дневных нагрузок, то Ваш организм изнашивается быстрее. Поэтому так важно достаточно и правильно спать! Да, не удивляйтесь, спать тоже надо уметь!

Так как же спать правильно?

Необходимо соблюдать основные правила.

1-е правило — одно из важнейших: ложиться в кровать следует лишь когда по-настоящему почувствуешь усталость, как физическую, так и психическую.

2-е правило: не спите в душной комнате.

3-е правило: кровать должна быть удобной и достаточно большой, а Ваша спальня должна ассоциироваться только со сном.

4-е правило: спите не менее 8 часов в сутки.

5-е правило: ложитесь и вставайте в одно и то же время.

6-е правило: оградите себя от шума и лишнего света во время сна.

7-е правило: давайте себе легкую физическую нагрузку перед сном.

8-е правило: старайтесь отвлечься от дневных проблем — «утро вечера мудренее».

9-е правило: не перегружайте организм пищей после 19 часов, но и не ложитесь спать голодной. Питайтесь правильно в течение дня.

10-е правило: не смотрите на ночь увлекательные телепередачи.

11-е правило: приучите себя выпивать перед сном стакан теплого молока или теплой воды с медом.

12-е правило: выбирайте правильную позу для сна — на боку, приучите себя не укутываться одеялом с головой.

13-е правило: спите головой на север.

14-е правило: занятие сексом способствует хорошему сну.

15-е правило: перестаньте тревожиться из-за бессонницы.

16-е правило: соблюдайте ритуал отхода ко сну.

17-е правило: снизьте свой вес.

18-е правило: научитесь расслабляться в течение дня — используйте возможности бани, сауны, массажа, занимайтесь медитацией.

19-е правило: если Вы курите, ограничьте курение после 19 часов.

20-е правило: не злоупотребляйте алкоголем и стимуляторами в виде кофе, шоколада.

Плохо, если Вы о чем-то беспокоитесь и постоянно просыпаетесь или спите менее 8 часов в сутки. Ваши кровать и подушка должны быть максимально удобными, а Ваше тело максимально расслабленным. Возьмите себе за правило забывать обо всем на ночь.

Купите надежный будильник, чтобы избавиться от беспокойства по поводу опоздания на работу.

Очень вредно укутываться одеялом с головой — в таких случаях приходится дышать отработанными газами. Не стоит спать на животе.

Нарушить сон может беспокойство по поводу возможной бессонницы. Так, человек ложится в постель и начинает волноваться: а вдруг сегодня сон совсем не придет. Еще хуже, если Вы пытаетесь заставить себя спать. Здесь результат будет противоположным.

Обратите внимание: если Вы не поспите несколько ночей, то ничего страшного с Вами не случится! Беспокойство по поводу бессонницы хуже нее самой.

Также можно посоветовать определенную подготовку перед сном. Если Вы сильно раздражены чем-либо, лучше заранее перед сном обдумать тревожащие Вас мысли, наметить план на завтра.

Иногда не помешает употребление успокаивающих средств (валериана, пустырник, валидол и т. п.).

Спите, лежа головой на север. Во всяком случае, так делали наши предки, мотивируя это направлением магнитных линий Земли. Предки же китайцев в своем учении фэн-шуй рекомендовали каждому человеку найти свое собственное благоприятное направление для сна, не ставить кровать непосредственно напротив входной двери и не злоупотреблять зеркалами в спальне.

Бессонница может быть и следствием атеросклероза сосудов головного мозга. В этом случае необходимо бороться с атеросклерозом. Если Ваш сон тревожен, это может быть связано с понижением уровня сахара в крови.

Кроме того, старайтесь вести спокойный и размеренный образ жизни. Хорошо, если уставать Вы будете только от тренировок.

Как мы уже знаем, наш сон делится на циклы, каждый из которых состоит из фаз различной глубины. Обычно циклы длятся от 60 до 90 минут, причем у здоровых людей продолжительность цикла меньше. Для полного отдыха достаточно поспать четыре своих биоцикла. Однако нормально и шесть циклов. Очень важно не прерывать сон во время цикла! Если разбудить человека в середине одного из таких интервалов, то он будет чувствовать себя разбитым. Поэтому лучше вставать не по будильнику, а по «внутренним часам».

Парная и массаж также способствуют хорошему восстановлению организма.

Перед отходом ко сну сделайте все, что действует на Вас успокаивающе (например, обойдите квартиру, расчешите волосы, послушайте музыку). Для ускорения засыпания можно думать о чем-то приятном, например о доставивших Вам радость моментах прожитого дня.

Если Вы любите засыпать, слушая музыку, пользуйтесь аппаратурой с автоматическим отключением, попробуйте слушать успокаивающую музыку. (Говорят, что Иоганн-Себастьян Бах написал тихое соло для фортепьяно «Вариации Гольдберга» по просьбе принца, чтобы помочь тому бороться с бессонницей.)

Людям, время от времени страдающим расстройствами сна, помогут перед сном холодный и теплый душ, массаж щеткой. Многих будят такие звуковые раздражители, как пение птиц, петуха и т. п. Для того чтобы подобные звуки не были причиной нарушения сна, необходимо изменить свое отношение к ним: постараться представить, что все эти шумы естественного происхождения.

Для здорового сна необходима легкая пища вечером: лучше всего до 20 часов, чтобы желудок при отходе ко сну не был перегружен. Кофе, никотин, алкоголь, жирная пища перед сном наносят большой вред.

Чтобы подготовиться ко сну, можно совершить прогулку на свежем воздухе, сделать упражнения для дыхания у открытого окна, принять ванну с успокаивающими лекарственными травами, отдохнуть в помещении с мягким светом, послушать тихую музыку.

На ночь можно почитать легкую литературу. Если на Вас действуют успокаивающе детективные романы, читайте их перед сном. Для многих снотворными средствами служат игры: пасьянс, шахматы, разгадывание кроссвордов.

Хороший эффект успокоения и последующего засыпания дает такой прием: за полчаса до сна лечь в постель, расслабиться и в полумраке комнаты фиксировать взгляд на каком-нибудь блестящем предмете, находящемся в спальне. Можно использовать постепенно угасающий источник электрического света в затемненной комнате (приставки к электрическим лампам накаливания или лампам дневного света). Засыпание при этом происходит медленно и плавно.

Перед сном бывает полезно сконцентрировать взгляд на комнатных растениях, цветы которых имеют холодную синюю, голубую или зеленоватую окраску.

Перед тем как лечь спать, надо расслабиться, сосредоточить внимание на шуме дождя и ветра за окном или шорохе листвы.

Спокойный сон обеспечен, если, ложась спать, мысленно представлять себе (при закрытых глазах) постоянно повторяющуюся красную цифру 3 (могут быть использованы также цифры 5, 7, 9).

Перед отходом ко сну регулярно выполняйте действия, направленные на психическое и физическое расслабление. Это могут быть легкие потягивания или теплая ванна для уменьшения физического напряжения, упражнения по самовнушению или прослушивание кассет со спокойной музыкой для психического расслабления. Какой бы метод Вы не избрали, соблюдайте данный ритуал каждый вечер, пока он не войдет в привычку.

4.2. Уютная спальня и удобная постель — лучшие друзья сна

Может быть, Вам не спится потому, что подушка неудобная и одеяло колючее? Проведите срочную «ревизию» спальни!

Свежи ли Ваши простыни? Не слишком ли легкое или тяжелое, грубое или теплое Ваше одеяло? Может быть, в комнате, где Вы спите, чересчур жарко или холодно? Удобна ли Ваша пижама или ночная сорочка? Может быть, у Вас в комнате скребется по ночам беспокойная собака, кошка или птица?

Новый взгляд на спальню

В спальне должно быть тихо и темно. В комнате не должно быть ни слишком жарко, ни чересчур холодно. Раньше считалось, что в холодном помещении спится лучше, однако это не подтвердилось. На самом деле, если у Вас мерзнут ноги, Вы просто не заснете — придется надевать носки. Известно, что при температуре выше

24°С сон нарушается, люди чаще просыпаются, больше двигаются во сне, фазы парадоксального сна и дельта-сна уменьшаются.

Идеальная температура — не ниже 18°С. Оконную форточку лучше держать открытой, что дает возможность мозгу в период «ночной подзарядки» питаться кислородом. Только сон в проветриваемом помещении приносит отдых. Не стоит надевать на тело тесные рубашки и пижамы. Ночное белье должно быть только из натуральных тканей (хорошо пропускающее воздух и впитывающее влагу) и не стеснять дыхания и движений. Менять его следует как можно чаще. Постельное белье и ночную одежду во время стирки не следует крахмалить.

Интересно, что во время сна со сновидениями человек становится поликилотермным организмом, то есть теряет присущую ему способность регулировать температуру тела посредством дрожи и потоотделения. Такие периоды сна относятся в основном ко второй половине ночи, поэтому в это время человек особенно чувствителен к перепадам температуры окружающей среды.

Подумайте также о том, какова влажность воздуха в комнате. Если воздух слишком сухой, у Вас может сохнуть кожа, першить в горле, закладывать нос. Если же влажность высокая, Вы будете потеть и перегреваться.

Не секрет, что в домах, особенно после установки герметичных пластиковых окон, накапливается радиоактивный газ радон. Он образуется при распаде урана, содержащегося в грунте и строительных материалах. От вездесущего газа существует два способа спасения: всегда держать открытой форточку в спальне и стелить на кровать льняное белье — оно в несколько раз снижает уровень радиации и в два раза ослабляет гамма-излучение.

Постель из льна, утверждают ученые, ослабляет воздействие неблагоприятной экологии, не накапливает статического электричества, поэтому дольше остается чистой, не липнет к телу и не мнется складками. Лен хорошо согревает зимой, а душными летними ночами создает ощущение прохлады, отводя избыток тепла от кожи: под льняной простыней кажется, что температура снизилась на 4—5 градусов. В отличие от хлопчатобумажных комплектов, которые со временем желтеют, льняные чем дольше служат, тем белее становятся!

Имеет значение и цвет постельного белья. Современная медицина и дизайнеры сегодня отдают предпочтение бежево-золотистым цветам разной интенсивности и сине-голубой гамме.

В этих же тонах рекомендуется оформлять интерьер спальни: стены, ковер, шторы, мебель. Исключаются крупные, яркие рисунки на обоях и гардинах. В спальне предпочтительнее мягкое боковое освещение — бра, торшеры или ночники. Лучше вообще отказаться от верхнего света. Оригинальные ночники создадут особую атмосферу и помогут Вам настроиться на сон.

Ученые давно уже подметили, что аромат некоторых растений вызывает сонливость. Более всего засыпанию способствуют запахи розы и герани. Для приятных сновидений рядом с подушкой можно положить мешочек с травами или у изголовья кровати поставить сухие листья мать-и-мачехи, мяты, чабреца, мелиссы, лаванды, лепестки розы.

Можно использовать рецепт бальзама В.А. Иванченко. Состав его следующий: 1 чайная ложка тертых корок лимона, по 2 чайные ложки лепестков розы, листа эвкалипта и веточек можжевельника обыкновенного, по 3 чайные ложки травы шалфея и тимьяна. Смесь трав залить 1 л кипятка, дать настояться в термосе 6 часов, профильтровать. Перед сном спальню опрыскать этим раствором из пульверизатора.

В комнате, где Вы спите, на сон могут влиять и другие факторы. Если Вы страдаете аллергией, то, возможно, пыльца, попавшая в комнату через открытое окно, вызовет у Вас приступ удушья. Старая пыльная подушка заставит чихать и кашлять, глаза начнут чесаться. Может быть, следует прочистить пылесосом под кроватью, выстирать занавески, одеяла, покрывало, чтобы избавиться от накопившейся пыли.

Некоторые люди не могут спать из-за того, что не чувствуют себя в безопасности. Если Вы живете одна и это Вас беспокоит, поставьте новые безопасные дверные замки. Приобретите детектор дыма, установите электронную систему охраны от грабителей. Может быть, прямо у Вашей постели должен находиться телефонный аппарат.

Матрас

Чтобы спать сладко, позаботьтесь, чтобы постель была не слишком мягкой.

Чтобы убедиться, что Ваша постель в порядке и не служит причиной дискомфорта ночью, проверьте следующее: ровная ли поверхность у матраса, нет ли вмятин по краям или в середине, не запылился ли он? Возможно, пора купить новый. Может быть, постель недостаточно широка, особенно если на ней спят двое.

Знаете ли Вы, что, когда два человека спят на двуспальной кровати обычного размера, ширину части кровати, занимаемой каждым из них, можно сравнить с шириной детской колыбельки (около 70 см)? Если Вы спите вдвоем, постарайтесь купить кровать «королевского» размера или поставьте рядом две односпальные кровати, и Вы станете спать лучше.

Обыкновенный матрас под весом спящего прогибается. В результате — позвоночник искривляется, а мышцы всю ночь не получают необходимого расслабления. Отсюда недалеко и до бессонницы. Единственное достоинство таких матрасов — их дешевизна. Ортопедические матрасы стоят дороже.

Матрас должен поддерживать позвоночник в правильном положении, адаптируясь при этом к его естественным изгибам, и в то же время дифференцированно поддерживать отдельные части тела, при этом не слишком прогибаясь в районе поясницы.

Самое важное в ортопедическом матрасе — система пружин, каждая из которых сжимается независимо от остальных. Поэтому ложе повторяет естественные изгибы тела, и, как ни ляжешь, позвоночник не прогибается, связки и суставы остаются всю ночь расслабленными и кошмары не мучают.

Достоинства ортопедических матрасов признали врачи и рекомендуют их тем, кто страдает заболеваниями суставов, позвоночника, костей или нервной системы (остеохондрозом, сколиозом, артритами, невралгией, бессонницей), и всем, кто этими недугами заболеть не хочет.

Жесткость матраса — понятие объективное, исчисляется количеством пружин и материалом, из которого они изготовлены. Однако, чтобы определить, устраивает ли

Вас жесткость матраса, на нем рекомендуют полежать прямо в магазине.

Лучше всего спать на матрасе из натуральных материалов, например, хлопка.

Если по утрам Вы просыпаетесь скованной из-за артрита, попробуйте класть на матрас подстилку из овечьей шерсти. Такие подстилки способствуют уменьшению беспокойной двигательной активности во сне и улучшают сон у больных артритом.

Какую подушку выбрать?

Если подушка неудобная, о крепком сне не может быть и речи.

Размеры и форма подушки

Подушка должна обеспечивать максимально параллельное положение головы по отношению к туловищу. Ни в коем случае нельзя пользоваться большой туго набитой подушкой, так как при этом голова постоянно находится в неестественно согнутом положении, что может привести к головным болям и проблемам с позвоночником.

При заболеваниях сердца или затрудненном дыхании сон может оказаться лучше, если голова и верхняя часть тела будут приподняты примерно на 15 см. Для этого в изголовье можно подложить плоскую клиновидную подушку.

Применение очень тонкой подушки или сон вообще без подушки также может вызывать боли в шее из-за изгиба позвоночника во время сна на боку. Кроме того, у людей с храпом низкая подушка способствует западению языка в положении на спине и усилению храпа.

Лучше использовать плоские подушки с индивидуально подобранной толщиной или контурные ортопедические подушки с небольшим уплотнением под шеей, что обеспечивает максимальное расслабление мышц шеи и комфортный сон. Такие подушки изготовлены на основе специальных материалов, которые принимают индивидуальную форму с учетом анатомических особенностей конкретного человека.

Когда лежишь на ней, сохраняется анатомически правильное положение шейного отдела позвоночника. За счет этого сосуды шеи не пережимаются, и кровоснабжение головы не ухудшается. Это означает, что наутро Вам обеспечен хороший цвет лица и отсутствие отеков.

Сегодня в продаже имеется множество модификаций анатомических подушек.

Лучше всего выбирать контурные подушки из натурального или искусственного латекса. Подушки на основе поролона менее удобны.

Твердая подушка-валик

Она должна быть небольшой в длину — 40—50 см и диаметром 10—15 см (толщиной в две руки). Класть ее следует так, чтобы 3-й или 4-й шейный позвонок находился на верху подушки. Вначале это будет болезненно, но приучить себя необходимо, ибо использование такой подушки исправляет положение шейных позвонков, устраняет головные боли, исключает болезни уха, горла, носа, глаз, укрепляет мозг и позвоночный столб. Такая подушка поддержит шейный отдел позвоночника и поможет расслабиться.

Какой наполнитель для подушки лучше всего подойдет?

На рынке имеется большой выбор. Это пух, овечья шерсть, гречневая лузга, комфорель, искусственный лебяжий пух.

Подушка с наполнителем «пух»

Наполнителем такой подушки может быть лебяжий пух, перо птицы и их смесь. Пух — самый теплый наполнитель. Пух растет в оперении только водоплавающих птиц. Он защищает птиц не только от арктического холода, но и от перегрева. Большое количество пушинок, соприкасаясь между собой, создают закрытые воздушные прослойки и обеспечивают хорошую теплоизоляцию. Надежно сохраняя тепло, пух позволяет беспрепятственно улетучиваться лишней влаге. Подушку, как постельную принадлежность, отличает большой объем при малом весе. После кратковременного сжатия она быстро восстанавливает прежний объем.

Подушка с наполнителем «натуральная овечья шерсть»

Подушки с этим наполнителем теплые, легкие, мягкие. Шерсть образует трением волокон друг об друга электростатическое поле, которое хорошо влияет на здоровье человека. Шерсть — уникальный материал, который не только согреет Вас в холодное время года, но и подарит благотворную прохладу в жару. Все дело в его структуре — правильно изготовленные постельные принадлежности из натуральной шерсти «дышат» и позволяют дышать Вашему телу. Это происходит благодаря природной извитости натуральных шерстяных волокон — находящиеся между ними воздушные микрополости (пустоты) образуют воздушный слой, который играет роль термического стабилизатора. Именно поэтому постельные принадлежности из овечьей шерсти спасают от жары и незаменимы в холоде.

Кроме того, натуральная овечья шерсть — это целительный материал, издревле используемый в лечебных и профилактических целях. Боль в спине, суставах, мышечные боли, ревматические заболевания — вот далеко не полный список недугов, которые эффективно предотвращает и устраняет шерсть.

Подушка с наполнителем «гречневая лузга»

Лузга гречихи — единственный в своем роде наполнитель, который обеспечивает мягкий точечный массаж, постоянные воздушные потоки, способен принимать профиль каждой части тела. Энергия гречневой лузги благотворно влияет на организм: приводит к активизации энергетических каналов, поддерживает активность мышц, стабилизирует работу опорно-двигательной системы, нервной, кровеносной и лимфатической систем.

Подушка с наполнителем «комфорель»

Комфорель — это полое, силиконизированное волокно, прошедшее дополнительную термообработку, за счет чего оно преобразовывается в шарики диаметром 7 мм. Специальная антибактериальная обработка волокон надежно защищает изделия от бактерий и клещей. При этом даже после многократной стирки обработка сохраняет свои свойства.

Основные свойства таких подушек:

— терморегуляция: удерживает тепло, не препятствует циркуляции воздуха;
— легкий уход и высокие эксплуатационные свойства: можно стирать, как вручную, так и в стиральной машине, быстро сохнут;
— отлично сохраняют форму;
— не вызывают аллергических реакций;
— длительный период эксплуатации.

Подушка с наполнителем «искусственный лебяжий пух»

Для людей, предпочитающих более мягкие и нежные изделия, рекомендуются подушки с наполнителем из заменителя лебяжьего пуха. Наполнитель состоит из композиции различных тончайших пустотелых волокон, способных удерживать вокруг себя воздух.

Подушки просто дышат, при этом сохраняя мягкость. Волокно специально обработано силиконом, благодаря чему скользящие, силиконизированные волокна движутся независимо друг от друга, за счет чего наполнитель не сбивается, не слеживается, прекрасно сохраняет форму при длительной эксплуатации.

4.3. Народные средства от бессонницы

Самый лучший способ от бессонницы — физические упражнения, но ни в коем случае не перед сном.

Ешьте перед сном лук — он помогает крепко заснуть.

Прикладывайте к икрам ног горчичники или перемолотый хрен. Этот способ хорошо помогает, если бессонница возникла вследствие прилива крови к голове.

Принимайте отвар, приготовленный из бузины: 1 ст. ложку измельченного корня растения заварить стаканом кипятка, кипятить 15 минут на слабом огне, дать настояться в течение 30 минут и процедить. Этот отвар следует принимать по 1 ст. ложке в день.

Можно принимать на ночь в виде успокаивающего средства порошок из раздробленных шишек хмеля.

В подушку перед сном положить пару листков сухого лавра, который наверняка найдется на Вашей кухне.

В стеклянной банке смешать полчашки меда и 3 ст. ложки яблочного уксуса. Перед сном принимать 2 чайные ложки этой смеси. Проснувшись среди ночи, снова принять 2 чайные ложки «снотворного». Банку с «лекарством» надо держать всегда закрытой.

При бессоннице следует ополаскивать при мытье голову настоем травы душицы. Горсть травы заварить 3 л кипятка, дать настояться, укутав, 1—1,5 часа.

Используйте специальную подушку, набитую лечебными травами, оказывающими на организм человека успокаивающее действие. Подушка может состоять из смеси следующих трав: небольшое количество валерианы, боярышник, лепестки розы, шиповник, листья вишни и черной смородины, мята, хвоя. Подушку надо хранить в специальном мешке, чтобы не улетучивались лечебные запахи.

При бессоннице рекомендуется спать на подушке, набитой хорошо высушенным лесным сеном или сухим хмелем. Одновременно можно принимать перед сном по 1 ст. ложке меда.

Чтобы быстрее уснуть, можно смочить одеколоном (духами, борным спиртом, лосьоном на спирту) небольшие кусочки ваты и заложить ими уши.

Хорошим средством от бессонницы может служить теплая ванна с травами перед сном.

Хороший эффект при бессоннице дают отвары лекарственных растений (синюхи, мяты перечной, мелиссы лекарственной, бузины черной, валерианы лекарственной, зверобоя продырявленного и особенно хмеля обыкновенного).

Принимать 10-процентную настойку пиона уклоняющегося (марьин корень) по 30 капель 3 раза в день. Курс лечения — 1 месяц.

Вдыхать перед сном спиртовую настойку валерианы. Начинайте с неглубоких вдохов, затем глубину и количество вдохов надо постепенно увеличивать. Если Вы проснулись ночью, то процедуру можно повторить.

Если у Вас нормальная свертываемость крови, можно заваривать траву донника лекарственного и пить, как чай.

10 г сон-травы (прострел) залить стаканом кипятка, нагреть на водяной бане — 30 минут, остудить при комнатной температуре в течение 10 минут, процедить, долить кипяченой водой до 200 мл. Принимать по 1 ст. ложке каждые 2 часа.

Принимать настойку полыни — по 15 капель 3 раза в день за 15 минут до еды. Настойка готовится так: 5 г (1 ст. ложка) сушеных измельченных цветков полыни залить на 8 дней 50 мл водки.

Принимать по 3 г порошка маковых цветков 3 раза в день перед едой.

Принимать настойку пустырника — по 20 капель 3 раза в день перед едой.

Принимать отвар тыквы с медом при неустойчивом и тревожном сне. Один стакан измельченной мякоти тыквы залить 1 л холодной кипяченой воды, кипятить 5 минут, затем охладить, 15 минут, и процедить. Принимать в теплом виде по 0,5 стакана на ночь.

Дать настояться 1 ст. ложке семян укропа огородного в 1,5 стаканах кипятка (суточная доза). Можно использовать вместо семян измельченную траву укропа.

При бессоннице помогают ингаляции со следующими эфирными маслами: базилик, ваниль, жасмин, розовая герань, лаванда, анис, мирра, ладан, сандал. Перед сном хорошо подышать запахом корочек мандарина или апельсина. Крепкому сну способствуют ароматы специй гвоздики, базилика и жасмина, которые можно поместить в мешочек и повесить над кроватью.

Снотворным действием обладают многие растения, способные усиливать процессы торможения в нервной системе, упоминавшиеся уже синюха лазурная, пустырник, хмель, валериана и др. Успокаивающие растения удобны тем, что их можно употреблять не только на ночь, но и во второй половине дня. Они снижают эмоциональную напряженность, ведущую к расстройству сна. В эту группу входят также аир, одуванчик, душица, липа, мята, календула, полынь, тимьян и др.

Хорошо известна целебная сила хвойных и липовых ванн. Для приготовления ванны с липой необходимо цветы (100 г) насыпать в марлевый мешочек и поместить в ванну с чуть теплой водой (34—35°C). Принимать ванну перед сном в течение 10 минут 3 раза в неделю, всего 5—7 раз.

Глава 5. БЫТЬ В ФОРМЕ — ЭТО НЕОБХОДИМОСТЬ

5.1. О пользе физкультуры

Кто-то из мудрецов сказал: «Здоровое тело пахнет потом».

Справедливо, ведь одних ограничений в питании для поддержания себя в хорошей форме мало. 50% женщин постоянно «сидят» на диете. Но только диета приносит мало пользы.

После 25 лет мы начинаем терять приблизительно 250 г мышечной ткани каждый год. Из-за того, что мышцы являются очень активной тканью и обладают высокой энергоемкостью, меньшее количество мышц означает более низкий уровень обмена веществ. По мере уменьшения мышечной массы замедляется обмен веществ, что ведет к снижению потребности организма в энергии.

Исследования показывают, что в среднем каждый год у человека происходит снижение уровня обмена веществ на 0,5%. Другими словами, даже если мы не будем изменять количество или качество потребляемой пищи, наш вес будет увеличиваться просто потому, что потребляемое количество калорий со временем превысят наши потребности в них. В результате — в среднем мы увеличиваемся приблизительно на 700 г каждый год. В сочетании с потерей 250 г мышечной массы в год это может выглядеть как увеличение веса на 450 г, но на самом деле происходит ухудшение структуры тела.

Доказано, что регулярные занятия спортом ведут к уплотнению костной ткани (что предохраняет от остеопороза), тренируются сосуды, улучшается кровообращение и повышается тонус. Физические нагрузки обладают свойством гармонизировать, нормализовывать все системы нашего организма. Человек запрограммирован на большое количество движений и, когда он этого объема движения не получает, начинает болеть — сначала это не заметно, а потом становится очевидным.

Преимущества хорошо сбалансированной программы:
— ускорение обмена веществ и снижение веса;
— улучшение формы и пропорций тела (рельефность);
— увеличение мышечной массы, силы, выносливости;
— улучшение гибкости;
— повышение самооценки.

Регулярные тренировки улучшат качество Вашей жизни, сделают Вас энергичнее, замедлят процесс старения и укрепят Ваш сон.

Этапы пути

Вы пройдете путь, который состоит из трех основных этапов.

Первый этап. Втяжка. Этот этап — самый трудный: Вам потребуется приучить тело к систематическим нагрузкам, научиться не прерываться, по-настоящему втянуться в физические занятия. Первый этап занимает, в зависимости от Вашей силы воли, от одного до двух месяцев.

Второй этап. Вы уже привыкли к занятиям спортом, и второй этап — этап достижения результатов. Если Вы имеете нормальное телосложение (не более 5 кг лишнего веса), Вы достигнете размера талии, какого хотите, за два-три месяца. А если у Вас большой избыточный вес — настраивайтесь на полгода упорной работы, не реже, чем через день. Подумаешь, полгода! Подсчитайте, сколько времени прошло в бездействии.

Третий этап — поддержание результата. Для этого Вам потребуется тратить не более 30—40 минут один раз в два дня. Вы добились отличной внешности и превосходного самочувствия.

Наберитесь терпения, пройдите все три этапа. Вы станете другим человеком!

Что происходит во время занятий физическими упражнениями

Работающие мышцы потребляют больше гликогена (глюкозы, накопленной в митохондриях клеток), забирают больше глюкозы из крови и сжигают жир, переносимый кровью из мест его накопления.

Интенсивный метаболизм требует дополнительного кислорода и большего притока крови, в противном случае мышцы очень быстро утомляются. Все необходимые переключения в организме производит мозг. Гликоген первоначально поступает из внутренних источников углеводов, но при продолжительной активности вырабатывается и из накопленного жира.

Глубина и частота дыхания немедленно усиливаются. Нормальная вентиляция легких, для взрослого человека составляющая 10—12 л воздуха в минуту, во время энергичных упражнений может увеличиться в 10 раз. Легкие без труда забирают из воздуха достаточное для любых разумных нагрузок количество кислорода. Ощущение «нехватки воздуха» не имеет никакого отношения к емкости Ваших легких, просто Ваше сердце и кровеносные сосуды не способны переносить достаточное количество кислорода к мышцам. Вы поймете это, вспомнив, что упражнения на выносливость укрепляют сердечно-сосудистую систему.

Вскоре после того, как мышцы начинают работать с нагрузкой, продукты распада проникают в близлежащие ткани, вызывая общее расширение кровеносных сосудов, что позволяет увеличить кровоток. Продукты распада стимулируют мозг на отдачу команды усилить поступление крови к работающим мышцам. Во время интенсивных упражнений мышцы могут использовать кровоток в 20 раз больший, чем при обычных условиях.

Частота сокращений сердца увеличивается, чтобы обеспечить необходимую циркуляцию крови. У женщины после 40 лет, не занимающейся спортом, частота пульса в состоянии покоя составляет около 70 ударов в минуту. При средней нагрузке она может удвоиться, а при увеличении нагрузки достигнуть 180 ударов. Упражнения могут увеличить объем перекачиваемой крови более чем на 50%. Объем крови, перекачиваемой в минуту в состоянии покоя, составляет примерно 5 л.

При измерении давления крови контролируются две фазы: систолическая — максимальное давление, развиваемое при сокращении сердца, и диастолическая — минимальное давление, когда сердце расслаблено между сокращениями.

Уровень, равный 120/80 мм рт. ст., считается общепринятым нормальным показателем, но давление не остается неизменным, поскольку человек не обладает абсолютно фиксированной частотой сокращений сердца и дыхания. Исходя из этого, приемлемыми считаются величины давления между 100—140 систолического и 60—90 диастолического.

При выполнении упражнений систолическое давление нарастает до 180—190, но диастолическое (пульсовое) давление изменяться не должно. Его повышение при нагрузке является признаком сердечного заболевания: это значит, что сердце не способно правильно реагировать на нее. При таких отклонениях физические упражнения жизненно важны, поскольку укрепляют сердце — самую важную мышцу.

И главное. Ключевые слова: удовольствие, радость. Сделайте свои упражнения веселыми и радостными, словно смотрите любимый фильм или читаете отличную книгу. Не позволяйте себе расстраиваться и прекращать занятия из-за того, что выглядите не самой красивой в гимнастическом зале, что Вам, вероятно, понадобится много времени, чтобы обрести приличную спортивную форму, или что Вы понятия не имеете о роли Вашей сердечно-сосудистой системы. Не мучайтесь по пустякам и не занимайте оборонительной позиции. Наоборот, приступайте к занятиям с хорошим настроением и чувством юмора, не бойтесь иногда и посмеяться над собой. Расслабьтесь и постарайтесь получить максимум удовольствия от упражнений. И вообще, лучше хотя бы немного заниматься спортом, чем не заниматься им вообще.

5.2. Великое разнообразие

Американцы заразили полмира своим «фитнес-движением». Само слово «фитнес» стало знаком определенного жизнеощущения. Оно происходит от слова «годиться» и выражает гармонию тела и духа — в основном через физические тренировки. Душевное же равновесие и свежесть духа вытекают из тренировок как следствие.

Фитнес — активная забота о своем здоровье, потому что тот, кто доволен своим обликом и работоспособностью, реже болеет, выглядит моложе. При этом почти неважно, какой способ тренировок Вы выберете для себя: растяжки или аэробику, танцы, греблю, плавание или каратэ — главное, чтобы Вы ощущали успех и получали удовольствие. Тогда у Вас будет достаточная внутренняя мотивация для регулярных занятий, и Вы осознанно сможете выбрать для себя подходящий вид спорта.

Исходя из того, что спорт и движение должны доставлять удовольствие, мало будет выяснить, где Ваши слабые места. Гораздо важнее подобрать тот вид спорта, который Вам особенно нравится. Вот тест, предложенный американцами, который поможет Вам определить и то, и другое.

Снимите обувь и встаньте прямо. Постарайтесь достать до пола обеими руками, не сгибая коленей. Если Вы дотянулись до пола кончиками пальцев, то Вы обладаете подвижностью для того, чтобы заниматься всеми видами гимнастики и танцев, йогой и растяжками, потому что эти виды спорта требуют некоторой гибкости. Если Вы достаете до пола ладонями, Вы имеете шансы на успех в любом виде спорта.

В течение одной минуты прыгайте со скакалкой. Если после этого Вы в состоянии продолжать без дополнительных усилий, у Вас есть данные для занятий такими видами спорта, как велосипедный, плавание, бег.

Лягте на пол на живот, сомкнув ноги. Руки подложите под грудь и затем с прямой спиной отожмитесь от пола. Если Вы отожметесь четыре-пять раз, у Вас в руках и корпусе достаточно сил для плавания и всех игровых видов спорта с мячом.

Прямой спиной прислонитесь к стене, ступни поставлены параллельно. Спиной медленно скользите вниз, пока не окажетесь «сидящей» на воображаемом стуле, но все же ноги в коленном и тазобедренном суставах еще не достигли прямого угла. Если Вы продержитесь в этой позиции 100 секунд, у Вас достаточно силы в ногах и в нижней части корпуса. Это идеально для тенниса, бега и туризма.

Принцип сбалансированности, то есть оптимального соотношения составляющих, который Вы применяете в питании, необходимо использовать и в отношении физической тренировки. Фанатизм и изнурительные физические нагрузки, независимо от цели — скорректировать фигуру, повысить тонус мышц, уменьшить или увеличить их объем, развить силу — неприемлемы, как и бесконтрольные диеты.

Для поддержания общего тонуса и нормального веса мы должны с помощью физических упражнений расходовать от 2000 до 3000 ккал в неделю. Больше всего калорий сжигают бег, лыжи, гребля, скакалка, спортивный ритмический танец. Меньше — теннис, плавание, волейбол, бадминтон, катание на роликах.

Например, за один час медленного бега расходуется 700 ккал,— значит, необходимо трижды в неделю выходить на беговую дорожку и заниматься в течение часа.

Расход калорий во время занятий спортом в течение получаса

Бадминтон — 175	Настольный теннис — 180
Бег трусцой — 300	Гимнастика — 220
Велоспорт — 330	Катание на коньках — 200
Волейбол — 175	Плавание — 175
Катание на роликах — 175	Прыжки со скакалкой — 400
Конный спорт — 175	Теннис — 220
Легкая атлетика (бег) — 450	Ходьба — 175
Лыжный спорт — 300	

Допустим, Вы решили всерьез заняться своим здоровьем. С чего начать? Конечно, надо выбрать вид занятий, который Вам по душе. Почитайте спортивные журналы, посоветуйтесь с друзьями, которые занимаются спортом. А если Вы еще не выбрали, давайте подумаем вместе. Разнообразие физических нагрузок позволит Вам не только подобрать оптимальную программу, но и получить максимальное удовольствие от занятий.

Аэробные тренировки — длительные занятия обязательно включают в себя кардиотренировку и гимнастику, доступны преимущественно здоровым людям, улучшающим свою форму. Во время аэробных тренировок происходит интенсивное сжигание накопленных запасов — сначала глюкозы в крови, а потом (на фоне более легкого, чем обычно, питания) жировых калорий. Систематические аэробные тренировки могут ускорить Ваш метаболизм, улучшить состояние здоровья и фигуру.

Кардиотренировки. Кардиотренировки — «тренировки для сердца», доступны даже человеку, перенесшему инфаркт. Классические кардиотренировки — бег трусцой, танцы, велотренажер, продолжительная пешая ходьба в довольно быстром темпе. Практически любая тренировка, долго (не менее 20 минут) выполняющаяся в одном и том же темпе, может быть отнесена к кардиотренировкам. Кардиотренировки необходимы всем.

Гимнастика. Тренировка, развивающая мышцы и повышающая тонус. Гимнастика бывает тоническая (работа с весом Вашего собственного тела, самый обычный вид домашних тренировок), с утяжелением (пример — бодибилдинг), на растяжку (стретчинг), которая выполняется ради гибкости, пластичности и скорости реакции. Считается, что для создания гармоничного тела женщине требуются все виды тренировок, например, аэробные, силовые, на растяжку, и самая обычная широкоамплитудная гимнастика, позволяющая предотвратить остеохондроз и другие заболевания суставов.

Силовые тренировки. Не бойтесь занятий с утяжелением. После аэробной тренировки сжигание жира сразу же прекращается, а после силовой — продолжается в течение суток, так как идет активное наращивание мышечной массы. Гантели — наши друзья!

Сочетание силового тренинга с аэробными нагрузками многократно усиливает «сжигание» подкожного жира. В этом как раз и кроется секрет эффекта таких программ. Аэробные упражнения действительно помогают похудеть, однако вместе с жиром «тают» и мышцы. В итоге фигура теряет женственную упругость и красоту форм. Выручить здесь может лишь одно: тренинг с гантелями. Такие нагрузки помогают «лепить» именно ту фигуру, которую Вы считаете своим идеалом.

Когда тренироваться? После работы? Вряд ли у Вас будут на это силы. Я всегда тренируюсь по утрам. У Вас это не получится, если Вы засиживаетесь перед телевизором. Но если Вы ляжете спать в 10 вечера, то запросто встанете в 6 утра. Тренинг рано утром на пустой желудок очень эффективен — я проверила это на себе.

Во-первых, быстро «сходят» жировые излишки, а во-вторых, затем весь день себя чувствуешь энергичной и бодрой. Важно и то, что не надо потом нервничать, пытаясь вклинить тренировку между накопившимися к вечеру домашними делами.

Самый эффективный метод силовых тренировок для женщин — трисеты. Он заключается вот в чем: три упражнения делаются по порядку одно за другим, практически без отдыха. Такая схема нагрузок позволяет одновременно развивать силу, выносливость мышц и тренировать сердце.

Но это не единственный секрет. У женщин имеются традиционно слабые «звенья» в мускулатуре. Это ягодицы, грудные мышцы, трицепсы (задняя поверхность рук), бедра и пресс. Значит, упражнения на эти мышцы надо ставить в начало комплекса. Почему? Да потому, что наибольшую отдачу дают те упражнения, которые выполняются на «свежую голову».

Третий секрет таков: на крупные мышцы женщинам надо делать по 20—25 повторов в подходе, а на малые — 8—12 повторов. Чтобы выполнить именно такое число повторений, Вам предстоит поэкспериментировать с весом гантелей. Если вес гантелей слишком велик, уменьшите его. Запомните: на мышцы действует не вес, а правильная тренировочная схема. Так что, не жалейте времени на подбор «своего» веса.

Структура тренировки

Любая тренировка начинается с разминки. Цель разминки — подготовить организм к нагрузке, настроить его на рабочий лад. Во время разминки можно выполнять танцевальные и аэробные упражнения.

Примерный комплекс разминки, рассчитанный на 5—10 минут, можно составить из следующих несложных упражнений:

— ходьба на месте, бег на месте, бег с высоким подниманием коленей;

— неглубокие наклоны влево и вправо: одна рука за головой, другая на весу на уровне талии (в бок не упираться!);

— наклоны вперед (не вниз!);

— классическая разминка для рук: руки вверх—в стороны—вперед—вниз;

— рывки руками с разворотом корпуса.

Что дает легкая разминка?

Поднимает температуру тела. Разогретые мышцы становятся более гибкими и позволяют лучше справиться с большой нагрузкой.

Наполняет мышцы кровью, то есть предоставляет мышцам большее количество топлива и, следовательно, больше силы. Теперь мышцы можно тренировать в ускоренном темпе и при более сильной нагрузке.

Помогает отвлечься от всего постороннего, сконцентрировать внимание на тренировке, сосредоточиться на выполнении упражнений.

Основной комплекс упражнений по времени занимает от 15 (для утренней зарядки) до 60 (для целевой тренировки) минут. Настоящая работа требует настоящих усилий!

Целесообразнее всего начинать занятие с проработки самых крупных мышц тела. Это приводит к скорейшему выделению гормона серотонина и молочной кислоты в суставах, необходимых для успешного сжигания жиров и наращивания мышечной массы.

Первый и основной для нас блок — упражнения для пресса.

Второй блок — упражнения для мышц ног, прежде всего для ягодичной и двуглавой, передней поверхности бедра. Но не забудьте о мышцах внутренней стороны бедра, икроножных мышцах и мышцах стоп.

Третий блок — грудные мышцы и мышцы рук (бицепсы, трицепсы, предплечья).

Завершающий блок — мышцы спины, шеи, повторение нагрузки на проблемные зоны.

Завершение работы — заминка.

Во время заминки выполняются упражнения на растяжку в спокойном темпе. Главная задача заминки — дождаться, пока перестанет выделяться пот, и привести дыхание и пульс к обычным показателям.

Даже если Вы настроены заниматься исключительно талией, выполняйте хотя бы по одному упражнению для всех групп мышц. Не пожалеете, результат Вам понравится.

Классическое правило — за 2 часа до тренировки любого вида (утренняя зарядка, кардиотренировка) нельзя есть. Во время тренировки можно и нужно пить обычную или минеральную воду. «Наберитесь мужества» и после тренировки тоже не ешьте в течение двух часов, а потом ограничьтесь легким салатом или яблоком. Сбалансированное разумное питание поможет сбросить вес, не потеряв при этом силы и не заработав гастрит.

Только добросовестно позанимавшись, Вы поймете разницу между имитацией тренировки и настоящей тренировкой. Однако если Ваша начальная подготовка слаба, Вы легко можете «сорваться» — перетренироваться.

Иногда для этого достаточно буквально пяти-десяти повторений. Вы перетренировались, если на следующий день в мышцах появилась боль, затрудняющая движения. Не делайте перерыва, выполняйте в течение нескольких тренировок треть от комплекса, на котором Вы «сорвались».

Ориентируйтесь на такие показатели:

— Вы должны вспотеть во время занятий зарядкой — один раз, гимнастикой — два раза, во время целевой тренировки — три раза;

— если Вы нормально тренируетесь, частота пульса должна возрасти вдвое по сравнению со спокойным состоянием.

Начав тренироваться, Вы можете уменьшиться в объеме от 2 до 4 см за месяц, если имеете избыточный вес до 10 кг. Если Вы не похудели — увеличивайте интенсивность тренировки.

Неподготовленное тело реагирует на занятия спортом не слишком хорошо: часто не хватает кислорода, а тело начинает избавляться от лишней жидкости, перегружающей системы организма, и при этом очень потеет. Чтобы понять «степень бедствия», измерьте свой пульс.

Пульс

Ваш пульс — это импульсы крови, которая выталкивается благодаря сокращению мышц из сердца (левого желудочка) в артерии (откуда течет по всему телу). Частота пульса измеряется ударами в минуту. У взрослого человека средний пульс в покое составляет не более 70 ударов в минуту.

Физическая нагрузка, стресс, болезнь, страдания (физические, душевные, эмоциональные) — все это оказывает воздействие на частоту пульса. При физической активности пульс повышается.

Есть максимальный уровень частоты сердечных сокращений, превышать который небезопасно для здоровья.

В современных так называемых фитнесцентрах, которые построены именно для оздоровительных занятий физическими упражнениями, есть специальное оборудование, на котором специалисты могут определить тот уровень физической нагрузки, которого Вы можете достигать в тренировке без риска для своего здоровья. Но это обследование будет стоить Вам дорого, и, по правде говоря, оно необходимо большей частью для тех преданных делу фанатиков, которым непременно нужны большие физические нагрузки, а соответственно, и постоянное наблюдение и инструктаж. Вам же будет вполне достаточно контроля за интенсивностью нагрузок по частоте сердечных сокращений.

Для тех женщин, которые занимаются физическими упражнениями чисто в оздоровительных целях, желая похудеть и улучшить фигуру, для тех, кто занимается дома или в ближайшем спортивном зале, нет никакой необходимости проводить дорогостоящее и сложное обследование. Ваши физические возможности Вы сможете оценить сами, затратив на это минимум усилий. Во-первых, следует внимательно следить за реакцией Вашего организма на тренировки различной интенсивности и, во-вторых, научиться самостоятельно измерять частоту пульса самым простым и доступным методом — с помощью пальцев правой руки.

Пульс покоя

Вначале научитесь измерять пульс в покое. Для этого поставьте средний палец правой руки в область левого запястья с внутренней стороны (у основания большого пальца, именно там измеряет Вам пульс медсестра) или в область сонной артерии (с левой стороны шеи). Проводить измерения следует именно средним пальцем, поскольку большой и указательный пальцы имеют свою сильную пульсацию, которая может ввести Вас в заблуждение. Возьмите секундомер или часы и посчитайте количество ударов в течение 6 секунд (пусть это будет 7 ударов). После этого остается умножить полученный результат на 10, и Вы получите величину частоты Вашего пульса в покое (в данном случае это 70 ударов в минуту).

Максимальный безопасный рабочий пульс

Из числа 200 вычтите количество десятков прожитых Вами лет (то есть, если Вам 30 лет, вычтите 30 и получите цифру 170, если Вам 38 или 42 года, вычтите 40 и получите цифру 160). Это максимально возможный для Вас рабочий пульс. Чтобы сделать тренировки безопасными для здоровья, Вы не должны превышать этот показатель.

Рабочий пульс

Он измеряется во время выполнения упражнений тем же методом, что и пульс покоя. Его показатель будет значительно, возможно очень значительно, превышать показатель пульса покоя, поскольку Вы находитесь или только что находились в интенсивном движении. Рабочий пульс никогда не должен превышать показатель максимально допустимого для Вас безопасного пульса.

Если в какой-либо момент тренировки Ваш рабочий пульс приближен к максимальному, Вам следует прекратить выполнение упражнений и отдохнуть, независимо от того, насколько хорошо Вы себя чувствуете в этот момент тренировки. Ваш организм не обязательно сразу начнет подавать сигналы об опасности.

Измерьте пульс, лежа в постели, сразу после пробуждения. Показатель «отлично» — 55—60 ударов в минуту, показатель «нормально» — до 70 ударов, показатель «плохо» — до 80 ударов, а если в состоянии покоя после сна частота Вашего пульса превышает 80 ударов в минуту, перед началом тренировок покажитесь кардиологу.

Есть один маленький секрет профессионалов фитнеса. Во время занятий не следует думать о чем-то постороннем. Сосредоточьтесь на мышце, с которой работаете.

Что нельзя:

— перебарщивать. Выберите начальное количество повторений, которое комфортно для Вас и не приводит к перетренировке, и увеличивайте число повторений постепенно;

— делать перерыв больше, чем на два дня;

— пренебрегать 20-минутной утренней разминкой. Она играет роль катализатора, и эффект от занятий окажется более благоприятным и стойким, если день начинается с простых физических упражнений;

— забывать о кардиотренировках. Самая простая — три часовые прогулки в быстром темпе в неделю;

— есть менее, чем за 2 часа до тренировки, а если это необходимо, то пища должна быть легкой и ее должно быть немного;

— выполнять упражнения через боль. Боль — это предупреждение организма о том, что есть опасность для здоровья. Вы должны прекратить упражнение и отдохнуть, а возможно, и обратиться за медицинской помощью. Легкие «тепловые» ощущения после тренировки должны появляться через 12 часов и исчезать не больше, чем через 36 часов после тренировки (две ночи и один день), и они ни в коем случае не должны мешать обычному образу жизни.

Итак, каких правил необходимо придерживаться:

— если Вы хотите добиться результатов, занимайтесь ежедневно. Это займет у Вас 10—15 минут в день. Вначале выполняйте каждое упражнение по одному разу, а затем постепенно увеличивайте количество повторений и подходов, пока не достигнете максимальных величин, рекомендованных для каждого упражнения. Когда Вы освоите технику движения, постарайтесь делать упражнение в более высоком темпе, вкладывайте больше силы, найдите в каждом упражнении свою «изюминку» и выделите ее. Это повысит эффективность комплекса;

— попробуйте выполнять упражнения без обуви. Работая босиком, Вы тренируете подошвы ног: у них повышается чувствительность, развивается чувство равновесия, одновременно более эффективно тренируется сама стопа, пальцы ног, укрепляется голеностопный сустав;

— на первых порах выполняйте упражнения у опоры (спинка стула, дверная ручка, стол), чтобы повысить устойчивость. Затем, когда освоите комплекс, можете отказаться от опоры и выполнять упражнения в свободной стойке. Воздействие каждого упражнения направлено на определенную часть тела, и если на первых порах Вам будет трудно выполнять упражнения технически правильно, то, работая без опоры, Вы начнете выгибаться, наклоняться (то есть выполнять компенсаторные движения), а та группа мышц, на которую направлено упражнение, не будет тренироваться достаточно эффективно;

— последовательность упражнений в комплексах разминки соответствует принципу «сверху вниз» или «от макушки до пяток»;

— предохраняйте позвоночник от механических повреждений. Выполняя упражнения на спине, позаботьтесь о защите позвоночника. Форма позвонков, их размер и жесткость говорят о том, как жизненно необходима механическая защита спинного мозга и нервов, находящихся внутри них. И даже с такой защитой Ваш позвоночник требует особого внимания, поэтому необходима прослойка между спиной и жесткой поверхностью, на которой Вы лежите. Упражнения, выполняемые лежа на спине, следует делать на поверхности, покрытой ковром. Позаботьтесь, чтобы коврик не скользил при выполнении движений. При выполнении упражнений на мышцы брюшного пресса старайтесь по возможности прижимать поясницу к полу;

— не занимайтесь в период беременности. Если Вы когда-либо страдали повышенным кровяным давлением, болезнями сердца или другими болезнями внутренних органов или опорно-двигательного аппарата, не приступайте к тренировкам, не посоветовавшись с врачом.

Не ждите немедленного результата. Первые тренировки будут чем-то вроде пробуксовки на месте. Зато потом, когда Вы войдете в ритм, прогресс будет очевидным. Главное, не впускать в душу неверие в собственные силы, тренироваться упорно и регулярно. И не слушайте того, кто скажет Вам, что фитнес «срабатывает» не всегда. Всегда! Если неудачи и случаются, то причина всегда одна и та же — Вы делали все без души. Умение «править» свое тело дается упорным и регулярным трудом. Но скажите, что в жизни приходит легко?

150 минут для хорошей формы

Последние исследования ученых доказали, что даже 10-минутные нагрузки положительно влияют на обмен веществ, причем их оздоровительный эффект сопоставим с воздействием более длительных тренировок.

Таким образом, включив лишь короткие занятия фитнесом в свой распорядок дня, Вы сможете сбросить несколько лишних килограммов.

Чтобы не пропускать тренировок, составьте себе расписание на неделю и повесьте его на дверцу холодильника или у зеркала в прихожей. Планируйте занятия следующим образом.

Кардиотренировки — 7—10 занятий в неделю (бег, ходьба)

Главное — интенсивность. Оценивайте ее по шкале от 1 до 5 : 1 — минимальная нагрузка, сродни той, которая требуется, чтобы перелистывать страницы книги; 5 — максимальная, когда начинает не хватать воздуха.

Сначала в течение 1—2 минут хорошо разогрейтесь, двигаясь с интенсивностью 2. Затем на 7—8 минут увеличьте нагрузку до 3—4, при этом Вы должны чаще дышать. И в конце на 1 минуту снова вернитесь на уровень 2, чтобы восстановить дыхание.

Для разнообразия можно включить интервальные тренировки: чередуйте 1 минуту с нагрузкой на уровне 2 и 1 минуту — на уровне 4.

Силовые тренировки — 2—4 занятия в неделю

На выполнение этого мини-комплекса у Вас уйдет всего 10 минут. Не делайте перерывов между упражнениями. Напрягайте мышцы на счет 2 и возвращайтесь в исходное положение тоже на счет 2.

Силовая тренировка на 10 минут

Выполняйте по одному подходу из 10—15 повторов каждого упражнения, пока не ощутите мышечную усталость. Начните заниматься с гантелями по 2 кг. Когда мышцы окрепнут, увеличьте отягощение.

Ноги — выпады

Встаньте прямо, ноги на ширине плеч, руки с гантелями опущены вдоль корпуса, ладони обращены внутрь.

Напрягите пресс, сделайте шаг вперед с левой ноги и опуститесь в выпад так, чтобы левое колено было над лодыжкой, а правое смотрело в пол.

Усилием мышц ягодиц и бедер вернитесь в исходное положение.

Выполните все повторы сначала с одной, затем с другой ноги.

Спина — тяга одной рукой

Встаньте прямо, ноги на ширине плеч. Возьмите гантель в левую руку.

Напрягите пресс, слегка согните колени и наклонитесь вперед от бедер так, чтобы спина была параллельна полу. Левая рука свободно опущена вниз, ладонь обращена внутрь.

Соедините лопатки, согните левую руку и усилием мышц спины подтяните локоть назад и вверх. Медленно выпрямите руку. Выполните все повторы сначала с одной, затем с другой руки.

Грудь — отжимания

Встаньте на четвереньки и, поочередно переставляя руки, опуститесь так, чтобы тело образовало прямую линию от затылка до колен.

Прямые руки шире плеч. Пресс напряжен. Согните локти под углом 90 градусов и опустите грудную клетку. Медленно выпрямите руки.

Трицепсы — разгибание рук

Встаньте прямо, ноги на ширине плеч. Возьмите гантель в левую руку, ладонь обращена внутрь, локоть согнут.

Напрягите пресс, слегка согните колени и наклонитесь вперед от бедер так, чтобы спина была параллельна полу, правую руку положите на левое бедро.

Удерживая левый локоть близко к корпусу, разогните руку. Медленно вернитесь в исходное положение. Выполните все повторы: сначала с одной, затем с другой руки.

Бицепсы — сгибание рук

Встаньте прямо, ноги на ширине плеч. Соедините лопатки, опустите плечи, напрягите пресс.

Руки с гантелями опущены вдоль тела, ладони «смотрят» вперед.

Удерживая локти близко к корпусу строго под плечами, согните руки и подтяните гантели к плечам. Медленно вернитесь в исходное положение.

Пресс — скручивания

Лягте на спину, колени согнуты, ступни ровно стоят на полу. Руки за головой, локти разведены в стороны. Напрягите пресс и оторвите лопатки от пола. Задержитесь, затем медленно вернитесь в исходное положение.

Растягивание (стретчинг) — 2—4 занятия в неделю

Выполните 6—10 упражнений на растягивание всех основных групп мышц, удерживая каждую растяжку 10—30 секунд.

Расписание на неделю

Каждое занятие длится 10 минут.

Понедельник

1. Ходьба перед завтраком.

2. Силовая тренировка по возвращении домой после работы.

Вторник

3. Подъем по лестнице перед обедом.

4. Растягивания перед сном.

Среда

5. Ходьба перед завтраком.

6. Ходьба в обеденный перерыв.

7. Силовая тренировка вечером перед телевизором.

Четверг

8. Прыжки со скакалкой перед завтраком.

Пятница

9. Ходьба в обеденный перерыв.
10. Силовая тренировка перед ужином.
11. Растягивание перед сном.

Суббота

12. Ходьба перед завтраком.
13. Ходьба во второй половине дня.

Воскресенье

14. Прыжки со скакалкой перед завтраком.
15. Прогулка во второй половине дня.

Позаботьтесь о своем позвоночнике!

Вы сутулитесь? Болит поясница или ломит всю спину? Трудно сидеть за рабочим столом несколько часов подряд? Займитесь фитнесом. Тогда значительная часть этих проблем будет решена.

Возраст женщины определяется здоровьем и гибкостью ее позвоночника. Вот почему главное — не то, сколько Вам лет, а то, как чувствует себя Ваша спина. Ведь и девочкам-подросткам бывает трудно коснуться пола руками, не сгибая при этом коленей. А у 35-летней женщины может быть такая красивая осанка, какую встретишь не у всякой манекенщицы.

Позвоночник состоит из 34 позвонков, расположенных столбиком в форме буквы S. Позвонки соединены специальными амортизаторами — межпозвоночными дисками, а те, в свою очередь, хрящами, суставами и связками.

Основные проблемы со спиной возникают не из-за травм и наследственной предрасположенности. Их диктует сама жизнь.

Во-первых, потому, что мы в результате эволюции стали передвигаться на двух ногах, а не на четвереньках, как наши древние предки, и постоянные вертикальные нагрузки приводят со временем к деформации позвоночных структур.

Во-вторых, примерно с 20 лет в позвоночнике начинается медленный, но неотвратимый процесс: он дает естественную усадку.

В-третьих, мы часто бездумно и безалаберно относимся к собственной спине, что влечет за собой непоправимые последствия.

Вечное движение

Позвоночник, оставленный без движения, быстро слабеет. Прежде всего потому, что в костной ткани уменьшается количество кальция и он становится более «хрупким».

Кроме того, снижается эластичность связок межпозвоночных суставов, и позвоночник делается «деревянным». Все это естественным образом ограничивает его трудоспособность, а заодно и повышает вероятность травм.

Дефицит двигательной нагрузки на позвоночник приводит также к «полуголодному» существованию межпозвоночных дисков и хрящей — кровообращение, а значит, и питание их уменьшается, ускоряя тем самым процессы их деформации.

Но и это еще не все!

При отсутствии постоянного движения замедляется естественный процесс самообновления костной ткани, непрерывно происходящий в позвонках, и увеличивается количество старых клеток. Вот почему самое лучшее, что Вы можете сделать для здоровья своего позвоночника, — заняться фитнесом.

Вся сила в мышцах!

Поддерживать правильную осанку, легко двигаться, а также предохранять позвоночник от травм помогает каркас, образованный мышцами спины, брюшного пресса, верхнего плечевого пояса и задней поверхности бедер. Его можно создать и максимально укрепить благодаря силовым тренировкам.

Нельзя впадать в крайности. Чрезмерно развитые мышцы, которые «связывают» легкость и свободу движения, — это уже не помощники, а враги. Из-за них позвоночник может лишиться гибкости, приобрести стойкую деформацию и преждевременно состариться, поскольку ограничение подвижности нарушает его питание.

Такую же недобрую службу способны сослужить и позвоночные связки со сниженной эластичностью.

Проблем, связанных со спиной, — множество. Вот самые распространенные.

1. Остеохондроз

Так называют изменения в позвоночнике, при которых разрушаются межпозвоночные диски, деформируются позвонки, снижается эластичность связок. Остеохондроз — результат естественного старения позвоночного столба и расплата за малоподвижный образ жизни. В возрасте 40 лет примерно 80% женщин страдают от этого заболевания, а к 60 годам — все 100%.

Что делать? Избежать этой проблемы можно, регулярно делая специальные упражнения на растягивание. Если же остеохондроз все-таки настиг Вас, знайте: окончательно избавиться от него нельзя, но свести проявления болезни к минимуму вполне реально. Один раз в полгода проходите курс мануальной терапии и лечебного массажа.

Включите в свое фитнес-расписание плавание в бассейне и занятия по программе Пилатес. Что касается йоги, то при серьезных осложнениях (например, грыжа межпозвоночного диска) она противопоказана.

2. Сколиоз

Это дугообразное искривление позвоночника во фронтальной плоскости, которое весьма негативно влияет на состояние внутренних органов человека.

Он бывает врожденным и приобретенным. Первый часто передается по наследству (особенно от матери к дочери) и поддается исправлению только в раннем возрасте. Второй, встречающийся практически у каждого взрослого, при грамотном подходе можно существенно скорректировать.

Что делать? Можно попробовать визуально уменьшить искривление, «замаскировав» его мышцами, благодаря специально подобранным силовым упражнениям с неравномерной нагрузкой на верхний плечевой пояс. Помогает и мануальная терапия. Не рекомендуются бадминтон, теннис, а также фитнес-программы с повышенной нагрузкой на позвоночник.

Несколько советов:

— в вертикальном положении всегда держите спину прямо, плечи разверните назад и свободно опустите. Носите удобную обувь (высокие каблуки нарушают осанку и увеличивают нагрузку на позвоночник), делайте пробежки только по дорожкам со специальным покрытием, избегайте ненужных прыжков и подскоков (особенно в повседневной обуви и на твердой поверхности). Не поднимайте тяжестей, любой груз несите в обеих руках, распределив его равномерно, или в рюкзаке за спиной;

— в наклонном положении все действия выполняйте, только согнув колени (например, когда стираете, пропалываете грядки, берете ребенка на руки, вынимая его из кроватки или коляски). В противном случае нагрузка на поясничные позвонки возрастет в десятки раз. Если поднимаете что-нибудь тяжелое с пола, поворачивайте туловище лишь после того, как «вес» взят;

— в горизонтальном положении во время сна одинаково вредными являются и мягкие перины, и ложе, сколоченное из досок. Позвоночник, отдыхая, должен находиться в слегка распрямленном состоянии, сохраняя при этом естественные изгибы. Вот почему спать следует на полужесткой постели или на ортопедическом матрасе.

3. Сутулость

Это просто плохая осанка: спина колесом и впалая грудь, в которую упирается подбородок вечно опущенной головы. Подобный физический недостаток особенно часто встречается у подростков и представительниц «сидячих» профессий.

Что делать? На работе каждые 15 минут выполняйте следующие упражнения:

— вытяните руки перед собой, сцепите их в замок и потянитесь вперед, хорошенько прогнув спину. Затем поднимите руки вверх, почувствуйте, как распрямляется позвоночник. Теперь заведите их за голову и прогнитесь назад как можно глубже;

— голову держите вертикально, подбородок чуть приподнимите. Из этого положения осторожно запрокиньте голову назад. Почувствуйте, как напряглись мышцы шеи, задержитесь в такой позе на 2—3 минуты и вернитесь в исходную позицию. Внимание! Никогда не пытайтесь снять напряжение в области шеи круговыми движениями головы — это травмирует позвонки;

— соедините руки в замок на затылке, максимально отведите локти назад и держите их так долго, как только сможете, затем расслабьтесь.

Нередко, отправляясь на тренировки ради того, чтобы позвоночник был здоровым, Вы из-за своего чрезмерного усердия и неконтролируемых нагрузок лишь усложняете проблемы спины. Какие могут быть осложнения?

Острая боль

Возникает, как правило, в поясничной области и свидетельствует о травме спинно-мозгового нерва, выходящего из позвоночника. Такое бывает при выпадении грыжи позвоночника (межпозвоночный диск выходит за пределы, отведенные ему природой) либо из-за ущемления спинно-мозгового корешка между двумя позвонками.

Как поступить. Для снятия боли следует повиснуть на любой имеющейся поблизости перекладине, поджать ноги и аккуратно вращать тазом в разные стороны. Даже если боль пройдет сразу, несколько дней не стоит заниматься фитнесом.

Если же она не утихает, необходимо лечь на живот, подложив под него подушку. В этой позе нагрузка на поясничный отдел позвоночника будет минимальной, и боль прекратится.

Ноющая боль

Дискомфорт, вызванный неправильными тренировками. В процессе занятий из-за неодинаковой нагрузки на разные мышцы могут возникать небольшие «перекосы» позвоночника. Это нарушает его нормальное функционирование, а также способствует появлению «зажатых» мышц.

Как поступить. Прекратите на время традиционные силовые тренировки и сосредоточьтесь на расслаблении и растяжении позвоночника.

5 условий здорового позвоночника:
— давайте регулярную умеренную нагрузку мышцам спины, груди, верхнего плечевого пояса, живота и задней поверхности бедер;
— прежде чем приступить к тщательной «проработке» спины, разогрейте мышцы на беговой дорожке или примите горячий душ, посидите в сауне, походите несколько минут в шерстяном свитере;
— обязательно потяните все мышцы в начале и в конце тренировки;
— делайте упражнения на растяжение и расслабление после каждого этапа силовой нагрузки на мышцы спины и верхнего плечевого пояса;
— ежедневно выполняйте комплекс, развивающий гибкость позвоночника.

6 эффективных упражнений для спины и улучшения осанки

Они помогают улучшить осанку, укрепить мышечный каркас и предотвратить остеохондроз.

1. «Палочка-выручалочка»

Возьмите длинную палку, заведите за спину и закиньте за нее руки. Очень важно не напрягать при этом мышцы — руки и плечи должны быть максимально расслаблены. Ходите так по 10—15 минут несколько раз в день.

2. «Золотая рыбка»

Лягте на пол на спину, сцепленные руки положите под шею. Не отрывая пяток от пола, тяните носки на себя, а сами извивайтесь, как рыба в воде.

3. «Замок»

Встаньте прямо, руки опущены, плечи расслаблены. Правую руку поднимите вверх, согните в локте и заведите за голову, левую опустите вниз, тоже согните в локте и заведите за спину. Попытайтесь соединить их, совершая при этом мягкие пружинящие движения.

4. «Наклоны на стуле»

Сядьте на стул ближе к краю, ноги расставьте в стороны, плечи немного отведите назад и расслабьтесь. Поднимите руки вверх, затем медленно опуститесь вниз, доставая руками до пола. Расслабьтесь, наклонившись как можно ниже, и задержитесь в таком положении, считая до 10.

5. «Стойка у стены»

Встаньте вплотную к стене спиной, руки поднимите вверх ладонями вперед. Оставайтесь в этом положении, сколько сможете.

6. «Приседания у стены»

Прижмитесь спиной к стене, ноги выставите вперед на полшага, руки опустите. Не меняя позиции, присядьте. Проследите, чтобы лопатки были плотно прижаты к стене, а плечи расслаблены. Сохраняйте такое положение 5 минут.

5.3. Бег решит проблему в целом

Отрадно отметить, что многие приверженцы бега трусцой заявляют, что примерно после года регулярных занятий у них нормализуется ранее нарушенный сон, он становится даже полноценнее, о чем свидетельствует их бодрое состояние по утрам. Некоторым пожилым людям физические упражнения совсем заменили снотворные лекарства.

Правда, нужно сказать и другое: при неправильно организованных занятиях физкультурой в результате перевозбуждения нервной системы может наступить временное расстройство сна. В таких случаях следует уменьшить нагрузку во время тренировок и заканчивать их не позже чем за три часа до отхода ко сну.

Наиболее мощным, универсальным и естественным средством для улучшения сна является бег. Бег, при достаточной интенсивности и продолжительности, благотворно сказывается на состоянии сердечно-сосудистой системы, мускулатуры, органов дыхания, обмене веществ. Снижается уровень холестерина в крови, улучшается работа печени — пропорционально длительности бега.

Бег — лучшее средство снижения веса. Три часа бега в неделю приравниваются к суточному голоданию с уменьшением, соответственно, массы тела.

Для того чтобы похудеть, надо заниматься не менее трех раз в неделю по 30 минут, при этом расходуется 400 ккал за занятие.

Замечено, что регулярные занятия бегом замедляют процесс старения организма на 10—20 лет. Древние греки говорили: «Хочешь быть сильным — бегай, хочешь быть красивым — бегай, хочешь быть умным — бегай».

Для занятий бегом ничего не требуется, кроме Вашего желания (думаю, пара кроссовок и спортивный костюм есть у каждой из нас). 20 минут сможет выделить для себя даже самая занятая женщина. Мест для бега у нас предостаточно. Вышел из подъезда и побежал по намеченному маршруту. Те, кто стесняется бегать по улице, могут использовать для этого занятия какой-нибудь парк или стадион ближайшей школы. Поверьте, утром многие люди выходят на пробежку.

Недостаточно просто бегать, надо *правильно бегать*, чтобы эффект от пробежки был наибольшим. В первую очередь бег должен доставлять радость, удовольствие, — иначе нет смысла бегать, и Вы не сможете долго заставлять себя выходить на пробежку. После каждого забега Вы будете радоваться, что не поленились и смогли себя перебороть, что с каждой пробежкой Вы теряете лишние калории, Ваша фигура становится более привлекательной, Ваши мышцы укрепляются, происходит вентиляция легких и обогащение кислородом Вашей крови, Вы сделали еще один шаг к совершенствованию своего тела.

Темп бега должен быть естественным, не напряженным. Подберите скорость, которая Вам подходит. Следите, чтобы нагрузка не вызывала сильного утомления, особенно на первых порах. Чувство вялости, сонливости днем — верный признак того, что нагрузку необходимо уменьшить. Организм укрепляют не перегрузки, а *разумные нагрузки*.

Во время пробежки дышите ровно. Если начинаете чувствовать, что задыхаетесь, снизьте темп бега.

Величина нагрузки при беге складывается из двух компонентов — объема и интенсивности. Объем нагрузки измеряется количеством пробегаемых километров. Сколько километров надо пробегать в день, зависит от Ваших индивидуальных возможностей. Но желательно, чтобы пробежка продолжалась не менее 20 минут. Это достигается не сразу.

Скорость при таком беге не должна превышать порог, который у начинающих соответствует 130 ударам пульса. То есть пробежка должна проходить со стопроцентным обеспечением организма кислородом, без образования кислородного долга. У более-менее подготовленных женщин пульс должен быть в пределах 130—150 ударов в минуту.

Есть простой способ определения пульса. Исследования показали, что до тех пор, пока дыхание через нос полностью обеспечивает поступление в легкие кислорода, пульс не превышает 130 ударов в минуту. В тот момент, когда необходимо сделать дополнительный вдох через рот, пульс уже составляет около 150 ударов в минуту. Поэтому и рекомендовано во время оздоровительного бега дышать только через нос, что автоматически ограничивает скорость бега и предупреждает переутомление. Хотя о себе я такого сказать не могу, так как часто во время бега дышу ртом.

Скорость бега должна увеличиваться только естественным путем, по мере роста тренированности, непроизвольно и незаметно для Вас самих.

О величине нагрузки от пробежки можно судить по скорости восстановления пульса, который через 10 минут после финиша не должен превышать 100 ударов в минуту (16 ударов за 10 секунд).

Чаще всего женщины, начавшие занятия бегом, прекращают их в связи с болевыми ощущениями, возникающими в мышцах и суставах нижних конечностей после тренировки. На первых этапах занятий это неизбежно и является следствием адаптации мышечной системы к нагрузкам. Избежать болей практически невозможно, но уменьшить их, укоротить период адаптации мышц и восстановления после занятий может практически каждая. Для этого необходимо соблюдать ряд правил, выработанных практикой оздоровительного и спортивного бега.

Важное значение имеет техника бега. Для овладения ею необходимо выбрать ровную трассу без длительных подъемов и спусков. На ней легче избежать перегрузок опорно-двигательного аппарата. Важна и правильная поза. Не следует, например, низко опускать голову, это приводит к сильному наклону туловища и затрудняет дыхание. Не надо, однако, и закидывать голову назад — это способствует выпячиванию живота. Лучше всего смотреть вперед на 10—15 метров.

Туловище держите прямо, руки согните в локтях под углом 90 градусов, кисти не сжимайте. Помните, что свобода движений обеспечивает непринужденное ритмичное дыхание и отдаляет наступление усталости. Не поднимайте высоко колени, чтобы избежать травмирования позвоночника резкими подскоками. Ваша «походка» во время бега должна немного напоминать шарканье.

Важным элементом техники бега является постановка стопы на землю. В оздоровительном беге, особенно женщинам с лишним весом, ногу следует ставить не на всю ступню сразу, а энергичным движением с пятки на внешнюю сторону стопы как бы перекатом. В момент касания земли стопу надо напрячь. Люди по-разному ставят стопу на землю в связи с индивидуальными особенностями строения конечностей. Беговые движения будут постепенно приспосабливаться к грунту, весу, и постановка ноги на землю станет более естественной.

Лучшей обувью для бега являются кроссовки с толстой подошвой. В такой обуви можно тренироваться на любых грунтах, асфальте, бетоне, искусственном покрытии. Если таковых нет, можно использовать кеды или полукеды с толстой мягкой подошвой. Если же и их нет, то бегайте в самых обычных кедах на размер больше, что позволит вложить в них мягкие стельки.

Как начинать бег? Потребуется немного терпения.

Лучше всего начать с пробежки продолжительностью две минуты с переходом в ходьбу на две минуты, а потом опять две минуты пробежки. На следующее занятие, то есть через день, следует повторить попытку. Только на третье занятие можно увеличить на одну минуту длительность пробежек до отдыха и после него. Такое увеличение делается на каждом занятии, пока Вы не станете бегать по схеме 10 + 2 + 10. Затем надо увеличивать время пробежки до отдыха и уменьшать время пробежки после отдыха. Таким образом постепенно Вы достигнете результата — 20 минут пробежки. А дальше — Ваше желание.

Знаменитый академик Н. Амосов, автор оздоровительной программы «1000 движений», утверждал, что 20 минут интенсивных занятий необходимы организму только для того, чтобы начали ускоряться процессы кровообращения. И только после 20 минут организм начинает работать на себя. Делайте выводы.

Могу предложить сопутствующую бегу небольшую силовую тренировку — для формирования скульптурных ягодиц, бедер и укрепления мышц верхней части тела.

Поскольку эти упражнения предназначены для увеличения силы мышц, выполнять их надо медленно и желательно сразу после бега 2—4 раза в неделю. Начните с одного подхода из 15 повторов. Постепенно добавьте второй и третий подходы. В конце тренировки потяните мышцы.

1. Выпад из «стойки дракона»

Работают мышцы задней и внутренней поверхностей бедер, а также ягодиц. Встаньте прямо, широко расставив ноги и развернув носки, колени расслаблены. Прижмите большие пальцы к тыльной стороне ладоней и скрестите руки. Удерживая пресс напряженным, а левую ногу — прямой, медленно сгибайте правое колено до тех пор, пока оно не окажется над ступней. Вернитесь в исходную позицию и повторите в другую сторону.

2. Удар ладонью

Работают мышцы груди, спины, плеч, трицепсы. Встаньте прямо, ноги чуть шире плеч, носки слегка развернуты, колени полусогнуты. Сожмите руки в кулаки, локти отведите чуть назад.

Разворачивая правое запястье и раскрывая ладонь, резко выбросьте руку вперед, имитируя удар. Вернитесь в исходную позицию и повторите движение левой рукой.

3. Удар ногой вперед

Работают мышцы задней поверхности бедер. Встаньте прямо, ноги на ширине плеч, сделайте выпад вперед левой ногой, правая нога прямая, левое колено над ступней. Напрягите пресс и поднесите сжатые в кулаки ладони к лицу, локти «смотрят» вниз.

Поднимите правое колено так, чтобы пятка оказалась рядом с левым коленом. Выпрямляя правую ногу, выполните ею удар вперед. Вернитесь в исходную позицию, затем в выпад и сделайте все повторы сначала одной, затем другой ногой.

4. Боковой удар

Работают мышцы задней и внешней поверхностей бедер. Встаньте прямо, поставив ноги чуть шире плеч и немного развернув носки. Пресс напряжен, кулаки рядом с лицом. Сгибая правую ногу в колене, отведите ее максимально в сторону на высоту бедра, пятка движется по направлению к ягодицам. Выпрямляя ногу, медленно нанесите удар по воображаемому противнику, корпус старайтесь не смещать. Выполните все повторы, затем поменяйте ноги.

5.4. Программа «Бодифлекс»

Хочу познакомить Вас с программой «Бодифлекс», предложенной американкой Григ Чайлдерс.

«Бодифлекс» — очень практичная, легкая в применении и эффективная программа для сбрасывания веса и подтягивания дряблых мышц. Кроме того, программа увеличивает объем легких. Это очень полезно для людей, страдающих астмой и другими заболеваниями дыхательных путей. Она занимает всего 15 минут в день, так что вполне возможно включить ее в свой режим дня.

Я рекомендую «Бодифлекс» женщинам, стремящимся сбросить вес, улучшить внешний вид и общее состояние здоровья или укрепить его, а особенно имеющим склонность к целлюлиту.

Сочетание растяжки и дыхательных упражнений очень эффективно. Дыхательные упражнения прекрасно расслабляют и в то же время увеличивают доступ кислорода ко всем частям тела. Большинство людей дышит очень неглубоко, и это играет свою роль в развитии различных заболеваний. «Бодифлекс» к тому же укрепляет мышцы живота и массирует органы, находящиеся в брюшной полости, что помогает справиться с проблемами кишечника и запорами.

Дыхательные упражнения и растяжка — наиболее простой подход к решению проблем целлюлита, а потеря веса и объема — очень приятный побочный эффект. Но по-настоящему важно то, как этот метод сказывается на общем самочувствии. Он может иметь огромное влияние на Ваше здоровье и продолжительность жизни.

Почему «Бодифлекс» способствует обогащению организма кислородом? Если задержать дыхание на 8—10 секунд, в крови накапливается углекислый газ. Это способствует расширению артерий и подготавливает клетки к гораздо более эффективному усвоению кислорода.

Григ Чайлдерс называет кислород «нелекарственный дом». Сегодня во всем мире люди начинают понимать, какой чудодейственной силой обладает этот химический элемент. Кислородная терапия стала настолько популярной, что появились кислородные бары, кремы, коктейли и многое другое. Дело в том, что добавочный кислород помогает справиться с многими проблемами — лишним весом, недостатком энергии и плохим самочувствием.

Обогащается ли кровь кислородом с помощью глубокого дыхания? Без всякого сомнения! Вы можете вести более здоровый образ жизни, иметь более мощную иммунную систему и более стройную фигуру — всего лишь с помощью глубокого дыхания.

Неглубокое дыхание лишает тело части жизненно необходимого кислорода и вызывает преждевременное старение. Люди, которым не хватает кислорода, ложатся спать усталыми, такими же просыпаются. Они страдают от головных болей, запоров, несварения желудка, болей в мышцах, целлюлита, ревматизма, болей в спине и ступнях, кариеса и пародонтоза, пониженного зрения и слуха, потери памяти, ангины, бронхита, астмы, синусных инфекций и эмфиземы. Брэгг утверждал, что болезни и потеря организмом нормальных функций преследуют таких людей с молодости и не расстаются с ними до преждевременной смерти.

Мы не только дышим недостаточно глубоко, но и страдаем по другой причине. Двести лет назад воздух состоял из 38% кислорода и 1% углекислого газа. Сегодня, в связи с загрязнением окружающей среды, кислорода в нашем воздухе всего 19%, а углекислого газа 25% (Считается, что кислород воздуха производится главным образом лесами; на самом деле 90% его приходит из морей и океанов, от морских растений, водорослей и т. п., а на лес остается всего 10%.)

Кислород играет важную роль в обмене веществ, улучшает кровообращение, усвоение питательных веществ, пищеварение и выделение. Он помогает очищать кровь, не давая ей заполниться строительным материалом клеток. Достаточное количество кислорода обеспечивает организму возможность восстановиться и укрепить свою иммунную систему, свою естественную защиту от болезней. Кроме того, это успокаивающе и в то же время стимулирующе действует на нашу нервную систему. Обогащение организма кислородом — ключ к жизни.

Известно, что более 90% энергии организма вырабатывается благодаря кислороду, и чем больше мы его получаем, тем больше будет энергии. Наша способность думать, чувствовать и действовать проявляется только благодаря энергии кислорода, нехваткой которого чаще всего и объясняется наша усталость.

Занимаясь «Бодифлекс», Вы вводите в тело своего рода излишки кислорода, и организму приходится как-то его использовать. То же самое происходит, например, если привезти в какой-то город много автомобилей. Приходится строить новые стоянки, дороги и шоссе, чтобы справиться с увеличившимся транспортным потоком. Так и в теле, чтобы использовать добавочное количество кислорода, создаются новые артерии, вены и капилляры. Когда липиды сжигаются, кислород продолжает взаимодействовать с другими компонентами организма, делая его здоровее и мышцы крепче, а также нервные волокна, внутренние органы и кожу. Таким образом, тонус мышц повышается, Вы становитесь сильнее, выносливее и энергичнее.

Вспомните, когда Вы в последний раз болели. Скорее всего, это произошло, когда Вы находились на пике стресса. Доказано, что стресс имеет непосредственное влияние на иммунную систему. Это как качели: когда стресса нет, иммунная система на высоте, когда он возникает, иммунная система слабеет. Стресс — серьезнейшая предпосылка заболеваний нашего времени. А глубокое дыхание способствует сохранению нормального состояния, укрепляя тем самым нашу иммунную систему.

Занимаясь по методу «Бодифлекс» день за днем, Вы обогатите кровь кислородом и поддержите свое здоровье. Это относится и к тем, кто поражен вирусом Эпштейна-Барра (страдающим от синдрома хронической усталости). Многие специалисты считают, что эти больные постоянно устают и ощущают слабость потому, что в их организме не хватает кислорода. Они не могут выздороветь, потому что всегда дышали и дышат неглубоко. Вопрос заключается в том, что недостаток кислорода не позволяет выводить из организма вирусы, и они свободно размножаются. Обогащение же организма кислородом должно принести исцеление.

Бывает ли, что Вы подавлены, плачете без причины, постоянно чувствуете усталость, находитесь во власти полной апатии и не знаете, в чем дело? Первое, что Вы услышите от врача, — надо заняться каким-то видом спорта: ходьбой, бегом, прыжками — и это все. Врач, возможно, не станет объяснять, почему именно спортом. Сделаю это за него.

Возьмем, например, бегуна. Вероятно, Вы слышали о «кайфе бегуна». Человек пробегает несколько километров, и на финише у него появляется чувство эйфории, ощущение покоя, мира и благополучия. Это происходит потому, что от физического напряжения в мозгу вырабатываются гормоны эндорфины. Когда Вы находитесь в депрессивном состоянии, у Вас слишком мало эндорфинов. Врач может назначить лекарство, которое химическим образом изменит гормональный баланс в мозгу, и Вы перестанете ощущать подавленность. «Кайф бегуна» имеет тот же эффект: он повышает уровень этих гормонов, только естественным путем. И не сам бег выполняет эту функцию, а глубокое дыхание во время бега, то есть повышение уровня кислорода. Таким образом, Вы можете решить проблему без лекарств.

Глубокое дыхание, как доказано, спасает от одного из самых распространенных и часто повторяющихся недомоганий — головной боли. Она часто является следствием мышечных спазмов, что не только ограничивает доступ крови, но и держит нервы в напряжении. Это в конце концов и вызывает боль. В следующий раз, если у Вас начнет болеть голова, прежде чем принять лекарство, попробуйте сделать десять глубоких вдохов и выдохов. Вы увидите, боль исчезнет.

Занимаясь по системе «Бодифлекс», Вы будете помогать своим легким очиститься и стать здоровее, а коже вернете эластичность, здоровый цвет и мягкость. Без всякого промедления и каждый день Ваш организм будет получать больше кислорода. Чем больше кислорода в организме, тем меньше Вам будет хотеться курить.

Привлекательность упражнений глубокого аэробного дыхания по методике «Бодифлекс» еще и в том, что они могут выполняться в состоянии неподвижности, сидя или стоя.

Итак, теперь у Вас есть информация о системе «Бодифлекс» и о том, как она может улучшить здоровье. Ваше тело подобно самолету — у него может быть прекрасный двигатель, но, если не работают щитки на крыльях, он разобьется. Какой смысл в том, чтобы хорошо выглядеть, если внутри нет здоровья? Как и в самолете, все системы Вашего организма должны хорошо работать, чтобы Ваше здоровье было безупречным.

Вот что можно сказать женщине, которая сидит дома, страдает ожирением и, возможно, депрессией, которая невысокого мнения о себе или недостаточно энергична: у Вас есть возможность изменить свою жизнь. Это недорого и может произойти сегодня же, сейчас. Это прекрасная возможность. Не упустите ее. Она может изменить Вашу жизнь, причем навсегда. Итак, приступим к изучению.

Техника дыхания

Начальная поза (в ней легче всего научиться правильно дышать): ноги на расстоянии 30—35 сантиметров друг от друга, руки опираются ладонями на 2,5 сантиметра выше коленей, ноги немного согнуты, будто Вы собираетесь сесть. Смотрите прямо перед собой.

Пять этапов дыхания, то есть непосредственно дыхательное упражнение, которое Вы будете выполнять одновременно с выполнением комплекса упражнений «Бодифлекс», необходимо освоить до того, как Вы начнете делать упражнения.

Этап 1. Выдохните весь воздух из легких через рот.

Первое, что надо сделать,— выдохнуть через рот весь застоявшийся в легких воздух. Соберите губы в трубочку, как будто хотите посвистеть, и медленно и равномерно выпустите из себя весь воздух без остатка.

Этап 2. Быстро вдохните через нос.

После того как Вы опустошили легкие, остановитесь и сожмите губы. Не открывая рта, быстро и резко, наполните легкие воздухом до отказа. Вдыхайте агрессивно. Вдох — самая важная часть этого упражнения, потому что именно он ускоряет аэробный процесс. А в этом случае вдох должен быть очень шумным. Если Вы издаете звуки, похожие на работу пылесоса, скорее всего, Вы выполняете упражнение правильно.

Этап 3. Выдохните весь воздух через рот.

Когда Ваши легкие заполнятся воздухом до отказа и Вы почувствуете, что больше не в состоянии вдыхать, немного приподнимите голову. Сожмите губы, как будто распределяете по ним губную помаду. Сейчас Вы резко выдохните весь воздух, причем как можно ниже в диафрагме. Теперь широко откройте рот и начинайте выдыхать. У Вас должно получиться что-то вроде звуков «пах! пах!», но звуки должны идти из диафрагмы, а не с губ или из горла. Освоить этот глубокий выдох довольно сложно, и Вам может понадобиться не одна попытка, чтобы уловить его. В первый раз даже может захотеться кашлянуть (из легких, а не из горла) и попытаться сымитировать правильный звук, будто он действительно исходит из глубины легких. Вы поймете, когда выдох сделан правильно,— «пах!» получится свистящим.

Этап 4. Задержите дыхание и сделайте втягивание живота, считая до 8—10.

Выдохнув весь воздух, закройте рот и задержите дыхание. Наклоните голову, втяните желудок и поднимите его вверх. Представьте, как Ваш желудок и другие органы брюшной полости буквально засовываются под ребра. Это называется «втягиванием живота» и является частью упражнений, делающих живот плоским. Если наклонить голову к груди, будет легче подтянуть живот вверх, потому что мышцы живота часто очень слабы. Держите живот втянутым, не вдыхая, считая до 8—10, проговаривая в уме «тысяча один, тысяча два, тысяча три...» и т. д. Именно во время втягивания живота Вы будете выполнять упражнения комплекса.

Этап 5. Расслабьтесь и вдохните.

Расслабьтесь, вдохните и отпустите мышцы живота. Вдыхая, Вы должны почувствовать, как воздух врывается в Ваши легкие, и услышать какое-то подобие всхлипа.

Итоги: выдох — вдох — выдох — задержка дыхания — вдох.

Для того чтобы освоить это дыхательное упражнение, понадобятся время и терпение. Когда дыхательное упражнение у Вас будет получаться легко, переходите к изучению комплекса упражнений. Из всех предложенных упражнений Вы можете выбрать те, которые Вам необходимы.

Несколько правил и советов

1. Всегда вдыхайте через нос и выдыхайте через рот.

2. Дышите правильно, следуя инструкции.

3. При выполнении упражнений возможно возникновение головокружения. Если головокружение очень сильное или не прекращается — остановитесь. Сядьте и дышите ровно, пока головокружение не пройдет. Затем начните сначала.

4. Вначале, скорее всего, Вы не сможете задержать дыхание надолго — так Вы узнаете, в каком печальном состоянии находится Ваша сердечно-сосудистая система. Одни продержатся две-три секунды, другие — пять или одну. И лишь немногие с первого раза выдержат 8—10 секунд. Но Вы заметите, как с каждым днем начнете все дольше задерживать дыхание. Через две-три недели это время увеличится до 15—20 секунд. Когда Вы только начнете заниматься по системе «Бодифлекс», у Вас может в середине 15-минутного комплекса появиться одышка. Это тоже совершенно нормально. Продолжайте занятия, чтобы выработать в себе силу и выносливость, и вскоре Вы сможете выполнять весь комплекс без остановки. Один из первых результатов занятий — исчезновение одышки после продолжительной ходьбы или

подъема по лестнице. Это верный признак того, что сердечно-сосудистая система укрепляется.

5. Оптимальное время для выполнения упражнений по системе «Бодифлекс» — утром на голодный желудок. В любом случае (даже если Вы выполняете упражнения днем или вечером), постарайтесь перед началом занятий не употреблять пищу (в течение 2—3 часов). Последний прием пищи перед занятиями должен быть необременительным (фрукты, овощи).

«Бодифлекс» — это лучший из известных комплексов, поддерживающих иммунную систему на пике активности. «Бодифлекс» — это лучший способ обогащения организма кислородом. Мы получаем аэробный эффект в 5 раз быстрее, чем от бега.

Изучив способ дыхания и комплекс упражнений системы «Бодифлекс» и выполняя его 15 минут ежедневно, Вы сможете:

— уменьшить объемы своей фигуры за 3 месяца на несколько размеров;
— регулярные занятия стабильно и систематически уменьшат проблемные зоны тела — бедра, ноги, живот;
— целлюлит не будет больше Вас беспокоить.

С помощью системы «Бодифлекс» Вы сможете управлять своим здоровьем и контролировать объемы своего тела. Кроме того, Вы оздоровите свой организм и повысите энергетический потенциал.

Комплекс упражнений «Бодифлекс»

1. «Лев»

Уникальность данного комплекса в том, что это единственная из известных программ физических упражнений, которая тренирует не только тело, но и лицо с шеей. Третья часть крови в любой момент проходит через кожу — это самый крупный орган человека. Когда Вы увеличиваете количество кислорода в крови, Вы увеличиваете поступление в кожу питательных веществ. Кислород дает коже больше эластичности, энергичности и подтянутости.

Начальная поза: обычная поза стоя, ноги на расстоянии 30—35 см друг от друга, руки опираются ладонями на ноги на 2,5 см выше коленей. Выполните дыхательное упражнение, задержите дыхание, втяните живот и примите основную позу.

Основная поза: эта поза предназначена для работы над лицом, щеками, областью под глазами, вокруг рта и носа. За основу взята йоговская «поза льва», но делается несколько иначе. Соберите сначала губы в маленький кружочек. Откройте глаза очень широко и поднимите их (так Вы подтянете мышцы под глазами). В это же время опустите кружочек губ вниз (напрягая щеки и носовую область) и высуньте язык до предела (это работает на область под подбородком и шею), не расслабляя губ. Выдержите эту позу 8 секунд. Выполнять 5 раз.

Что надо и чего не надо делать:

— не открывайте рот слишком широко. Кружочек должен быть очень маленьким, как будто Вы удивляетесь;

— когда Вы максимально далеко высовываете язык из низкого маленького кружочка губ, то должны почувствовать, как тянутся мышцы от области под глазами до самого подбородка;

— при выполнении этого упражнения можно либо все время оставаться в начальной дыхательной позе, либо после втягивания живота выпрямиться. Стоя, выполняйте основную позу, считая до 8, а с выдохом вернитесь в начальную позу.

2. «Уродливая гримаса»

Шея — самая красноречивая часть тела, она-то и говорит о возрасте. К тому же с возрастом часто появляется проблема двойного подбородка. Так что, если хотите быть красивой, выполняйте это упражнение.

Начальная поза: возможно, Вам лучше сначала выполнить упражнение без дыхательной части. Встаньте прямо, выведите нижние зубы за передние (в виде неправильного прикуса) и выпятите губы, как будто собираетесь кого-то поцеловать. Выпячивая губы, вытягивайте шею, как упрямый бульдог, пока не почувствуете в ней напряжение. Теперь поднимите голову и представьте, что Вы собираетесь поцеловать потолок. Вы должны почувствовать растяжение от кончика подбородка до самой грудины.

Когда Вы освоите эту часть упражнения (и поймете, насколько она оправдывает свое название), скомбинируйте ее с остальными частями.

Начальная поза — основная поза для дыхания: ноги расставлены, руки над коленями, ягодица в таком положении, словно Вы намереваетесь сесть. Выполните дыхательное упражнение, задержите дыхание, втяните живот и примите основную позу.

Основная поза: шея и подбородок в описанном выше положении. Стойте прямо, руки откидываются назад (как будто Вы на трамплине — это для удержания равновесия), и подбородок поднимается к потолку. Подошвы должны полностью касаться пола. Сделайте упражнение 5 раз, каждый раз задерживая дыхание и считая до 8.

Что надо и чего не надо делать:

— не закрывайте рот — прикройте нижними зубами верхние и выпятите губы как мартышка;

— не поднимайтесь на цыпочки, когда Вы тянетесь к потолку. Вы можете не только потерять равновесие, но и слишком сильно растянуть мышцы;

— между повторениями обязательно возвращайтесь в основную дыхательную позу. Отдышитесь и продолжайте.

3. *«Боковая растяжка»*

Распрощайтесь с дряблыми мышцами на талии и боках.

Начальная поза: примите основную дыхательную позу — ноги на ширине плеч, колени согнуты, ладони на 2,5 см выше коленей, ягодицы в таком положении, словно Вы собираетесь сесть, голова смотрит вперед. Сделайте дыхательное упражнение, втяните живот и примите основную позу.

Основная поза: опустите левую руку, чтобы локоть находился на согнутом левом колене. Вытяните правую ногу в сторону, оттянув носок, не отрывая ступни от пола. Ваш вес должен приходиться на согнутое левое колено.

Теперь поднимите правую руку и вытяните ее над головой, над ухом, и тяните все дальше и дальше, чтобы почувствовать, как тянутся мышцы сбоку, от талии до подмышки. Рука должна оставаться прямой и находиться близко к голове.

Выдержите позу, считая до 8, переведите дыхание. Сделайте упражнение три раза в левую сторону, а потом три раза в правую.

Что надо и чего не надо делать:

— не сгибайте руку в локте, когда поднимаете ее, чтобы растяжка была правильной. Просто потянитесь и растяните мышцы;

— пальцы вытянутой ноги должны быть оттянуты, чтобы растяжка была действительно хорошей;

— не наклоняйтесь вперед;

— если поза правильная, Вы будете напоминать метателя диска.

4. «Оттягивание ноги назад»

Поза помогает подтянуть проблемные зоны: придает хорошую форму ягодицам, исчезает их дряблость.

Начальная поза: опуститесь на пол, опираясь на ладони и колени. Теперь опуститесь на локти. Вытяните ногу прямо позади себя, не сгибая колена, пальцы ноги должны «смотреть» вниз и опираться о пол. Вес должен быть на локтях и кистях, которые лежат прямо перед Вами, ладонями вниз. Голова поднята, Вы смотрите прямо перед собой. Выполните все пятиэтапное дыхательное упражнение: выдох, вдох, мощный выдох, задержка дыхания, опустите голову, втяните в себя живот. Втянув живот, задержитесь так, затем примите основную позу.

Основная поза: поднимите отведенную назад прямую ногу так высоко, как только можете, носок по-прежнему к себе. Сожмите ягодицы так, чтобы создать напряжение в области большой ягодичной мышцы. Задержите положение и дыхание и сжимайтесь, сжимайтесь, сжимайтесь, считая до 8. Освободите дыхание и опустите ногу. Сделайте упражнение 3 раза одной ногой и 3 раза другой.

Что надо и чего не надо делать:

— не оттягивайте носки во время этого упражнения. Это изменит путь крови (с которой переносится сжигающий жир кислород) и направит ее в область икр. Ваши носки всегда должны быть повернуты к Вам;

— держите ногу совершенно прямой. Не позволяйте колену сгибаться. Это помогает создавать напряжение именно в ягодичных мышцах;

— всегда опирайтесь о пол локтями. Если Вы будете выполнять упражнение на ладонях и коленях, то можете повредить спину;

— отсчет времени начинайте только тогда, когда примете основную позу. Принимайте основную позу сразу после втягивания живота.

5. «Сейко»

Это упражнение подтягивает область бедер.

Начальная поза: встаньте на руки и колени и вытяните прямую ногу в сторону, под прямым углом к телу. Правая ступня должна быть на полу.

Выполните дыхательное упражнение, задержите дыхание, втяните живот и примите основную позу.

Основная поза: поднимите вытянутую ногу до уровня бедра как собака, поливающая дерево. Тяните ее вперед, по направлению к голове. Нога должна оставаться прямой. В этом упражнении носок может быть и оттянут, и согнут — это не имеет значения. Просто задержитесь, считая до 8. Переведите дыхание и опустите ногу, приняв начальную позу на полу. Упражнение надо выполнять по 3 раза на каждую сторону.

Что надо и чего не надо делать:

— не сгибайте поднятую ногу в колене. Это снимает напряжение с внутренней поверхности бедра;

— постарайтесь поднимать ногу как можно выше. В первый раз обычно удается поднять ее всего на 10 см над полом;

— поднимая ноги, держите руки прямыми. Можно немного наклониться в противоположную сторону, чтобы сохранить равновесие, но постарайтесь держаться как можно более прямо.

6. «Алмаз»

Это упражнение поможет Вам избавиться от болтающихся мышц с внутренней стороны рук и округлить бицепсы.

Начальная поза: встаньте прямо, ноги на ширине плеч, замкните руки в круг перед собой. Локти держите высоко, вытянутые пальцы сомкните. Немного округлите спину, чтобы удерживать локти вверху, но руки должны соприкасаться только пальцами (а не ладонями). Выполните дыхательное упражнение, задержите дыхание, втяните живот и примите основную позу.

Основная поза: теперь как можно сильнее упритесь пальцами друг в друга. Вы почувствуете, как мышечное напряжение идет от обоих запястий по всей руке и груди. Удерживайте напряжение, считая до 8. Теперь отдышитесь. Повторите упражнение 3 раза.

Что надо и чего не надо делать:

— соприкасаться должны только кончики пальцев;

— не опускайте локти. В противном случае давление будет приходиться не на верхнюю часть рук, а только на грудь.

7. «Шлюпка»

Упражнение прекрасно подтягивает все дряблые мышцы внутренней поверхности бедер.

Начальная поза: сядьте на пол, раскинув ноги как можно шире. Не отрывая пяток от пола, потяните к себе носки и направьте их в стороны, чтобы дополнительно растянуть внутреннюю поверхность бедер. Обопритесь ладонями о пол позади себя. Держитесь на прямых руках. Выполните пятиэтапное дыхательное упражнение. Нагнув голову и втянув живот, задержите дыхание и примите основную позу.

Основная поза: переместите руки из-за спины вперед, согнитесь в области талии и поставьте руки на пол перед собой. Не отрывая пальцев от пола, «идите» вперед, постепенно наклоняясь все ниже. Вы почувствуете растягивание внутренней части бедер. Задержитесь, считая до 8. Выдохните, поставьте руки позади себя и начните заново. Повторите упражнение 3 раза.

Что надо и чего не надо делать:

— растяжка должна быть осторожной. Наклоняясь вперед, не делайте резких движений — это может стать причиной травмы. Просто растягивайтесь. Потянитесь вперед и останьтесь в этом положении, потом потянитесь еще немного и снова подождите, удлиняя и растягивая мышцы. Делайте растяжку расслабленно, не напрягайтесь;

— это упражнение можно делать с помощью ножки стола. Разместите ноги по обе стороны от ножки стола как можно шире. В начальной позе держитесь за ножку стола (которая должна быть приблизительно в 30 см от груди) обеими руками, а после выполнения дыхательной части и задержки дыхания подтяните грудь вперед с помощью ножки стола и задержитесь, считая до 8;

— если Вы не чувствуете, как тянется внутренняя поверхность бедра, это означает, что Ваши ноги расставлены недостаточно широко. Если Вы давно не растягивались, Вам будет это делать довольно трудно;

— постарайтесь не сгибать колени. Это уменьшает растяжку.

8. «Кренделек»

Эта поза предназначена для подтягивания наружной поверхности бедер. Она также поможет уменьшить объем талии и прекрасно скажется на напряженной пояснице.

Начальная поза: сядьте на пол, скрестив ноги в коленях. Левое колено должно находиться над правым. Держите ногу ниже колена как можно прямее и горизонтальнее. Поставьте левую руку за спину, а правой рукой возьмите себя за левое колено.

Сделайте дыхательное упражнение, задержите дыхание, втяните живот и примите основную позу.

Основная поза: вес приходится на левую руку. Правой рукой подтяните левое колено вверх и к себе как можно ближе, а туловище сгибайте в талии влево, пока не сможете посмотреть назад. Вы должны почувствовать, как растягиваются мышцы наружной поверхности бедра и талии. Задержитесь в этом положении, считая до 8—10. Выдохните и повторите упражнение.

Выполните это упражнение 3 раза с левой ногой сверху и 3 раза с правой ногой, чтобы правая рука была сзади, правое колено подтягивалось левой рукой, а Вы поворачивались вправо.

Что надо и чего не надо делать:

— подтягивая колено вверх и вперед, делайте это как можно ближе к груди;

— сгибаясь в талии, постарайтесь посмотреть как можно дальше позади себя. Вы почувствуете, как это влияет на растяжку.

9. «Растяжка подколенных сухожилий»

Это упражнение предназначено для тренировки задней поверхности бедра, которая является у женщин одной из самых проблемных зон, потому что именно здесь начинает образовываться целлюлит.

Начальная поза: лягте на спину. Поднимите ноги перпендикулярно полу. Носки подтяните к себе, чтобы ступни были плоскими (если у Вас проблемы со спиной, можно положить под ягодицы подушку). Потянитесь к ногам и руками возьмитесь за верхнюю часть каждой икры, не опускайте локти. (Если Вы не можете достать до икр, достаточно удержать руки за коленями.) Не отрывая головы и спины от пола, сделайте дыхательное упражнение: выдох, вдох, сильный выдох, задержите дыхание, втяните живот (помните, что, когда Вы лежите, перед втягиванием живота голова не опускается). Втянув живот, сразу же принимайте основную позу.

Основная поза: сохраняя ноги прямыми, руками осторожно ведите их к голове все ближе и ближе, не отрывая ягодиц от пола, чтобы растянуть подколенные сухожилия. Вы почувствуете там такую растяжку, какой не чувствовали, возможно, никогда, потому что никогда не работали над этой зоной. Задержитесь в этом положении, считая до 8. Выдохните и верните ноги в начальное положение, носки к себе, руки держат икры. Упражнение выполняйте 3 раза.

Что надо и чего не надо делать:

— постарайтесь не сгибать колени, хотя вначале у Вас не будет другого выхода, потому что Вы не так гибки, как Вам казалось. Пусть Вашей целью станет прямая и тонкая линия от ступней до ягодиц. С каждым днем у Вас будет получаться все лучше и лучше;

— не отрывайте ягодицы от пола, потому что это сводит на нет пользу от упражнения. Надо растягивать подколенные сухожилия, а если Вы поднимаете ягодицы, растяжение будет происходить не там;

— всегда держите голову на полу. Не позволяйте ей подниматься, пока Вы ведете отсчет;

— держите ступни прямыми.

10. *«Брюшной пресс»*

Это упражнение направлено на развитие верхнего и нижнего брюшного пресса.

Начальная поза: лягте на спину, выпрямите ноги. Теперь поднимите ноги так, чтобы колени были согнуты, а ступни стояли на полу на расстоянии 30—35 см друг от друга. Потянитесь руками вверх, к небу. Голову не отрывайте от пола. Выполните дыхательное упражнение, втяните живот и примите основную позу.

Основная поза: держа руки прямыми, вытяните их вверх, в то же время поднимая плечи и отрываясь от пола. Голова должна быть откинута назад. Смотрите на воображаемую точку на потолке позади себя. Постарайтесь как можно больше оторваться от пола. Пусть плечи и грудь поднимутся как можно выше.

Теперь опуститесь на пол — сначала нижнюю часть спины, потом плечи, а затем голову. Как только голова коснулась пола, тут же снова поднимайтесь. Голова должна оставаться откинутой назад. Руки поднимите вверх. Подтянитесь вверх и задержитесь в этом положении, считая до 8—10. Выполните упражнение 3 раза.

Что надо и чего не надо делать:

— в основной позе держите голову откинутой назад, с поднятым подбородком, чтобы не повредить шею. Найдите какую-нибудь точку на потолке позади себя, чтобы смотреть на нее, пока подтягиваетесь вверх. Так голова будет принимать правильное положение. Держа подбородок на груди, Вы будете обманывать себя — вместо брюшного пресса всю работу будут выполнять голова и плечи;

— никогда не раскачивайтесь и не отталкивайтесь: Вам нужно, чтобы работали мышцы, а не физические законы. Представьте, что Вы подтягиваете себя за руки и снова опускаете. Не отдыхайте, когда оказываетесь на полу. Пусть мышцы живота постоянно работают. Только слегка коснитесь пола затылком и снова поднимайтесь.

11. «Ножницы»

Упражнение направлено на укрепление нижнего брюшного пресса.

Начальная поза: лягте на пол, вытяните и сомкните ноги. Руки положите ладонями вниз под ягодицы, чтобы поддерживать спину. Держите голову на полу, не поднимайте поясницу. Это поможет избежать неприятностей со спиной. Сделайте дыхательное упражнение, втяните живот и задержите дыхание. Теперь переходите в основную позу.

Основная поза: поднимите ноги вместе на 8—9 см над полом. Делайте как можно более широкие махи, разводя и скрещивая ноги. Носки должны быть вытянутыми. Делайте так, считая до 8—10. Выдохните. Повторите 3 раза.

Что надо и чего не надо делать:

— всегда держите ладони под ягодицами и прижимайте поясницу к полу, чтобы не повредить спину. Не позволяйте спине выгнуться;

— во время выполнения «ножниц» ступни должны быть не выше 7—9 см над полом. Это дает наибольшее напряжение на брюшной пресс;

— всегда вытягивайте носки, чтобы добавить нагрузку на брюшной пресс и бедра;

— не поднимайте голову;

— махи должны делаться как можно шире и быстрее.

12. «Кошка»

Это упражнение включает в работу больше всего частей тела. Оно влияет на всю область живота и бедра, помогает тем, у кого проблемы со спиной,— укрепляя мышцы живота, Вы снимаете напряжение со спины.

Начальная поза: опуститесь на ладони и колени. Ладони должны лежать на полу, руки и спина выпрямленные. Держите голову вверху, смотрите прямо перед собой. Выполните дыхательное упражнение, задержите дыхание, втяните живот и примите основную позу.

Основная поза: наклоните голову. В то же время выгните спину, поднимая ее как можно выше, чтобы выглядеть разозленной кошкой. Задержитесь в этом положении, считая до 8—10. Выдохните и расслабьте спину. Повторите упражнение 3 раза.

Что надо и чего не надо делать:

— если это упражнение выполняется правильно, оно выглядит как одно ровное перекатывающееся движение тела от живота до спины.

Итак, здесь представлены все упражнения системы «Бодифлекс». Теперь Вы можете выбрать для себя те, которые Вам больше подходят, или воспользоваться представленными ниже вариантами.

1-й вариант. Вы выполняете все упражнения.

2-й вариант. Комплекс для брюшного пресса и талии, упражнения выполняются в такой последовательности: № 1 *«Лев»*, № 2 *«Уродливая гримаса»*, № 3 *«Боковая растяжка»*, № 10 *«Брюшной пресс»*, № 11 *«Ножницы»*, № 12 *«Кошка»*.

3-й вариант. Комплекс для бедер и ягодиц: № 1 *«Лев»*, № 2 *«Уродливая гримаса»*, № 8 *«Кренделек»*, № 9 *«Растяжка подколенных сухожилий»*, № 4 *«Оттягивание ноги назад»*, № 5 *«Сейко»*, № 7 *«Шлюпка»*, № 12 *«Кошка»*.

4-й вариант. Комплекс для верхней части тела: № 1 *«Лев»*, № 2 *«Уродливая гримаса»*, № 3 *«Боковая растяжка»*, № 6 *«Алмаз»*, № 12 *«Кошка»*.

5.5. Танцы, плавание, велосипед — удовольствие и польза

Танцы представляют собой тренировку всего организма в целом. Приходится делать различные движения, вращения и прыжки, которые заставляют мышцы постоянно напрягаться. Одновременно происходит тренировка равновесия, улучшаются подвижность, осанка и дыхание. Любые танцы помогают научиться владеть своим телом. Каждое танцевальное движение вовлекает в работу определенные его части.

В танцах постоянно разучивают новые комбинации шагов, поэтому они интереснее, чем другие фитнес-тренировки. С каждым разом движения становятся все быстрее и совершеннее, шаги плавно переходят один в другой. Чтобы успевать следовать за преподавателем, приходится изрядно потрудиться.

Большинство танцевальных студий оборудовано зеркальными стенами, позволяющими контролировать шаги и осанку, а между делом — желательные и нежелательные округлости тела. Это подстегивает заниматься еще активнее.

Несмотря на напряженность занятия, ритмические движения под хорошую музыку благотворны не только для тела, но и для души. Посетители дискотек знают об этом.

Танцы доставляют удовольствие и снимают напряжение. Стоит преодолеть смущение, связанное с первыми неловкими па, научиться наслаждаться движениями и музыкой, как тут же появится истинная раскованность. А чем лучше Вам удастся владеть своим телом, тем больше у Вас будет душевных сил и уверенности в себе.

Совершенно все равно, танцуете Вы вдвоем, вчетвером или в одиночку, происходит это в школе танцев, на дискотеке, в спортзале или дома. В любом случае интенсивные танцы представляют собой очень хорошую фитнес-тренировку. Кроме сердечно-сосудистой системы и мускулатуры всего тела, развиваются также музыкальность, чувственность и творческие возможности. Вид танцев зависит от Ваших музыкальных предпочтений.

Балет. Для занятий балетом Ваше тело и строение должны быть пригодны для основных позиций и соответствующих движений. Это требует жесткой тренировки, потому что движения часто противоположны обычному положению тела. При этих тренировках появляется навык чувствовать каждый отдельный мускул и полностью владеть им, что приносит, кроме подвижности, еще и чувство удовлетворения. Тренироваться надо в мягкой кожаной обуви или в балетных тапочках с жестким носком. Во время тренировок надевают трико и согревающие вязаные манжеты.

Джаз и модерн. Джазовая музыка в любом варианте задает ритм и шаг. Но порядок движений может быть весьма многообразным. В джазовых танцах важно, чтобы Вам нравилось импровизировать, чтобы Вы быстро схватывали и перенимали все новое. Одежда: трико и устойчивая, но все-таки обеспечивающая хорошую подвижность обувь.

Бальные танцы. К ним относятся не только вальс, фокстрот, но и румба, самба и танго. В школу бальных танцев можно записаться и без партнера. Партнер найдется в группе обучения. В качестве разминки в студиях часто дают популярные танцевальные движения, которые можно с блеском продемонстрировать на дискотеке или в ночном клубе. Во время танца организм расходует столько же калорий, сколько и при беге (70 ккал за 10 минут).

Танец живота

Мечта каждой женщины — быть красивой и желанной. Как этого достичь, на Востоке знают с древних времен. Именно там тысячелетия назад появился танец живота, который помогает постичь мудрость жизни и сохранить очарование молодости на долгие годы.

«Колыхание живота» формирует красивую фигуру, но при этом принципиально отличается от шейпинга. Сложные движения танца приучают организм к длительным и разнообразным физическим нагрузкам, причем вместе с выносливостью тело приобретает гибкость и изящество.

Танец живота называют еще танцем радости: здесь ничего нельзя делать через силу, преодолевая себя (как это бывает, например, в аэробике), а только с удовольствием, с нежностью к себе. Восточные женщины, разучивающие сложные движения, наверное, и не подозревали, что совмещают приятное с полезным. Танец заставляет работать «в усиленном режиме» весь организм, но основная нагрузка ложится на мышцы живота.

После 2—3 месяцев занятий заметно улучшается самочувствие при гинекологических заболеваниях, нормализуется менструальный цикл. Позвоночник становится гибким, Вы забудете или никогда не узнаете, что такое отложение солей. Осанка меняется, исчезает сутулость, появляется грациозность, «царственность» движений.

Вне зависимости от возраста Вы приобретете «легкое дыхание» и навсегда забудете о бронхитах. О настроении и говорить не приходится: танец превосходно снимает стресс и депрессию, дарит радость жизни. В общем, Вы получите от танца хорошее самочувствие, прекрасную фигуру и заряд положительных эмоций.

Для скорейшего овладения искусством арабского танца Вам потребуется костюм восточной красавицы. В него входят: длинная легкая юбка, коротенький топ, открывающий живот, и набедренная косынка с бахромой. Можете подчеркнуть бедра платком-парео — дешево и стильно. Наденьте все имеющиеся у Вас браслеты и бусы.

Полюбуйтесь на себя в зеркало и начинайте постигать великую тайну восточных женщин. Самое главное — не буквальное следование канонам хореографии, а темперамент и раскрепощенность. Импровизируйте, и все у Вас получится. Помните, что восточная красавица танцует только для одного мужчины!

1. Объемные восьмерки назад и вперед

Внимание: максимальные плавные движения бедрами при неподвижной верхней части.

Исходное положение: мысленно начертить восьмерку на полу. Встать в центр восьмерки. Ноги на ширине плеч.

Вывести левое бедро вперед. Не отрывая пяток от пола, прочертить левым бедром половину восьмерки, двигая бедро назад до максимально скрученного положения, при котором грудь еще остается неподвижной.

Прочертить вторую половину восьмерки правым бедром. При выполнении объемной восьмерки вперед левое бедро отводится назад до максимально скрученного положения. Описываем левым бедром полвосьмерки вперед, максимально заводя правое бедро назад. Правым бедром описываем оставшуюся половину восьмерки.

2. Маятник: сверху вниз и снизу вверх

Выполняется восьмерка в вертикальной плоскости.

Исходное положение: стоя на всей стопе, ноги чуть раздвинуты. Внимание: колени чуть согнуты — «мягкие» части элемента плавно переходят друг в друга.

Маятник сверху вниз — поднимаем правое бедро вверх к подмышке, выводим бедро вправо и опускаем вниз с последующим поднятием левого бедра к подмышке вверх.

Маятник снизу вверх — выводим правое бедро как можно дальше вбок, поднимаем его к подмышке за счет отрыва пятки от пола. Опускаем по диагонали вниз с последующим отведением левого бедра и подъемом его вверх.

3. Круги бедрами большие и плавные

Внимание: спина всегда остается прямой.

Мысленно представляем себе окружность в горизонтальной плоскости и стараемся очертить ее сзади ягодицами, максимально прогибая поясницу, а спереди — максимально заводя лобок на живот. Круги со сбросом.

Описываем круг и в момент отведения таза назад делаем сброс бедром сверху вниз. Без остановки продолжаем движение на следующий круг.

4. Качалка вверх-вниз (движения в вертикальной плоскости)

Исходное положение: стоя на полупальцах, ноги вместе, колени чуть согнуты.

Поочередно поднимаем бедра к подмышкам вверх. Пупок остается на месте. Возможен вариант выполнения этого элемента с продвижением вперед.

5. Качалка вперед-назад (движения в перпендикулярной плоскости тела)

Исходное положение: стоя на полной стопе, колени чуть согнуты.

Отводим таз назад, максимально прогибая поясницу, ведем таз вперед, тянем лобок к пупку. Плавными движениями бедер описываем полуокружность с центром в области пупка. Ускорением темпа переходим на тряску животом.

6. Волна

Внимание: работают только бедра при неподвижной верхней части туловища.

Исходное положение: стоя на высоких полупальцах вполоборота к зеркалу.

Представим окружность в вертикальной плоскости, ось которой проходит через косточки бедер. Стараемся описать ее бедрами в направлении снизу—вперед—вверх—назад, либо сверху вниз. Данный элемент выполняется с продвижением вперед или в сторону.

Удары

1. Удары животом

Исходное положение: стоя, колени чуть согнуты, живот расслаблен.

Подбрасываем расслабленный живот вверх за счет движения в бедрах назад—вперед, лобок стремится к пупку. Дать расслабленному животу свободно упасть вниз.

2. Удары ягодицами

Исходное положение: стоя, колени чуть согнуты.

Мысленно сзади на некотором удалении от ягодиц представить точку. За счет максимального сгибания в пояснице резко отвести ягодицы назад—вверх до воображаемой точки. В конце движения сделать паузу.

3. Удары бедром

Исходное положение: стоя, колени чуть согнуты, вполоборота к зеркалу.

Максимально завести бедро вперед—вверх и резко опустить его вниз.

Не огорчайтесь, если сразу у Вас что-то не получится. Экспериментируйте! Двигайтесь столько, сколько длится музыка. Постарайтесь выразить через танец состояние своей души.

В зависимости от настроения можно станцевать любовь и ненависть, покорность или своеволие. Танцуя, Вы приобретаете новые качества — артистизм, коммуникабельность, умение подать себя. В Вас появится та самая «изюминка», в которой находится секрет женского очарования и привлекательности.

Плавание

От интенсивных регулярных тренировок в бассейне развиваются прежде всего спина, грудь, живот, ягодицы и ноги. Позвоночник в воде разгружается и легко вытягивается. Мускулатура спины и затылка, особенно важная для прямой осанки, укрепляется. Мускулатура плеч и груди тоже способствует хорошей осанке. Плавание тренирует выносливость и стабилизирует сердечно-сосудистую систему. А результатом служит здоровый сон.

Плавание особенно хорошо для развития бедер, потому что сгибание и распрямление ног тренирует мускулы внутренней стороны бедер, которые обычно мало задействованы. И даже жировое «галифе» при интенсивных тренировках уменьшается. Ягодицы, благодаря укреплению мускулатуры, кажутся меньше и круглее.

Новички начинают с трех минут непрерывного плавания, затем делают короткую передышку и плавают еще два раза по три минуты. Кто справляется с этой программой без затруднений, может перейти к следующим ступеням: плавать непрерывно десять, а затем и двадцать минут в быстром темпе. Если Вы хотите заметного результата, плавайте не меньше 3 раз в неделю.

За 30 минут плавания можно израсходовать 260 ккал. Поскольку обмен веществ ускоряется, и после выхода из воды тоже, скоро дело доходит до жировых резервов. Поэтому плавание может оптимально посодействовать диетическому курсу похудения.

Рекомендации по безопасности в воде:

— нельзя плавать сразу после приема пищи. Лучше один час подождать. Во время процесса пищеварения много крови приливает к желудку и кишечнику, поэтому кровоснабжение мозга снижается. Это может вызвать головокружение, мышечные судороги и боли в сердце;

— перед плаванием лучше принять охлаждающий душ. Или же заходите в воду очень медленно. Холод сужает кровеносные сосуды, вынуждая сердце работать с большей нагрузкой. Если же она «обрушивается» на организм внезапно, то при определенных обстоятельствах это может привести к кислородному голоданию сердечной мышцы и, как результат, вызвать боли в сердце;

— если температура воды ниже 20°C, следует сократить время занятия. Иначе организм слишком быстро переохладится, и можно простудиться или заработать ревматизм;

— если повреждены барабанные перепонки, необходимо обязательно предохранять уши от попадания в них воды. Если не соблюдать эту рекомендацию, могут возникнуть нарушения в вестибулярном аппарате, и трудно будет сохранять равновесие;

— если приходится плавать в очень хлорированной воде, пользуйтесь специальными очками для плавания. Иначе глаза не только станут красными, но может начаться конъюнктивит. Кстати, выпускаются и диоптрические очки для плавания.

Плавание очень полезно женщинам во время беременности, особенно на последних месяцах. Давление воды расслабляет мышцы спины и ног, а тренировки в воде предотвращают дряблость кожи.

Велосипед

Во время езды на велосипеде тренируются в первую очередь длинные, крупные мускулы ног и таза. Это делает живот более плоским, бедра стройнее, а лодыжки уже. Если Вы выбрали себе гоночный велосипед, то положение сильного наклона вперед тренирует также и спинную мускулатуру. Велосипед — это спорт выносливых, он положительно влияет на сердечно-сосудистую и лимфатическую системы. Частые и длительные тренировки активизируют обмен веществ и расщепляют подкожный жировой слой.

Тренировочная программа для начинающих: через день по 20—30 минут со средней скоростью 15 км/час.

Идеального велосипеда на все случаи жизни не существует. Когда Вы покупаете новый велосипед, надо хорошо себе представлять, для чего он Вам нужен.

Дорожный велосипед (его называют также легким спортивным или городским) можно использовать для поездок по городу, загородных прогулок и легких фитнес-тренировок.

Гоночный велосипед подходит только для профессионального спорта и только для асфальтированных улиц — его шины очень узкие и не приспособлены для лесных и полевых дорог.

Горный велосипед сочетает в себе детали дорожного и гоночного. У него есть узел передач на 18 скоростей и широкие вездеходные покрышки, за счет чего на нем можно преодолевать крутые горные подъемы, а также ездить по любой дороге и пересеченной местности.

Скакалка

Спортсмены ценят скакалку за то, что она быстро и эффективно помогает настроиться на тренировку. Повышается частота пульса и оптимально разогреваются мышцы.

Скакалка снимает стрессы, улучшает работу ног, улучшает физическое состояние с минимальными затратами.

Начинающие прыгают три раза в день по две минуты. Если Вы способны прыгать непрерывно шесть минут, Вы находитесь в превосходной форме. Если у Вас есть проблемы с межпозвоночными хрящами или суставами, надо сначала посоветоваться с врачом.

Прыгать через скакалку удобнее всего в облегающей одежде и в упругих кроссовках высотой по щиколотку.

Хула-хуп

Хула-хуп появился в Америке в 1957 году и быстро завоевал популярность. Если равномерно крутить его на талии и бедрах, он массирует эти «проблемные» зоны так же интенсивно, как и танец живота. Этот обруч улучшает осанку и укрепляет мышцы.

Если Вы будете крутить его по 5 минут в день, через две недели окружность талии и бедер уменьшится на один сантиметр. Одежда: лучше всего облегающая, обувь легкая.

5.6. Гантели — не просто железки, они — наши друзья

Стремление к хорошему здоровью, внешней привлекательности и уверенности в себе живет в каждой женщине. Способ давать выход своей физической активности за счет напряженных упражнений столь же древний, как само человечество.

Упражнения с гантелями — единственный способ сохранить оптимальное соотношение мышц и жира в организме. Известно, что люди с развитой мускулатурой легче справляются с проблемами лишнего веса. Стоит напомнить, что на поддержание жизнедеятельности клеток мышечной ткани весом 1 кг расходуется примерно 77 ккал в день, а на такое же количество жировой — всего 2—4 ккал. Наращивая мышцы, Вы повысите скорость обмена веществ, а значит, Ваш организм будет сжигать больше энергии даже в состоянии покоя.

Так, у женщин, занимающихся с отягощением по 25 минут 2—3 раза в неделю, обычно за 8 первых недель мышечная масса увеличивается в среднем на 1 кг, при этом каждая из них сжигает около 2 кг жировой ткани. А те, кто, помимо силовых упражнений, уделяют внимание правильному питанию, дополнительно избавляются еще от 2 кг жира.

Занятия желательно строить по принципу суперсерии, то есть упражнения выполняются друг за другом без перерыва. При такой высокой интенсивности энергия будет расходоваться не только во время тренировки, но и целых 2 часа после нее (примерно на 25% быстрее, чем обычно).

Отягощение подбирается таким образом, чтобы мышцы уставали к концу подхода.

Тренировка с отягощениями (бодибилдинг):
— улучшает здоровье и мышечную выносливость;
— является средством формирования тела;
— помогает контролировать вес и снижать процент жира;
— увеличивает прочность костей (помогает предотвратить остеопороз) и связок, толщину хрящей и число капилляров в мышцах;
— помогает ослаблять стресс и напряжение повседневной жизни;
— способствует формированию позитивного мнения о себе;
— прививает дисциплинированность, которая переносится на все другие сферы жизни;
— укрепляет сердце, интенсифицирует уровень метаболизма, нормализует давление крови;
— увеличивает продолжительность жизни;
— улучшает качество жизни.

Женское тело имеет тенденцию расцветать под воздействием правильной физической нагрузки и правильного питания.

Что необходимо для тренинга с отягощениями?

Набор гантелей — от 2 до 5 кг. Можно использовать пару наборных гантелей, которые имеют накручивающиеся обрезиненные диски, позволяющие набрать вес от 2 до 5 кг.

В занятиях важно соблюдать правильное дыхание. Если Вы станете задерживать дыхание при напряжении, то можете потерять сознание. Придерживайтесь правила: вдыхайте, когда опускаете отягощение, и выдыхайте, когда поднимаете его. Через 1—2 недели сознательного выполнения этого правила Вы станете делать это автоматически.

Тренировочные принципы

Принцип прогрессивной нагрузки. При его реализации мышцы каждый раз вынуждены работать более напряженно по сравнению с режимом, к которому они привыкли.

Система подходов. Выполнять в течение занятия около 12 упражнений с 3—4 подходами в каждом упражнении, чтобы стимулировать максимальное развитие каждой группы мышц.

Принцип шокирования мышц. Непременным условием постоянного прогресса является недопущение полной адаптации организма к однообразной специфической тренировочной программе. Нельзя давать мышцам приспособиться к этому. Необходимо постоянно варьировать упражнения, число подходов и повторений.

Тренироваться можно в любое время.

Одежда должна быть достаточно свободной, чтобы можно было выполнять полную амплитуду движений. Она должна быть теплой в прохладную погоду и легкой в жару.

Между подходами — отдых не более 60 секунд. Быстрый тренировочный темп удержит Ваше тело разогретым в ходе занятия и поддержит усиленный кровоток в мышцах.

Начальный вес гантелей — 2—2,5 кг.

Наращивание нагрузки происходит в нескольких направлениях:

— увеличение веса гантелей;
— увеличение числа повторений упражнения;
— увеличение числа подходов в упражнениях.

Приведенные ниже упражнения состоят преимущественно из наиболее динамичных движений, то есть таких, при которых работа мышц происходит при полной амплитуде движения в суставах. Такие движения способствуют развитию объема мышц.

Эти упражнения нельзя выполнять все сразу за одно занятие, так как легко перегрузить организм. Лучше составить себе комплекс для более равномерного распределения нагрузки и с учетом задач. Количество повторений каждого упражнения в первые дни недели будет минимальным — 6. В течение последующих недель и месяцев следует постепенно довести количество повторений до 12—16.

Упражнения с гантелями

Упражнение 1— для двуглавых мышц-сгибателей плеча (бицепсов).

Исходное положение: основная стойка — руки с гантелями опущены вдоль тела, ладони обращены вперед.

Выполнение: одновременное или попеременное сгибание обеих рук в локтевых суставах.

Дыхание: равномерное без задержек.

Упражнение 2 — для сгибателей плеч и предплечий.

Исходное положение: то же, но ладони обращены назад.

Выполнение: одновременное или попеременное сгибание рук в локтевых суставах ладонью книзу.

Дыхание: равномерное без задержек.

Упражнение 3 — для мышц верхнего плечевого пояса, сгибателей плеч и предплечий.

Исходное положение: основная стойка, ладони обращены к бедрам.

Выполнение: сгибать руки в локтях, поднимая гантели под мышки.

Дыхание: вдох при поднимании, выдох при опускании рук.

Упражнение 4 — для мышц плечевого пояса и разгибателей плеча (трицепсов).

Исходное положение: основная стойка, руки согнуты, кисти у плеч, ладони обращены внутрь.

Выполнение: вертикальное поднимание гантелей вверх, одновременно обеих или попеременно.

Дыхание: вдох при поднимании, выдох при опускании рук.

Упражнение 5 — для мышц верхнего плечевого пояса, сгибателей и разгибателей плеч.

Исходное положение: основная стойка, кисти находятся у передней поверхности бедер, ладони обращены назад.

Выполнение: поднимать гантели вверх по вертикали, сгибая и поднимая высоко локти, а затем разгибая их.

Дыхание: вдох при поднимании, выдох при опускании рук.

Упражнение 6 — для трехглавых мышц-разгибателей плеча (трицепсов).

Исходное положение: основная стойка, руки согнуты в локтях, локти подняты вверх, кисти у затылка, ладони обращены внутрь, гантели касаются верхних краев лопаток.

Выполнение: поднимать гантели вверх, обе одновременно или попеременно, не опуская локтей.

Дыхание: вдох при разгибании, выдох при сгибании.

Упражнение 7 — для трехглавых разгибателей плеч и мышц лопаток.

Исходное положение: стоя, туловище наклонено вперед до горизонтального положения, руки согнуты в локтях, локти прижаты к бокам туловища, ладони обращены вперед.

Выполнение: одновременно или попеременно разгибать обе руки в локтевых суставах, не разгибая при этом туловище.

Дыхание: вдох при разгибании, выдох при сгибании рук.

Упражнение 8 — для мышц плечевого пояса.

Исходное положение: стоя, кисти у передней поверхности бедер, ладони обращены к бедрам.

Выполнение: одновременно или попеременно поднимать прямые руки вверх.

Дыхание: вдох при поднимании и выдох при опускании рук.

Упражнение 9 — для мышц плечевого пояса.

Исходное положение: основная стойка, кисти находятся с боков бедер, ладони обращены к бедрам.

Выполнение: поднимать прямые руки через стороны вверх.

Дыхание: вдох при поднимании, выдох при опускании рук.

Упражнение 10 — для верхнего плечевого пояса и сгибателей плеч.

Исходное положение: основная стойка, кисти с боков бедер, ладони обращены к бедрам.

Выполнение: сгибать руки в локтевых суставах и поднимать гантели назад за спину.

Дыхание: вдох при разгибании, выдох при сгибании рук.

Упражнение 11 — для мышц плечевого пояса (мышц, сводящих лопатки, и задних пучков дельтовидных мышц).

Исходное положение: стоя, туловище наклонено вперед до горизонтального положения, руки опущены вниз, ладони обращены внутрь.

Выполнение: поднимать прямые руки в стороны, не разгибая при этом туловища.

Дыхание: вдох при поднимании, выдох при опускании.

Упражнение 12 — для мышц плечевого пояса (лопаток и дельтовидных мышц).

Исходное положение: то же, но ладони обращены назад.

Выполнение: одновременно или попеременно поднимать обе руки назад и вперед без размаха.

Дыхание: вдох при поднимании вперед, выдох при поднимании рук назад.

Упражнение 13 — для мышц плечевого пояса: грудных, дельтовидных и разгибателей плеч.

Исходное положение: лежа на спине, руки согнуты в локтях, кисти у груди, ладони обращены внутрь.

Выполнение: одновременно или попеременно поднимать руки вертикально вверх.

Дыхание: вдох при поднимании, выдох при опускании рук.

Упражнение 14 — для мышц верхнего плечевого пояса (для грудных и передних пучков дельтовидных мышц).

Исходное положение: лежа на спине, руки отведены в сторону, ладони кверху.

Выполнение: поднимать прямые руки вперед.

Дыхание: вдох при опускании, выдох при поднимании рук.

Упражнение 15 — для мышц всего плечевого пояса.

Исходное положение: лежа на спине, руки вдоль туловища, кисти у бедер, ладони книзу.

Выполнение: поднимать прямые руки вперед с последующим опусканием прямых рук за голову. Кисти с гантелями описывают полукруг.

Дыхание: вдох при поднимании рук за голову, выдох при опускании рук к бедрам.

Упражнение 16 — для мышц-разгибателей спины.

Исходное положение: стоя, кисти с гантелями прижаты к затылочной части головы.

Выполнение: сгибать и разгибать туловище вперед. Колени во время выполнения упражнения не сгибаются.

Дыхание: вдох при разгибании, выдох при сгибании.

Упражнение 17 — для мышц-разгибателей спины.

Исходное положение: лежа на полу, ноги закрепить. Кисти рук с гантелями прижаты к затылочной части.

Выполнение: разгибать спину, поднимая голову.

Дыхание: вдох при разгибании, выдох при сгибании.

Упражнение 18 — для косых и боковых мышц живота.

Исходное положение: основная стойка.

Выполнение: наклоны туловища в стороны. Одна рука, сгибаясь, поднимается вдоль туловища вверх выше пояса, другая, разгибаясь, опускается вниз до колена. Колени не сгибаются.

Дыхание: вдох при наклоне в одну сторону, выдох при наклоне в другую.

Упражнение 19 — для мышц поясницы, широчайших мышц спины и мышц, поднимающих ребра.

Исходное положение: стоя, ступни ног расставлены в стороны пошире, кисти рук с гантелями прижаты к затылочной части головы.

Выполнение: наклонять туловище в стороны, не сгибая коленей.

Дыхание: вдох во время выпрямления туловища, выдох во время наклонов туловища в стороны.

Упражнение 20 — для мышц брюшного пресса.

Исходное положение: лежа на спине, ноги закреплены, кисти рук с гантелями прижаты к затылочной части головы.

Выполнение: сгибать и разгибать туловище.

Дыхание: вдох при разгибании, выдох при сгибании туловища.

Упражнение 21 — для мышц брюшного пресса.

Исходное положение: лежа на спине. Гантели привязаны к стопам.

Выполнение: одновременно или попеременно поднимать прямые ноги вверх.

Дыхание: вдох при поднимании, выдох при опускании ног.

Упражнение 22 — для косых и боковых мышц живота и для плечевого пояса.

Исходное положение: основная стойка, ноги расставлены пошире.

Выполнение: поднимать одну руку вверх через сторону с наклоном туловища вперед и опускать другую руку вниз до касания гантелью пола. При исполнении смотреть на гантель, поднятую вверх.

Дыхание: вдох при выпрямлении туловища, выдох при сгибании.

Упражнение 23 — для икроножных мышц-сгибателей стопы (подошвенное сгибание).

Исходное положение: стоя, ступни на ширине таза, пальцы стопы находятся на подставке высотой 5—8 см, пятки стоят на полу. Руки согнуты, кисти с гантелями у плеч.

Выполнение: поднимание на носки.

Дыхание: равномерное, без задержек.

Упражнение 24 — для четырехглавых мышц-разгибателей бедра.

Исходное положение: сидя на стуле, голени опущены вниз, гантели привязаны к стопам с тыльной стороны.

Выполнение: одновременно или попеременно разгибать ноги в коленных суставах

Дыхание: равномерное, без задержек.

Упражнение 25 — для мышц, сгибающих бедро.

Исходное положение: стоя, для сохранения равновесия руки опираются о стол, гантели привязаны к тыльным сторонам стоп.

Выполнение: сгибать поочередно ноги в коленном суставе, максимально сближая пятку с ягодицей.

Дыхание: равномерное, без задержек.

Упражнение 26 — для мышц, сгибающих бедро.

Исходное положение: стоя, руки на поясе, гантели привязаны к тыльным сторонам стоп.

Выполнение: поднимание прямой ноги вперед.

Дыхание: вдох при опускании, выдох при поднимании ноги.

Упражнение 27 — для мышц, отводящих бедро.

Исходное положение: то же.

Выполнение: поднимание прямой ноги в сторону.

Дыхание: вдох при опускании ноги, выдох при поднимании.

Упражнение 28 — для мышц-разгибателей бедер, спины и верхнего плечевого пояса.

Исходное положение: стоя, ступни расставлены на ширину таза, руки согнуты, кисти с гантелями у плеч.

Выполнение: полное приседание без отрыва пяток от пола.

Дыхание: вдох — приседая, выдох — выпрямляясь.

Упражнение 29 — для мышц-разгибателей бедер, спины и верхнего плечевого пояса.

Исходное положение: то же.

Выполнение: полное приседание без отрыва пяток от пола с одновременным подниманием рук вверх.

Дыхание: такое же.

Упражнение 30 — для четырехглавых мышц-разгибателей бедер и ягодичных мышц.

Исходное положение: стоя, кисти рук позади таза, гантели скрещены.

Выполнение: полное приседание с одновременным отделением пяток от пола, не наклоняя туловища вперед.

Дыхание: вдох — приседая, выдох — выпрямляясь.

Упражнение 31 — для мышц ног, спины и верхнего плечевого пояса.

Исходное положение: стоя, руки согнуты, кисти с гантелями у плеч.

Выполнение: широкий шаг вперед, сильно сгибая шагающую ногу в коленном и голеностопном суставах. Разгибая шагающую ногу, вернуться в исходное положение, туловище не наклонять вперед.

Дыхание: вдох — шагая вперед, выдох — возвращаясь в исходное положение.

Упражнение 32 — для мышц ног, спины и верхнего плечевого пояса.

Исходное положение: то же.

Выполнение: то же, но с одновременным подниманием рук вверх.

Дыхание: такое же.

Упражнение 33 — для приводящих мышц бедра, мышц плечевого пояса и разгибателей бедер и спины.

Исходное положение: стоя, ноги расставлены в стороны пошире, руки согнуты, кисти с гантелями у плеч.

Выполнение: приседание на одну ногу. Другая нога прямая. Туловище держать прямо.

Дыхание: вдох — приседая, выдох — поднимаясь.

Упражнение 34 — для приводящих мышц бедра, мышц плечевого пояса и разгибателей бедер и спины.

Исходное положение: то же, руки опущены вниз, кисти с гантелями у бедер.

Выполнение: то же, но с одновременным подниманием прямых рук вперед или в стороны.

Дыхание: такое же.

Упражнение 35 — для мышц ног, плечевого пояса и для дыхательно-сосудистой системы.

Исходное положение: стоя, руки опущены вниз или согнуты, кисти с гантелями у плеч или вверху на прямых руках.

Выполнение: прыжки на месте: ноги — врозь, затем вместе.

Дыхание: глубокое, без задержек.

Упражнение 36 — для мышц ног, туловища и для дыхательно-сосудистой системы.

Исходное положение: стоя, широкий выпад вперед, нога, стоящая впереди, сильно согнута, нога, стоящая позади, почти прямая и опирается на пальцы.

Выполнение: смена ног прыжками. Туловище не должно наклоняться вперед и перемещаться в переднезаднем направлении.

Дыхание: глубокое, без задержек.

Вы можете составить для себя комплекс упражнений самостоятельно, исходя из того, какие мышцы Вы хотите развить в первую очередь. А можете воспользоваться предлагаемыми комплексами.

Тренируйтесь не более трех раз в неделю. На первой тренировке (например, в понедельник) используйте упражнения из комплекса для общего укрепления мышц. На второй и третьей (если Вы тренируетесь три раза в неделю — это могут быть среда и пятница) пользуйтесь специальными комплексами, направленными на укрепление и формирование тех мышц, которые хотите укрепить.

В течение первого месяца выполняйте только один подход к каждому упражнению и небольшое количество повторений. В течение двух-трех месяцев доведите число подходов до трех, количество повторений упражнения до 12—16 и увеличьте вес гантелей до 3—3,5 кг.

Главное — регулярность занятий. Занимаясь по предлагаемой программе, Вы сможете за 8 недель увеличить мышечную массу на 1 кг и сжечь до 4 кг жировых отложений (если при этом Вы также будете следить за питанием).

Комплексы помогут эффективно справиться с поставленной задачей. Постепенно увеличивайте продолжительность и интенсивность тренировок, и результаты не заставят себя ждать.

После выполнения каждого упражнения растяните проработанные мышцы в течение 20—30 секунд (тем самым Вы быстрее нарастите мышечную массу).

Когда Вы сможете легко делать более 15 повторов упражнений, увеличьте отягощение на 1—2 кг. Одновременно сократите количество повторов до 8—12, а затем постепенно доведите их число до прежнего уровня.

Кроме силового комплекса, делайте утренние пробежки по 20—40 минут три раза в неделю, чтобы сжигать еще больше калорий.

Комплекс 1 — для общего укрепления мышц (12 упражнений): 1, 2, 6, 8, 13, 16, 18, 21, 28, 31, 33, 35.

Комплекс 2 — для укрепления мышц рук и улучшения формы плеч (11 упражнений): 1, 2, 4, 5, 6,7, 8, 9, 10, 11, 12. Рельефные, хорошо накачанные мышцы плеч позволят Вам не только выгодно подчеркнуть верхнюю часть тела, но и зрительно уменьшить нижнюю. В любом открытом платье или топе Вы будете выглядеть безупречно.

Комплекс 3 — для улучшения формы груди (12 упражнений): 4, 5, 7, 8, 9, 10, 11, 12, 13, 14, 15, 16. Эти высокоэффективные упражнения хорошо укрепляют грудные мышцы, мышцы пресса и спины, а также придают соблазнительную форму рукам и плечам. Более развитые и сильные мышцы помогут Вам не только хорошо выглядеть, но и чувствовать себя гораздо лучше.

Комплекс 4 — для развития мышц живота (11 упражнений): 8, 9, 11, 14, 16, 17, 18, 19, 20, 21, 22. Эти упражнения одновременно укрепляют мышцы пресса и разгибатели позвоночника. Им приходится интенсивно работать, удерживая положение корпуса. Все это обеспечит Вам еще и идеальную осанку.

Комплекс 5 — для укрепления бедер и ягодиц (12 упражнений): 24, 25, 26, 27, 28, 29, 30, 31, 32, 33, 34, 36. Благодаря этим простым упражнениям, Ваши бедра и ягодицы приобретут более совершенную форму. А поскольку в работе участвуют также мышцы живота и спины, Вы заметно улучшите свою фигуру.

Комплекс 6 — для улучшения формы икр (6 упражнений): 23, 24, 30, 31, 35, 36. Эти совсем несложные и бьющие прямо в цель упражнения хорошо укрепляют мышцы икр, ягодиц и пресса. Чем упорнее Вы будете работать, тем быстрее получите результат.

Комплекс 7 — для улучшения осанки (12 упражнений): 5, 6, 10, 11, 12, 16, 17, 19, 28, 31, 32, 33. Укрепив глубокие мышцы спины и плеч, а также задние пучки дельтовидных мышц, Вы выправите осанку и вырастете не только в своих глазах, но и в глазах окружающих. Сосредоточьтесь на сокращении мышц спины, а не на поднимании рук. Проработка больших мышц спины и плеч позволит не только заметно улучшить осанку, но и зрительно уменьшить талию.

Время, затраченное на выполнение упражнений одного комплекса, составляет 15—20 минут.

Меры безопасности и самоконтроль

Занимаясь гантельной гимнастикой, необходимо постоянно вести наблюдения за своим организмом. У каждого человека в какие-то дни энергии больше, а в какие-то меньше. Учитывайте это. Для компенсации «хороших» и «плохих» дней важно при выполнении упражнений научиться оценивать свое состояние: если отягощения покажутся слишком легкими, прибавьте немного вес гантелей, если, наоборот, в первом же упражнении отягощения покажутся Вам чрезмерно тяжелыми, сделайте снаряд полегче.

Перед каждым занятием сделайте легкую разминку в течение 2—3 минут: пробежка на месте, махи руками и ногами, растягивающие упражнения. Это предохранит Вас от травм, усилит кровоток в суставах, обеспечит дополнительное поступление крови в мышцы, позволит проработать мышцы по всей амплитуде движений.

5.7. Займемся физкультурой «между делом»

Зарядка в офисе и метро

Все хотят быть красивыми и здоровыми. Но, увы, не у всех есть время для посещения спортзалов и клубов. Сейчас очень популярны изометрические, или статические, упражнения.

Изометрическими упражнениями можно заниматься, не имея подготовки и спортивного оборудования, без отрыва от основных занятий. Польза, которую приносит такая гимнастика, состоит в улучшении обмена веществ, замедлении процессов старения, готовности организма к эмоциональным и психическим нагрузкам.

Изометрические упражнения основаны на сильном кратковременном напряжении мышц без их растягивания. Выполнять эти упражнения можно всегда и везде: дома, на ходу, за рабочим столом, у телевизора, даже в переполненном транспорте.

Мышцы ног и ягодиц

Упражнение 1 — для разгибателя бедра (четырехглавой мышцы бедра).

Исходное положение: сидя, ноги стоят на полу всей ступней.

Выполнение:

— напрягая мышцы бедра, незаметно приподнимите туловище (на 1—2 см) от сиденья и удерживайте его в этом положении, пока хватит сил;

— не опирайтесь руками, не помогайте ногами;

— отдохните 10—15 секунд, и снова — напряжение.

Если желаете увеличить объем мышц, повторите 5—7 раз, после чего минута отдыха. Для «сжигания» жира придется увеличить количество повторов до 20 и более, но они должны быть более кратковременными.

Во второй подход продолжительность напряжения увеличивается, а третий подход — самый напряженный, держитесь изо всех сил. Четвертый подход — частые, но непродолжительные напряжения.

Упражнение 2 — для передней части бедра.

Исходное положение: стоя, упритесь носком ноги, не сгибая ее, в стену или другое препятствие.

Выполнение: давите вперед, как бы пытаясь сдвинуть препятствие.

Продолжительность, количество повторений, число подходов здесь и далее те же, что и в первом упражнении.

Упражнение 3 — для внутренней части бедра.

Исходное положение: стоя или сидя.

Выполнение: зажмите между внутренними частями стоп какой-нибудь предмет — ножку стола, мяч — и сдавливайте его ногами. Если никакого предмета нет, сдавливайте ноги до соприкосновения стоп и прижимайте одну стопу к другой. Можно выполнять это упражнение и поочередно для каждой ноги, пытаясь сдвинуть любой предмет внутренней частью стопы.

Упражнение 4 — для задней части бедра.

Исходное положение: стоя спиной к стене.

Выполнение: упритесь в нее пяткой прямой ноги и давите ногой назад, пытаясь «сдвинуть» стену.

Упражнение 5 — для наружной части бедра.

Исходное положение: стоя боком к стене.

Выполнение: пытайтесь «отодвинуть» стену, упираясь внешней частью стопы.

Упражнение 6 — для мышц голени.

Исходное положение: стоя. Пятка чуть оторвана от пола, другая нога чуть-чуть приподнята над полом.

Выполнение: возьмитесь руками за косяк двери, шкаф, батарею, трубу и, как бы поднимая эти предметы вверх, нагрузите ногу дополнительно.

Упражнение 7 — для передней части голени.

Исходное положение: то же, но опора не на носок, а на пятку. Носок оторван от пола.

Выполнение: аналогичное.

Упражнение 8 — для ягодичных мышц.

Исходное положение: стоя.

Выполнение: прижать руками какой-нибудь предмет — толстую книгу, подушку — к нижней части живота и, сжимая ягодицы, пытаться животом отодвинуть этот предмет вперед.

Мышцы рук и плеч

Упражнение 9 — для бицепсов (двуглавых мышц плеча).

Исходное положение: стоя в транспорте.

Выполнение: взяться «ладонью к себе» за поручень и как бы пытаться подтянуться на одной руке. Продолжительность, число подходов и повторов, как и в упражнениях для ног.

Упражнение 10 — для бицепсов.

Исходное положение: сидя.

Выполнение: заведите кисти рук под свои колени и пытайтесь приподнять их — это упражнение сразу для обеих рук.

Упражнение 11 — для трицепсов (трехглавых мышц плеча).

Исходное положение: стоя в транспорте.

Выполнение: упритесь рукой в верхний поручень «ладонью от себя», пытайтесь поднять его, как гирю.

Упражнение 12 — для трицепсов (трехглавых мышц плеча).

Исходное положение: стоя или сидя.

Выполнение: обхватите одной кистью другую и, с трудом пересиливая одной рукой другую, медленно сгибайте и разгибайте, перехватывая ладони.

Упражнение 13 — для мышц плеча и предплечья.

Исходное положение: стоя или сидя.

Выполнение:

— возьмите одной рукой кисть другой и, сопротивляясь, сдавливайте, как это обычно делают силачи с чужой рукой, бахваляясь. Поменяйте руки;

— «заламывайте» одной рукой другую назад, скрестив пальцы рук и сопротивляясь. Поменяйте руки.

Упражнение 14 — для дельтовидной мышцы плеча.

Исходное положение: стоя или сидя.

Выполнение: ухватитесь пальцами рук за пояс одежды по бокам, стремитесь развести руки в стороны.

Упражнение 15 — для больших грудных мышц.

Исходное положение: стоя или сидя.

Выполнение:

— соедините перед собой руки, прямые или полусогнутые, и давите кистями друг на друга;

— «руки по швам», давите кистями на тазобедренные суставы.

Упражнение 16 — для больших грудных мышц.

Исходное положение: сидя за столом.

Выполнение: положите прямые руки перед собой на стол и давите на него, пытаясь вдавить его в пол.

Упражнение 17 — для широчайших мышц спины.

Исходное положение: стоя или сидя боком к стене или шкафу.

Выполнение: попытайтесь вытянутой вбок рукой как бы отодвинуть препятствие. Если упражнение выполняется сидя, то при этом также развиваются мышцы брюшного пресса.

Упражнение 18 — для поясничной мышцы.

Исходное положение: сидя на стуле.

Выполнение: возьмитесь руками за край сиденья и, упираясь ногами в пол, пытайтесь как бы приподнять его.

Упражнение 19 — для трапециевидной мышцы (между шеей и плечами).

Исходное положение: стоя или сидя.

Выполнение: приподнимайте и опускайте плечи.

Упражнение 20 — для мышц брюшного пресса.

Исходное положение: сидя.

Выполнение: опершись руками в сиденье стула, приподнимайте ноги, согнутые в коленях или выпрямленные, и удерживайте их в таком положении.

Упражнение 21 — для мышц шеи.

Исходное положение: сидя за столом.

Выполнение: поставив ладони под подбородок, упритесь на них и удерживайте такое положение в течение 6 секунд.

Упражнение 22 — для мышц шеи.

Исходное положение: стоя или сидя.

Выполнение: заведите руки за затылок и, давя на него, пытайтесь наклонить голову вперед.

Упражнение 23 — для мышц шеи.

Исходное положение: стоя или сидя.

Выполнение: уприте руку в висок и пытайтесь наклонить голову вбок.

Офисная гимнастика

Вы хотите иметь крепкие мышцы и здоровую спину, но при этом у Вас «сидячая» работа, а времени на посещение спортзала нет? Вот упражнения, которые можно делать на рабочем месте.

Выполняйте их с максимальной интенсивностью в течение 2—7 секунд, начиная с 1—4 напряжений мышц и постепенно доводя их количество до 6—7.

1. Стоя или сидя необходимо максимально сократить мышцы таза на вдохе и расслабить на выдохе.

2. Стоя у стены, надавливайте на нее затылком в течение 3—5 секунд, затем расслабляйте мышцы.

3. Сидя за столом, обопритесь подбородком на согнутые в локтях руки, давите на них, пытаясь при этом наклонить голову или повернуть ее в сторону.

4. Сидя на стуле, надавливайте лопатками и поясницей на спинку.

5. Держась за сиденье, попытайтесь приподнять себя вместе со стулом.

6. Сидя, положите локти на стол и надавливайте на него.

7. Стоя, касаясь спиной стены, попеременно давите на нее ягодицами, поясницей, лопатками.

8. Стоя, с вдохом поднимайте руки вверх через стороны, слегка потягиваясь вверх. На выдохе опустите руки, немного согнув спину.

9. Стоя, с вдохом поднимайте плечи, с выдохом — опускайте.

10. Сидя, надавите правой ладонью на правую щеку, при этом голова давит на руку. Держите напряжение 5—6 секунд, затем расслабьтесь и сделайте упражнение в другую сторону.

11. Сидя, поставьте локти на стол и давите головой на руки в течение 6 секунд. Затем расслабьтесь и повторите еще.

12. Сидя или стоя, положите руки на затылок и давите на них головой — 6 секунд, затем расслабьтесь и сделайте еще.

13. Опишите головой плавный полукруг от плеча к плечу и обратно.

14. Стоя, одновременно поднимайте одну руку вверх—назад, а другую — вниз—назад, затем меняйте руки.

15. Стоя, положите левую руку на правую чуть выше локтя и давите на правый локоть, прижимая его к левому плечу,— 6 секунд, затем расслабьте мышцы и поменяйте руки.

16. Стоя, заведите правую руку за голову так, чтобы локоть был направлен вверх. Левой рукой тяните его назад в течение 6 секунд, затем расслабьте мышцы и поменяйте руки.

17. Стоя, разведите согнутые руки в стороны так, чтобы плечи располагались горизонтально, а предплечья — вертикально, угол в локте — 90 градусов. Отводя руки назад, сводите лопатки на 6 секунд, затем расслабляйте мышцы. Повторите.

18. Встаньте спиной к стене, ноги вместе. Медленно приседайте с прямой спиной, стараясь не отрывать пятки от пола. Выполните 5—6 раз. Если нет возможности встать около стены, можно опереться на спинку стула или дверную ручку.

19. Руки положите на плечи. На вдохе сводите лопатки, на выдохе делайте легкий наклон.

Выполняйте все движения плавно, в среднем или медленном темпе. Дышите равномерно, не задерживая дыхания. Вдох делайте носом, как будто нюхаете розу, а выдох — ртом, будто задуваете свечу. Повторяйте каждое упражнение 5—6 раз.

Помогая мышцам оставаться в тонусе, Вы сможете избежать проблем со здоровьем и всегда будете в прекрасной форме.

Глава 6. ХОЧЕШЬ ХОРОШО СПАТЬ — ПОХУДЕЙ!

6.1. Для обретения здорового сна необходимо снизить вес

Какой же вес необходимо иметь для обретения комфортной жизни и сна?

По-видимому, чем меньше, тем лучше. Но, разумеется, до определенного предела. Чем больше организм, тем труднее всем органам и системам обеспечивать его нормальное функционирование. Сердцу тяжелее «гонять» кровь, печени сложнее нейтрализовывать токсины, почкам — выводить отходы, эндокринным железам труднее обеспечить организм достаточным количеством гормонов и т. д.

Давно известно, что тучные люди в большей мере страдают различными заболеваниями.

Так каким же должен быть идеальный вес?

Наиболее научно обоснованным, оправдавшим себя на практике и простым в измерении, является индекс массы тела (ИМТ).

ИМТ = M/P^2,

где М — масса тела (кг), а Р — длина тела (м).

Нормальные показатели ИМТ для взрослых — 20—25 кг/м^2. Например, Ваш рост 1,74 м, а вес 64 кг. Возведем рост (1,74) в квадрат. Получится 3,0276. Теперь разделим массу (64) на квадрат роста (3,0276) и получим 21,1. Это близко к нижней границе нормы.

Статистические данные свидетельствуют, что у лиц с ИМТ, выходящим за цифры 20—25 (в любую сторону), частота инфарктов миокарда, инсультов, онкологических заболеваний и т. п. значительно больше, чем у лиц с нормальной массой тела. Словом, избыточный вес вреден, но считается, что и слишком большой дефицит массы тела также несет ущерб здоровью.

Когда наблюдения показывают опасность низкой массы тела, то не учитывается следующее обстоятельство. По-видимому, низкая масса тела у данных людей как раз и вызвана наличием какого-то серьезного заболевания.

Если же мы, здоровые, в принципе, люди, с помощью специальной системы питания значительно снизим свой вес, то такое снижение веса не будет вредить здоровью.

Есть еще более простой способ для расчета «правильной» массы тела. Рекомендуется из роста, выраженного в сантиметрах, вычесть 110. Например, Ваш рост равен 175 см. Тогда идеальным будет вес около 65 кг. Впрочем, все эти расчеты несколько условны. У каждого человека своя «конституция».

Не забывайте, что в любом случае организм должен получать достаточное количество витаминов, минералов и других необходимых веществ.

Наши конкретные действия:

Итак, за исключением серьезных обменных нарушений (необходимо обращение к хорошему специалисту), лишний вес образуется из-за избыточного поступления в организм калорий. Чтобы начать худеть, необходимо добиться того, чтобы организм получал меньше калорий, чем он расходует. Иначе говоря, требуется добиться отрицательного энергетического баланса в организме. Для этого можно сократить поступление калорий с пищей или увеличить расход калорий организмом. Разумеется, максимальный эффект даст сочетание этих действий.

1. Сокращение поступающих калорий

Вспомните, что 1 г белков или углеводов содержит 4,1 ккал, а 1 г жира — 9,3. Очевидно, что в первую очередь следует сократить потребление продуктов, содержащих много жира, особенно животного. Это животные масла, сало, многие виды колбас, сметана, сливки, яйца, торты и др. Это очень важно еще и потому, что животный жир способствует заболеванию атеросклерозом. В то же время животный жир не обладает почти никакими полезными свойствами, а только откладывается, как балласт. Изредка можно себе позволить растительное масло. Однако и растительные масла очень калорийны, более 800 ккал в 100 г, против, например, 40 ккал в 100 г фруктового сока. Растительное масло добавляется в шоколад, отсюда и его большая калорийность, более 500 ккал на 100 г, в майонез — более 600 ккал. При приготовлении блюд необходимо избегать использования жиров.

Таким образом, сократив потребление жиров, Вы существенно уменьшите поступление калорий в организм.

Кроме того, постарайтесь ограничить потребление продуктов, содержащих большое количество углеводов и белка. Углеводов много в мучном (выпечка, макаронные изделия), сладком (шоколад, конфеты, изюм и др.), крахмалистом (картофель, рис и др.). Весьма полезно сократить потребление высокобелковых продуктов, а это — все виды мяса и изделия из него.

Обратите внимание: сокращать необходимо не объем пищи, а ее калорийность! Желудок же при этом может быть хоть постоянно заполнен низкокалорийной пищей или жидкостью. К низкокалорийным относятся почти все растительные продукты, за исключением: крахмалистых — картофель и рис, очень сладких — бананы, виноград, изюм, курага и т. п., мучных — выпечка, макароны, белый хлеб и т. п. Этими продуктами старайтесь не злоупотреблять, а остальные растительные продукты можно съедать в больших количествах.

Несколько советов, которые помогут сократить калорийность дневного рациона:

— никогда не ешьте только потому, что «пришло время», а только тогда, когда есть действительно хочется;

— аппетит можно подавлять небольшими порциями пищи или напитка. Время от времени делайте несколько глотков напитка, откусывайте яблоко, морковь и т. п. или съедайте небольшую порцию салата, винегрета и т. п.;

— уберите все продукты с видного места так, чтобы их было непросто достать, и они не соблазняли бы Вас своим видом. Можно попробовать совсем воздержаться от приема пищи (но не напитков) в первой половине дня, так как за ночь организм восстанавливает силы, и есть по утрам хочется меньше.

К сожалению, многие люди относятся к чувству голода как к чему-то страшному и опасному. Для природы же оно является совершенно естественным. Легкое чувство голода не только не опасно, а, наоборот, полезно. Калорийно ограниченная диета — это один из самых главных способов значительного увеличения продолжительности жизни. Поэтому, если Вы время от времени будете испытывать легкое чувство голода, то научитесь получать от этого удовольствие (ведь в это время организм экономит энергию, и Вы будете дольше жить) или, по крайней мере, относитесь к нему абсолютно спокойно.

· 2. *Увеличение энергозатрат*

Предположим, Вам удалось создать отрицательный энергетический баланс в организме, то есть поступление энергии с пищей стало меньше того, что Вы расходуете. Это позволит начать постепенное снижение массы тела. Однако правильного питания не всегда бывает достаточно для получения быстрого и заметного эффекта.

Увеличить энергозатраты можно с помощью дополнительной физической активности. Для достижения максимального эффекта необходимо: тренироваться через 5—6 часов после еды. При этом Вы будете терять именно подкожный слой жира. В противном случае работа будет потрачена на сжигание питательных веществ недавно поступивших с пищей. Также следует иметь в виду, что физическая нагрузка на время устраняет чувство голода. Таким образом, Вам необходимо в день тренировки лишь приложить некоторые волевые усилия, чтобы начать занятия на пустой желудок (в крайнем случае, можно слегка перекусить растительными продуктами). Пейте больше жидкости.

После тренировки желательно также не наедаться. В течение 20—30 минут перед основной тренировкой проделать упражнения на выносливость (быстрая ходьба, бег, велотренажер и др.). Это поможет сжечь остатки питательных веществ в крови, и последующие упражнения окажутся максимально эффективными.

Идеальным вариантом для изменения фигуры является атлетическая гимнастика (упражнения с отягощениями). Тренироваться лучше через день. Вес следует подбирать так, чтобы можно было выполнить упражнение от 12 до 25 раз (последнее повторение с большим трудом). Количество подходов — от 3 до 6. Конечно, все это можно делать и в домашних условиях. Использование сохраняющих тепло рейтуз или бинтов (ими обматывают талию), особенно во время физических упражнений, а также парная и массаж после тренировки заметно усиливают эффект.

В последнее время в продаже появилось множество средств, сжигающих жиры. Причем некоторые из них действительно помогают. Важно только понимать, что действуют они лишь во время их использования, а после отмены препарата действие заканчивается.

Лучше проводить активное снижение веса зимой и весной. Летом и осенью, когда созревают овощи и фрукты, можно немного отдохнуть от ограничений, без большого риска набрать лишние килограммы. Если Вы всерьез решили заняться своим здоровьем, то Вам необходимо обзавестись таблицей, в которой представлена информация о содержании в продуктах калорий, а также белков, жиров и углеводов.

Выработайте привычку перед покупкой любого продукта изучать информацию о его питательной ценности, указанную обычно на упаковке. Покупайте те продукты, которые содержат относительно небольшое количество калорий, жиров, белков и углеводов. Избавиться от лишних килограммов бывает несложно.

Большую сложность представляет задача не набрать вес снова. Но, во-первых, если Вы из толстушки превратитесь в стройную и подтянутую девушку, то Вам не захочется снова вернуться в свое прежнее состояние. Во-вторых, важно знать, что представляет собой аппетит.

В мозге человека есть специальный центр, который следит за количеством питательных веществ, содержащихся в крови. Как только содержание питательных веществ падает, специальный центр дает сигнал желудку, и тот начинает нас беспокоить. Так что аппетит зависит не только от заполненности желудка. Бывает, что человек выходит из-за стола и ощущает легкое чувство голода, но через некоторое время оно проходит — питательные вещества начали поступать в кровь.

Если Вам удастся добиться значительного снижения веса, то и аппетит снизится. Произойдет это потому, что большое тело быстрее сжигает питательные вещества и вновь начинает их требовать. В организме, меньшем по объему, питательные вещества дольше сохраняются в крови, и аппетит уменьшается.

Таким образом, чем больше Вы едите, тем сильнее аппетит, и, наоборот, чем меньше поступает в организм калорий, тем меньше хочется есть. Поэтому важной задачей является действительное и заметное снижение массы тела.

Одна из главных ошибок, которую совершают люди, пытающиеся сбросить вес, заключается в том, что они сбрасывают не то, что нужно. Например, воду или мышцы.

Причина избыточного веса — лишний жир. Но дело в том, что наш организм не может сжечь за один день более определенного процента жира. Если Вы слишком резко ограничиваете потребление калорий, то тратите много мышечной массы и можете истощить себя. Когда Вы ограничиваете потребление жидкости, то тоже поступаете неправильно.

Организм человека очень точно регулирует количество необходимой ему воды и поддерживает ее содержание на одном уровне. Есть люди, которые часто ходят в баню, но никто из них еще не высох (парная не повредит, так как для испарения воды, организм тратит калории). Настраивайтесь не на резкий сброс веса, а на длительное настойчивое и значительное его снижение!

3. Уменьшение аппетита и нормализация углеводного обмена

Уменьшение аппетита было и остается важнейшим инструментом контроля за весом.

Нарушение углеводного обмена, которое встречается в 90% ожирения и избыточного веса, — одна из главных причин сильного желания поесть. В этом случае повышенный аппетит проявляется, как правило, в виде тяги к углеводам. Очень хочется есть что-нибудь сладкое: шоколад, конфеты, пирожные и другие кондитерские изделия.

Список «плохих углеводов» включает: белый и черный хлеб, пироги, пиццы, различные макаронные изделия из муки высоких сортов, белый рис, картофель, бананы, мед, безалкогольные напитки и продукты с высоким содержанием сахара (читайте этикетки на продуктах, на них указано содержание углеводов).

Чем больше мы едим этой вкуснятины, тем выше становится уровень глюкозы в крови. Это стимулирует выброс в кровь инсулина — гормона, снижающего уровень глюкозы.

Избыток инсулина значительно, и с «запасом», уменьшает уровень глюкозы в крови. А сниженный уровень глюкозы является сигналом для мозга — надо срочно поесть. Так возникает порочный круг: чем больше углеводов мы едим, тем больше хочется есть.

Мало того, что избыток калорий сам по себе вызывает набор веса, — инсулин усиливает синтез жира и блокирует его расщепление. Поэтому в условиях нарушенного углеводного обмена возникает стойкое увеличение веса.

Чтобы вырваться из углеводного плена, необходимо принять меры по нормализации уровня глюкозы в крови. Для этого необходимо уменьшить прием и количество «плохих углеводов».

6.2. Этот «хитрый» метаболизм

Есть мнение, что избыток веса обусловлен замедленным метаболизмом. Что влияет на обмен веществ? Есть ли пища, способная его ускорить?

Если лишние килограммы, несмотря на все старания, никак не «уходят», мы часто находим «виновника». По мнению многих, им является «плохой», то есть замедленный, обмен веществ, который может привести к избыточному весу. Это справедливо только отчасти. Тот факт, что Ваш метаболизм ниже среднего уровня, еще не означает, что Вы обречены на вечную борьбу за красивую фигуру. Однако проблемы, связанные с обменом веществ, все же имеются.

Что такое метаболизм

Метаболизм — это сложный процесс, в ходе которого организм расщепляет питательные вещества, содержащиеся в продуктах, чтобы произвести энергию, необходимую для жизнедеятельности. Человек с «быстрым» метаболизмом и калории сжигает быстрее, что иногда облегчает сброс веса.

Какие факторы влияют на метаболизм

Важнейший фактор, обусловливающий уровень метаболизма, — это Ваше телосложение. Чем больше масса тела без жира (мышечная ткань, кости, внутренние органы), тем выше скорость метаболизма. Именно поэтому обмен веществ у мужчин в среднем на 10—20% выше, чем у женщин. У крупных женщин — на 50% выше, чем у имеющих нормальное телосложение. На метаболизм оказывают влияние наследственность и гормоны (в первую очередь вырабатываемые щитовидной железой, а также инсулин). Не стоит забывать о вредном воздействии стрессов. Лишние калории и некоторые лекарственные препараты тоже не способствуют улучшению обмена веществ. Очень важную роль играет и то, насколько Вы физически активны.

Исследования идентичных близнецов показывают, что характер метаболизма определяется еще в утробе матери. Если у Вас он действительно низкий, это не значит, что Вы обязательно столкнетесь с проблемой лишнего веса. Хотя избавиться от избытка жира Вам будет несколько труднее. Вы не очень быстро сжигаете калории, зато в Ваших силах повысить уровень метаболизма до определенного показателя. Для этого надо выполнять физические упражнения и стремиться к увеличению мышечной массы.

Метаболизм у женщин после 30 лет «падает» на 2—3% каждые 10 лет. В основном это происходит из-за недостатка движения и уменьшения мышечной массы. Но положение дел можно исправить с помощью регулярной физической нагрузки.

Эксперты пришли к мнению, что действеннее всего в этом отношении силовые тренировки. Каждый килограмм мышечной массы сжигает 33 ккал в день. Интенсивные кардиотренировки максимально ускоряют обмен веществ, но лишь на короткий промежуток времени, — он становится активнее на 20—30%. Через несколько часов после выполнения упражнений он вернется в прежнее состояние, но во время занятия Вы успеете избавиться от лишних калорий.

Наблюдения показывают, что выбор пищи не оказывает существенного влияния на метаболизм. То есть жиры, белки и углеводы одинаково влияют на метаболизм. Надо сказать, что под воздействием белков метаболизм слегка повышается, но не настолько, чтобы это оказалось существенным. Важно лишь то, сколько Вы едите и в каком сочетании. Каждый раз, когда количество потребляемых калорий не достигает уровня, необходимого для поддержания базовых физиологических функций, метаболизм замедляется. Так организм борется с нехваткой энергии.

После того как Вы похудеете, Ваш метаболизм замедлится, потому что организму надо будет поддерживать уже более низкую массу. Перед тренировками, чтобы «заправиться», Вам хватит меньшего количества еды, а в целом понадобится меньше калорий для поддержания жизненных функций. Если Вы не измените свои привычки в питании, то снова начнете набирать вес. Чтобы этого избежать, Вам придется либо ограничить (в разумных пределах) количество потребляемых калорий, либо более интенсивно их расходовать.

И помните, никакие таблетки, пластыри и «продукты» не могут волшебным образом изменить метаболизм до такой степени, чтобы Вы начали сбавлять вес, сидя на диване. Лучший способ «подстегнуть» обмен веществ — ходить в спортзал, чаще совершать пешие прогулки и меньше смотреть телевизор.

Как рассчитать дневную потребность в калориях
Вариант 1

Сначала определим уровень метаболизма по формуле:
УМ (ккал) = 655 + (9,6 х желаемый вес в кг) + (1,8 х рост в см) — (4,7 х возраст в годах).

Теперь мы сможем рассчитать дневную потребность в калориях с учетом степени активности. Для этого надо знать коэффициент Вашей активности:

— малая активность (малоподвижный образ жизни) — 1,2;

— легкая активность (легкие тренировки 1—3 раза в неделю) — 1,375;

— умеренная активность (умеренные тренировки 3—5 раз в неделю) — 1,55;

— повышенная активность (интенсивные тренировки 6—7 раз в неделю) — 1,725;

— экстраактивность (очень интенсивные тренировки, физическая работа или тренировки по 2 раза в день) — 1,9.

Умножьте значение своего уровня метаболизма на один из этих показателей.

Результатом станет минимальное количество дневного потребления калорий, необходимое, чтобы поддерживать Ваш вес (с учетом уровня Вашей активности).

Вариант 2 (более жесткий):

— если Вы пассивны в физическом отношении, умножьте желаемый вес (кг) на 22. Это даст Вам количество калорий за сутки. То есть, при стремлении к весу 60 кг необходимо потреблять 1320—1400 ккал;

— если Вы умеренно активны, например, 2—3 тренировки в неделю, то можете без опасения потреблять количество калорий, в 33 раза превышающее цифру, характеризующую вес. В нашем примере это 1980—2000 ккал;

— если Вы заняты напряженной физической деятельностью каждый день, то количество калорий может в 44 раза превышать цифру, характеризующую вес. Таким образом, упорно тренируясь, Вы сможете потреблять ежедневно 2640—2700 ккал.

Что необходимо для поддержания веса на уровне, который для Вас желателен?

В первую очередь — соблюдение энергетического баланса. Вы должны сжигать столько калорий, сколько потребляете, и пользоваться при расчете ежедневного потребления калорий теми же принципами, как и при снижении веса. При этом такой режим необходимо соблюдать всю жизнь.

Обратите особое внимание на способность молочных продуктов ускорять сжигание накопленных калорий.

Вы, наверное, думаете, что молочная диета — это всего лишь дань времени? Ничего подобного! Ученые утверждают, что, независимо от того, придерживаетесь Вы диеты или нет, Вас порадуют изменения в объеме Вашей талии, которые произойдут, если Вы будете «налегать» на молочные продукты.

Молочные продукты препятствуют жировым клеткам накапливать поглощенные за день калории и помогают их расходовать. Замечено, что люди, употребляющие их в пищу, в шесть раз реже страдают избыточным весом. Всему «виной» кальций. Он-то и регулирует жировой обмен и препятствует накоплению жира жировыми клетками.

Оказывается, жировые клетки «прислушиваются» к кальцию. Когда в крови содержится больше кальция, чем требуется, жировые клетки получают команду прекратить накапливать жир и начать его сжигать. При этом жир исчезает в первую очередь с талии, оттуда, где он представляет наибольшую проблему. Если же кальция недостаточно, жировые клетки запасаются жиром. Вот тогда они становятся больше и «толще», отчего и сам человек становится больше и толще.

Поэтому каждый день просто необходимо выпивать не менее 300 мл йогурта или любого кисломолочного продукта. Это тем более полезно, что повышенное потребление кальция одновременно является профилактикой такого страшного для женщин заболевания, как остеопороз.

Известно, что легче всего перевариваются йогурт и сыр, так как лактоза (молочный сахар) в этих продуктах уже частично расщеплена бактериями в процессе их производства из молока. Приблизительно у 25% взрослых в организме вырабатывается недостаточно лактазы, фермента, необходимого для расщепления лактозы.

Однако учтите: молоко — не панацея. Если Вы ежедневно будете выпивать пару стаканов молока, это еще не означает, что Вам можно есть все и пренебрегать физической нагрузкой.

6.3. Все ли средства хороши для достижения цели

Почему большинство существующих диет не приносит ожидаемых результатов? Давайте разберемся.

Некоторые диеты пропагандируют употребление определенных продуктов, например, ананасов или грейпфрутов, которые якобы очищают организм от токсинов и шлаков, стимулирующих накопление жировых отложений и способствующих появлению целлюлита.

Такие диеты весьма привлекательны и действительно позволяют достичь заметного эффекта сравнительно быстро, но не надолго.

Существуют диеты, которые полностью исключают из рациона любимые продукты: шоколад, конфеты и т. п. Такие бескомпромиссные диеты, как правило, долго не соблюдаются.

Оказывается, при соблюдении диеты моментального эффекта *снижение веса достигается за счет содержащейся в организме воды!* Как только Ваш организм перестает получать достаточное количество калорий, а это подразумевают все диеты скоростного похудения, мгновенно возникает крайняя потребность в карбогидрате (гликогене), который накапливается в печени. Он быстро восполняет недостаток калорий, поддерживая процессы метаболизма в организме. Гликоген, распадаясь, образует воду, которая затем выводится из организма. В итоге — Вы теряете вес, однако это происходит вовсе не за счет распада жировой ткани. *Восполнение же недостатка калорий за счет жировой ткани приходится ждать гораздо дольше.*

Как только Вы возвращаетесь к прежнему образу жизни, Вы замечаете, что Ваш вес неудержимо начинает приближаться к прежнему значению. Происходит это вследствие того, что печень восполнила потерянное количество гликогена и организм начинает накапливать воду и увеличивать массу Вашего тела.

Еще одна проблема этих диет состоит в том, что примерно через *три недели* неизбежно наступает фаза стабилизации веса. Иными словами, Вы худеете до определенного момента, а затем наступает процесс *«топтания на месте»*, и дальнейшего снижения веса не наблюдается.

Причина состоит в том, что организм в этот период начинает работать в защитном режиме естественного самосохранения, рассчитанном на небольшое количество поступающей пищи. Процессы метаболизма изменяются вследствие существенного недостатка калорий и начинают протекать в режиме *ответной реакции на голод* с замедленной скоростью, строго «экономя» то небольшое количество калорий, которое поступает в организм.

В результате этого значительная часть поступающих калорий накапливается в организме в виде жировых отложений, так как потребность в калориях становится все меньше и меньше. Поэтому, если Вы «слегка ослабите» диету, лишние калории моментально начнут работать на восстановление потерянного в период соблюдения диеты веса, так как процессы метаболизма очень инерционны в режиме «ответной реакции».

Важно также понимать, что быстрое похудение ведет к уменьшению массы как жировой, так и мышечной ткани, в то время как прибавление в весе происходит исключительно за счет нарастания жировой ткани. Это значит, что на каждом витке цикла «похудение — поправка — похудение — поправка» мы увеличиваем процент жировой ткани в организме, даже если вес не увеличивается.

Выводы

1. Никакой диеты «моментального эффекта» в природе не существует, так как любая подобная диета основана на процессах, заведомо опережающих процесс распада жировой ткани, без которого невозможно достичь стабильного снижения массы тела.

2. Едва Вы прекратите соблюдать диету, начнется восстановление потерянных в муках килограммов.

3. Подобная диета может быть эффективной лишь в течение короткого периода (не более двух недель) до тех пор, пока в организме не начнется процесс «ответной реакции».

4. Причина ожирения — *переедание*. Борьба с ним сводится в основном к *насилию над своими привычками и сложившимся жизненным укладом!* Каждая женщина должна отдавать себе отчет в том, что легко дающееся переедание приводит к трудному «худению» в будущем.

5. Только пересмотр образа жизни в пользу режима рационального питания, значительного увеличения физической активности позволит достичь хорошей формы, уменьшить количество жировой ткани без вреда для других тканей организма.

6.4. Давайте используем свойства женской «натуры»

Новую жизнь мы обычно начинаем с понедельника. Клянемся себе «сесть» на диету, заняться спортом, крепить дух и закалять тело — но все это только с понедельника. Некоторым это удается, остальные, увы, становятся «клятвопреступницами», ибо в понедельник, как и в среду, вредный шоколад кажется гораздо вкуснее полезной морковки.

Часто дело тут вовсе не в отсутствии воли, дело в женских гормонах, которые живут своей, абсолютно независимой от гражданского календаря жизнью, согласуясь только с нашими биоритмами.

Что же такое биоритмы женщины? Существуют ли у Вас такие периоды в течение месяца, когда Вам очень трудно соблюдать диету?

Не замечали ли Вы, что Вам периодически хочется есть только шоколад или другие сладости?

Почему процесс похудения столь мучителен для Вас? Кто в этом виноват — Вы или диета?

Как правило, во всем «обвиняют» диету — мол, она не годится для Вас. Почему же, спросите Вы? Да потому, что все люди разные. И различие это заключается не только в том, что Вы отличаетесь от других женщин, но и в том, что Ваш организм ведет себя по-разному в разные дни, месяцы и годы, хотя Вы этого не замечаете и не осознаете. Энергия организма, эмоции и процессы обмена веществ ритмически изменяются в течение месяца.

Биологические ритмы организма — неотъемлемая и очень важная часть жизни. Они регулируют все гормональные и обменные процессы, влияют на энергетический баланс в организме, на аппетит и настроение. Это означает, что диета должна быть связана с биологическими циклами Вашего организма. Вспомните, что, несмотря на разочарования при Ваших прежних попытках соблюдения различных диет, Вы все же добивались определенных успехов. Интересно, почему в одних случаях удача улыбалась Вам, а в других нет?

Почему же так тесно связаны настроение, прожорливость, процессы обмена веществ и менструальные циклы? Что предпринять, чтобы разорвать этот «порочный» круг?

Выход из создавшейся ситуации несомненно есть.

Надо запомнить следующее: чрезмерное повышение аппетита в предменструальный период является естественным и нормальным явлением; шоколад и сладости могут предотвратить обжорство в эти дни. (Вот это да!)

Механизм управления биологическими циклами в организме еще недостаточно изучен. Но уже совершенно ясно, что он имеет место и подчиняется ритмическим законам. Биологические циклы организма непосредственно связаны с его биоритмами, которые отражают все изменения, происходящие в биохимических процессах организма в течение дня, месяца, года.

Общие для мужчин и женщин суточные биоритмы выражаются следующими явлениями:

— дневная активность — «жаворонки» более активны в ранние часы, «совы» — в середине дня и в поздние вечерние часы;

— аппетит — сильнее проявляется в середине дня
и поздно вечером;

— содержание сахара в крови — пиковое значение
наступает через 30 минут после приема сладкой
пищи и через 1—2 часа после приема мучной
и жирной пищи;

— жидкостный обмен — уменьшается постепенно
в течение дня и возрастает в течение ночи;

— изменение массы тела колеблется в пределах 1—
1,5 кг в течение суток.

Независимо от того, регулярны Ваши менструальные
циклы или нет, связанные с этим изменения Ваших биоритмов оказывают существенное влияние на настроение, аппетит, процессы метаболизма и, возможно, на пси-
хофизическое состояние. В большинстве случаев интервал между периодами составляет 28 дней. Продолжительность каждого критического периода может достигать 10 дней, а в среднем составляет 4 дня.

Согласовывайте режим питания с фазами менструального цикла.

Различают три фазы биологического цикла женщины.

1-я фаза — высокая (комфортная)

Она начинается приблизительно на 2-й день менструального цикла и длится около двух недель. В этот период содержание эстрогенов (женских половых гормонов)
в организме женщины постепенно повышается, благодаря чему мы чувствуем себя отлично. Мы бодры, энергич-
ны и снисходительны к попыткам окружающих испытать
наше терпение.

Физиологи говорят, что это самое подходящее время,
чтобы «сесть» на диету или начать активно заниматься
спортом.

Во-первых, в этой фазе нас не одолевают неконтроли-
руемые приступы голода — можно безболезненно сократить свой рацион до 1000—1200 ккал.

Во-вторых, обменные процессы протекают более интенсивно,— значит, эффект будет более сильным и впе-
чатляющим.

2-я фаза — нейтральная (ни то ни се)

С 15-го дня цикла уровень эстрогена в нашем организме начинает снижаться, зато активно повышается уровень прогестеронов (стероидный гормон желтого тела,

плаценты и коры надпочечников). Заметно утолщаются стенки матки. Мы чувствуем это, например, по тому, что есть нам теперь хочется все чаще и больше.

Не сопротивляйтесь природе! Но и не особенно потакайте своему желудку. Увеличьте количество потребляемых калорий до 1400 ккал в день — и будет с него. Что касается физических нагрузок, то тут тоже особенно усердствовать не стоит. Силовые тренажеры, все эти штанги и гантели Вам сейчас не по силам, а вот аэробика, шейпинг, бег, велосипед, плавание, пешие прогулки на большие расстояния — очень хорошо.

3-я фаза — глубокая (обжорство для удовлетворения)

Это испытание для женского организма начинается за неделю до начала менструации. Набухшая грудь — это еще куда ни шло, а вот вздувшийся живот причиняет много душевных и физических страданий. Неприлично часто хочется есть. А еще — плакать. Утрите слезы. Это временное явление и скоро пройдет!

Но вот «садиться» на диету в таком состоянии не следует. Напротив, сейчас нужно побаловать себя. Спросите душеньку — что ей угодно? И если ей угодно, скажем, кусочек тортика, то, найдя самый низкокалорийный, съешьте. Но в целом, конечно же придерживайтесь сбалансированного рациона.

В течение этой фазы Ваш вес немного увеличится вследствие снижения жидкостного обмена.

Как же облегчить страдания? В глубокой (обжорной) фазе поможет следующее.

Высокоуглеводистая пища. Уменьшение потребления богатой белками пищи и заполнение рациона продуктами, содержащими углеводы, особенно если Вы очень страдаете от обжорства и колебаний настроения. Вся хитрость при этом будет заключаться лишь в том, чтобы подобного рода изменения рациона не нарушили привычную диету.

Частые приемы небольшого количества пищи. Это позволит прекратить снижение содержания сахара в крови, колебания настроения и уменьшит чувство голода.

Уменьшение количества соли в пище. Исследования показали, что снижение потребления соли за неделю до начала очередного критического периода способствует увеличению жидкостного обмена.

Регулярные физические нагрузки могут значительно облегчить трудности, связанные с предменструальным синдромом.

Теперь мы знаем, что причиной чрезмерного употребления сладкого не всегда являются его вкусовые особенности. Поэтому возникающую иногда тягу к какому-нибудь продукту следует рассматривать как нормальный биологический процесс, направленный на нормализацию жизненно важного баланса биохимических реакций в мозге. К сожалению, всякая чрезмерная тяга граничит с элементарным обжорством.

За время двух циклов в некоторых случаях удается снизить вес на 4 кг (главным образом, за счет расходования жировых отложений).

6.5. Как обмануть «обжору» внутри себя

Можно, конечно, вести изнурительную борьбу с собственным телом за освобождение от каждого грамма лишнего веса. Но лучше поступить по-женски — просто... обмануть свой организм. Небольшие хитрости простительны, если они позволяют без особых усилий сбросить несколько килограммов и чувствовать себя более молодой, красивой и здоровой.

Что бы такое съесть, когда мы решили похудеть, а есть очень хочется? Общее во всех диетах для похудения — употребление соков, фруктов и овощей, хлеба из муки грубого помола, йогурта. Вот они-то и уберегут от желания наесться до отвала вечером.

Один-два фрукта или овоща на каждый прием пищи дадут ощущение сытости и естественным образом сократят потребление калорий.

«Перекусы» делайте каждые 4 часа. Небольшие порции пищи помогут поддерживать уровень сахара в крови, что избавит Вас от перепадов настроения и непреодолимых приступов голода. Дома и на работе всегда имейте под рукой «кладовочку» с апельсинами, яблоками, галетами и другими низкокалорийными, но вкусными «штучками». Главное — не чувство насыщения, а ощущение удовлетворения!

Как худеть, не мучая себя, любимую?

Давайте себе поблажку. Но потом искупайте «грешки». Съев пирожок днем, вечером откажитесь от чего-нибудь не менее калорийного, но не столь соблазнительного.

«Закручивайте гайки» постепенно. Урезайте свой рацион на 100 ккал каждый день: замените дежурную шоколадку апельсином, печенье — квашеной капустой.

Развлекайтесь. Каждый день пробуйте новое блюдо, и свежие вкусовые ощущения избавят Вас от «диетической скуки» и унылого подозрения, что красота действительно требует жертв и эта жертва — Вы.

Как чувствовать себя всегда сытой?

Ешьте медленно. Телу требуется 20 минут, чтобы сигнал «я сыта» дошел от желудка до мозга. Горячая пища поглощается медленнее холодной.

Готовьте быстро. Тогда Вы не успеете «сойти с ума» от голода, ощущая аппетитные запахи. Используйте заранее очищенные или замороженные овощи. Никогда не ешьте на ходу, занимаясь уборкой, чтением и т. п.

Как можно меньше пробуйте пищу во время приготовления, а лучше вообще не пробовать. Советую, исходя из личного опыта.

Чистите зубы после приема пищи. Если во рту останется вкус пищи, тело будет «думать», что Вы еще не насытились.

Пейте воду — один-два стакана перед приемом пищи и по одному стакану каждые два часа в течение дня. Это заглушит чувство голода и избавит Вас от вечерних «атак» аппетита. Кстати, кофе способствует проявлению аппетита! А полстакана отвара свежей петрушки заставит Вас забыть о еде на два часа.

Аналогично действует полоскание рта мятной водой. Отлично обманывает аппетит настой плодов инжира и слив. Рецепт настоя прост: 0,5 кг слив или инжира залить 3 л воды, варить, пока жидкость не упарится до 2,5 л. Пить по полстакана до еды, фрукты съесть.

Как уменьшить калорийность пищи, не лишая себя гастрономических радостей?

Вот несколько приемов.

Используйте *специи*. Порой за настоящий аппетит мы принимаем желание испытать острые вкусовые ощущения. Приправы помогут Вам удовлетворить его.

Говорят, лютый враг аппетита — чеснок! Разотрите три дольки чеснока и залейте стаканом кипяченой воды комнатной температуры. Через сутки настой готов. Принимать по столовой ложке перед сном. Можно просто проглатывать один зубчик чеснока в день, не разжевывая. Он обезвредит все болезнетворные микробы и поможет справиться с аппетитом.

Сахар можно заменить _ванилью_ или _корицей._

Употребляйте преимущественно необработанные или минимально обработанные продукты, например, _хлеб из муки грубого помола_ вместо белого.

Не менее чем на час поможет забыть о еде такое упражнение: встать перед открытой форточкой, ноги — на ширине плеч, руки — вверх, над головой, сделать 10 очень глубоких вдохов.

Вечер — самое «опасное» время суток! Вечером мы остаемся один на один с аппетитом. Лучшая оборона для Вашей диеты: не приходите домой голодной.

Есть еще такая тактика сдерживания аппетита — правило «+5 минут». В течение одной недели, когда Вы приходите домой и ощущаете страстное желание наброситься на еду, сделайте над собой усилие и потерпите 5 минут. На второй неделе подождите 10 минут и т. д. Научившись сдерживаться в течение 20 минут, Вы начнете контролировать импульсивное желание положить что-нибудь в рот.

На ночь можно перекусывать, но это должна быть нежирная малокалорийная еда. Предлагаю 10 «отвлекалок» от еды калорийностью менее 250 ккал: кусочек курицы (60 ккал), тарелка овощного супа (155 ккал), бутерброд с сыром (170 ккал), стакан обезжиренного йогурта (160 ккал), вареное куриное яйцо (60 ккал), 35 г жареной говядины с помидором или огурцом (190 ккал), тарелка овсяной каши (200 ккал), 10 нежирных печенин (175 ккал), 2 средние печеные картофелины (190 ккал), 100 г зеленого горошка (76 ккал).

Правильные пропорции питательных веществ — залог быстрого насыщения: 3/4 тарелки должны занимать овощи, зерновые, бобовые и фрукты, а 1/4 — нежирные белковые продукты.

Не ешьте с общего блюда — трудно определить, сколько Вы съели.

Интересная информация: белки бобовых по своему аминокислотному составу менее полноценны, чем животные белки, зато оказывают липотропное (предотвращающее ожирение печени) действие.

Как обмануть аппетит при помощи физических нагрузок?

Никогда не отказывайтесь от физических упражнений только потому, что у Вас нет времени выполнить комплекс целиком. Лучше хоть какая-нибудь нагрузка, чем никакой.

Правильно составьте расписание. Если предстоит тяжелый рабочий день, начните его с тренировки. А если Вы хотите уменьшить аппетит перед ужином, то занимайтесь в 17—18 часов. Стресс и усталость снимет вечерняя тренировка, около 20 часов.

Перенос основной нагрузки на большие мышцы нижней части тела (бедра, ягодицы) помогает сжечь максимум калорий. Полезны ходьба, бег, езда на велосипеде.

А как «усыпить» аппетит без тренировок?

Рутинная работа по дому — это аэробика, ведь при банальном мытье полов сжигается 250—400 ккал в час, глажении белья — 250, машинной стирке — 160.

Проходите пешком несколько остановок до работы, магазина. Совет всем известный, но почему-то ему мало кто следует.

Лифт в Вашей жизни должен стать понятием абстрактным. Везде, где можно, поднимайтесь и спускайтесь по лестницам.

Добавьте романтики. Заведите привычку любоваться панорамой города, закатом или восходом солнца с высоких точек (холмов, башен, последнего этажа). Пусть любимый считает это Вашим капризом. С одной стороны — свежая струя в отношениях, с другой — фитнес.

Как действительно избавиться от желания съесть лишний кусок?

Вдохновляйтесь чужими успехами. Смогли другие — сможете и Вы! Истории победы над собственным весом в журналах, чужая стройная талия — лучшая мотивация и источник вдохновения для Вас.

Если Вы — одна из тех счастливиц, которым удается спать по 10—12 часов в сутки, то у Вас гораздо больше шансов сохранить стройную фигуру! Глубокий сон способствует выработке гормона, сходного с гормоном роста, который ускоряет процесс обмена веществ.

Одевайтесь модно и со вкусом. Прекрасный внешний вид прибавит Вам уверенности, и потребность в «утешении» едой отпадет. Это и стимул, чтобы следить за своей фигурой. Смотритесь в зеркало: одежда — лучший индикатор успеха.

Чаще хвастайтесь (шутка!). На самом деле полезно рассказывать друзьям о своих усилиях — Вы получите моральную поддержку и уважение, а кроме того, волей-неволей придется воплощать сказанное в жизнь.

Предположите, какие неудачи и срывы возможны, и заранее продумайте, как с ними справиться.

Утешайте себя. Обращайтесь к себе исключительно в позитивном ключе: «Я сделала все, что могла, и даже больше того». И «переверните страницу». Жизнь полна неожиданностей, и никто не в состоянии предусмотреть все заранее. Никогда не корите себя за провал, а ошибки воспринимайте как полезные уроки. Тогда гастрономическое утешение не понадобится.

Нельзя недооценивать коварство калорий. Изящная запятая из майонеза на Вашем бутерброде каждый день — через год эти 10 ежедневных килокалорий превратятся в полкилограмма жира на талии.

Не надейтесь «отработать» в будущем на тренировке все гастрономические излишества. Запишите, сколько калорий Вы съели и сколько сожгли,— результаты будут неожиданными!

Не голодайте: менее 1000 ккал в день — опасно для здоровья.

Взвешивайтесь не чаще одного раза в день: содержание воды в организме меняется в течение дня на 0,5—1 кг, а мышцы весят больше, чем жир.

Избегайте алкоголя — он усиливает аппетит и ослабляет волю.

Какие ловушки подстерегают нас?

1. *Еда как времяпрепровождение.*

Когда маешься от безделья, очень легко начать есть, чтобы хоть чем-то занять себя. Во избежание этого усвойте несколько правил:

— старайтесь соблюдать свой привычный режим питания;

— планируйте все заранее. Если Вы собираетесь на длительную прогулку, захватите с собой обед.

2. *Еда вместе с детьми.*

Будьте осторожны. Так легко поддаться уговорам и отправиться в «Макдональдс» поесть гамбургеров, вместо того чтобы ограничиться легким салатом и фруктами. К тому же здоровое питание пойдет на пользу не только Вам, но и Вашему ребенку. То же самое относится и к сладостям: лучше купите какие-нибудь фрукты, чем леденцы или шоколадки, в которых ничего нет, кроме сахара. Главное — общение, а не еда. Игра в прятки в лесу запомнится Вашим детям больше, чем трапеза в кафетерии.

3. *Шведский стол.*

Обильный шведский стол может разрушить любые благие намерения.

Мысленно представляйте себе, что Вы станете есть. Если сначала съесть много салатов, то у Вас в желудке останется меньше места для остальных, более калорийных, кушаний. Главное — не количество, а качество. Без ограничений ешьте фрукты и свежие овощи.

4. *Праздники.*

Постарайтесь заранее выяснить, сколько праздников ожидает Вас в предстоящем месяце. Отметьте эти дни у себя в ежедневнике. Как часто мы бываем потрясены, обнаружив, что в течение одного месяца запланировано от четырех до десяти подобных мероприятий!

Перед тем как отправиться на очередное празднество, подготовьте небольшой план действий. Решите заранее, что и сколько Вы будете есть и пить.

Найдите себе союзников. Особенно это касается семейных праздников, потому что на них принято, чтобы столы ломились от яств, и сильны традиции «чистых тарелок». В этом случае очень важно уметь договариваться. Попробуйте заранее объяснить родственникам, какие цели Вы перед собой ставите, и попросите их помочь Вам. Это может быть просьба сварить для Вас овощи отдельно и не раскладывать всю еду сразу по тарелкам.

Если Вы идете в гости, где Вам неудобно отказаться от угощения, съешьте конфетку, но на основе не сахара, а сорбита. Кишечные бактерии превратят сорбит в кислоту, под действием которой вода из кишечной стенки будет переходить в просвет кишечника и, накапливаясь, стимулировать его движение (перистальтику), чем ускорите процесс переваривания пищи.

Когда же лучше начать?

Сейчас!

Глава 7. ВКУС ЗДОРОВЬЯ

7.1. Целительная сила пищи

Мы живем в мире высоких скоростей, где быстро меняются жизненные требования, и от того, как мы питаемся, зависит, как мы себя чувствуем и как выглядим. Проблема избытков и недостатков приводит к нарушению общего обмена веществ в организме, гормонального обмена, образованию холестерина на стенках кровеносных сосудов и, соответственно, набору веса, различным болезням и функциональным нарушениям.

Влияние питания на здоровье человека давно признано во всем мире. О чем идет речь? О целительной силе пищи. Специалисты в один голос твердят об оздоравливающем эффекте даров Природы — натуральных продуктов питания. К счастью, правильное питание — это не отказ от любимых блюд. А что дает хорошее питание? Молодость! Здоровье! Красоту!

Пища — наше топливо. Окисляясь и сгорая в организме, она обеспечивает нас энергией, восполняя суточные энергозатраты. Растительная и животная пища — это не только источник энергии и строительный материал, но и фактор, обеспечивающий определенный состав внутренней среды и несущий информацию из окружающей среды.

Диетологи часто говорят: «Если отец болезни не известен, то мать ее всегда — питание».

Теории питания базируются на незыблемых законах Природы, отменить которые невозможно. Все питательные вещества в нашем организме подвергаются различным превращениям в ходе процессов пищеварения и усвоения.

Был период, когда необходимыми для организма компонентами пищи считались только те, которые усваиваются организмом и, соответственно, могут быть использованы в энергетических или пластических целях. А это, как многим известно со школьной скамьи, — белки, жиры, углеводы, витамины. Остальные составные части пищевого рациона автоматически переводились в разряд ненужных, то есть балластных веществ.

Со временем, при изучении механизма пищеварения, была уточнена роль пищевых волокон и кишечной микрофлоры: стали более известны механизмы и особенности поступления пищи в организм, и пришла пора новой теории — теории адекватного, то есть соответствующего организму человека, питания.

О целительной силе пищи уже давно твердят специалисты. И хотя в современном мире на каждом шагу возникает соблазн утолить голод чем-нибудь вроде хот-дога, значение полноценного питания не вызывает сомнения. *В сущности еда — это эликсир молодости, а правильно подобранный рацион предотвращает и излечивает различные недуги.*

Всем известно, как возбуждают аппетит привлекательный вид и аромат пищи, красиво сервированный стол, разговор о любимых блюдах. Это и есть начало процесса пищеварения, когда по условно-рефлекторному сигналу из центральной нервной системы приводятся в готовность железы пищеварительного тракта.

Пища, поступающая в организм, состоит главным образом из больших, сложных молекул. Для того чтобы питательные вещества могли всосаться и затем использоваться организмом, эти молекулы должны быть расщеплены на более мелкие.

Процесс, во время которого происходит превращение сложных пищевых веществ в простые молекулы, называется пищеварением.

Всасывание осуществляется слизистой оболочкой желудка, тонкого и толстого кишечника. Этот процесс обеспечивает поступление переваренных органических веществ, солей, витаминов и воды в организм. В результате сложного физиологического процесса питательные вещества проходят через клетки стенок пищеварительного тракта в кровь и лимфу.

Когда еда оказывается во рту, Вы тут же оцениваете ее вкус, реагируете должным образом на ее температуру и состав. Одновременно с этим включается в работу жевательный аппарат. Пища измельчается, перетирается, перемешивается, смачивается слюной, содержащей ферменты. Они начинают расщеплять крахмал и сахарозу, находящиеся в измельченной еде. Эти процессы протекают активнее, если пища тщательно пережевывается.

Слюнные железы обеспечивают щелочную обработку углеводов, содержащихся в пище.

Затем пищевой комок из полости рта попадает в глотку, а оттуда довольно быстро — в пищевод и желудок.

Проглоченная пища задерживается в желудке *более трех часов*, в зависимости от объема, состава и консистенции.

Желудочные железы продуцируют пепсин, соляную кислоту, а поверхностный эпителий — слизь. Пепсин расщепляет белки только в присутствии соляной кислоты, поэтому нормальный желудочный сок должен иметь кислую реакцию. Кроме того, соляная кислота стимулирует секреторную функцию поджелудочной железы.

Далее пищевой комок подвергается обработке желчью в двенадцатиперстной кишке. Желчь вырабатывается печенью и довольно сложным путем попадает в кишечник.

Одна из главных функций желчи — омыление жиров, без чего невозможно их расщепление ферментом поджелудочной железы — липазой.

Сок поджелудочной железы содержит ферменты, которые продолжают расщеплять белки, крахмал, сахар.

Пищеварение — акт длительный, непрерывный. Оно продолжается во время продвижения пищевого комка вплоть до границы тонкого кишечника с толстым.

В тонком кишечнике происходит всасывание образовавшихся в результате пищеварения глюкозы, жирных кислот, глицерина и аминокислот. Через множество его ворсинок продукты расщепления белков и углеводов поступают в кровь, продукты расщепления жиров — в лимфу.

В толстом кишечнике идет расщепление части пищевых волокон, отдается в кровеносные сосуды вода и формируется кал. Это происходит при участии традиционной для толстого кишечника микрофлоры с образованием серосодержащего газа и выделением определенного количества ненужных организму продуктов обмена веществ. У здорового человека часть таких веществ всасывается в кровь, поступает в печень и там обезвреживается.

Акт дефекации регулируется нервной системой и происходит рефлекторно. У здорового человека один, реже — два раза в сутки.

Наш образ жизни — это в большинстве случаев подвластная нам сфера, и, значит, быть нам здоровыми или болеть — зависит от нас самих. Наш образ жизни составляют условия проживания, труда и отдыха, питание и привычки. Однако в последнее время многие устоявшиеся догмы рушатся, поскольку все больше людей стали обращать пристальное внимание на связь между здоровьем и питанием. Например, большинство из них пришло к таким революционным выводам:

1) употребление натуральных жиров не полнит. Вес прибавляет неконтролируемое употребление углеводов;

2) маргарин — вредный жир, а не спаситель человечества от холестерина;

3) холестерин, находящийся в продуктах, безвреден;

4) употребление в пищу преимущественно зерновых скорее полезно для откорма скота, чем для питания людей;

5) что полезно одному, другому может быть вредно.

Так каким же должно быть здоровое питание?

Системный подход к здоровому питанию предполагает следующие пути решения проблемы дефицита питательных веществ:

1) создание оптимального соотношения основных компонентов питания для обеспечения нормального обмена веществ;

2) индивидуальный подбор рациона в соответствии с Вашим генетическим типом, определяемым группой крови;

3) дополнение рациона витаминами и минеральными веществами с учетом индивидуальных особенностей организма.

Мы не можем быть здоровыми без рационального питания. Состав и калорийность пищевых продуктов давно хорошо изучены, известны важнейшие положения физиологии человека, что позволяет точно ориентироваться в вопросах оптимизации питания.

Теория рационального, сбалансированного питания включает три направления: *первое* — соответствие количества усвоенных питательных веществ по их калорийности энергетическим затратам организма; *второе* — качественный состав и правильное соотношение различных питательных веществ, необходимых для нормальной жизнедеятельности организма; *третье* — рациональный режим питания.

Диета — это определенная программа питания, образ жизни, и она не должна быть временным явлением (слово «диета» в переводе с греческого обозначает «образ жизни»).

Исходя из стоящих перед нами задач, надо строить свой дневной рацион с учетом калорийности пищи, содержания в ней питательных веществ, необходимых в конкретных условиях, а также режима питания.

Какие знания нам необходимы, чтобы правильно подойти к этому вопросу?

Итак, мы знаем, что калорийность нашего рациона должна соответствовать энергозатратам организма. Значит, нам необходимы знания о калорийности продуктов, которые мы едим, а также о затратах нашего организма в различных жизненных ситуациях.

В некоторых случаях калорийность пищи подсчитать легко: посмотрите на этикетки продуктов и сложите числа. Если же товар не маркирован, исходите из общих соображений: свежие овощи и фрукты, а также крупы и бобовые менее калорийны, чем консервы и полуфабрикаты. Все, что продается вареным, печеным, жареным, в соусе, в масле, в желе или с сахаром, обычно гораздо калорийнее сырых продуктов.

Чтобы рассчитать суточную потребность в энергии, надо знать, сколько ее тратишь. Тут точных цифр нет, и приходится приблизительно оценивать свой уровень физической активности. Все зависит от образа жизни.

Человек «сидячий» не занимается физическим трудом, предпочитает ездить, а не ходить пешком, много смотрит телевизор или читает, не любит гулять и плохо переносит все, что напоминает физкультуру.

Умеренная активность включает регулярные прогулки, работу в саду и по дому, спортивные занятия в среднем более одного раза в неделю.

Активный образ жизни подразумевает интенсивные тренировки по 20—30 минут не менее трех раз в неделю и постоянное стремление потратить как можно больше энергии. Например, вместо того чтобы воспользоваться транспортом, пойти пешком, подняться на верхний этаж по лестнице, а не на лифте и т. п.

Так сколько же калорий обычно Вы сжигаете за день? Можно подсчитать суточную потребность в энергии (ккал): умножьте свой желаемый вес (кг) на приведенные ниже числа.

Малоактивный образ жизни: женщины — 26, мужчины — 31.

Умеренно активный образ жизни: женщины — 33, мужчины — 38.

Активный образ жизни: женщины — 40, мужчины — 44.

Если Вы ведете умеренно активный образ жизни и желаете иметь вес 65 кг, то Ваша суточная потребность в энергии составляет 2145 ккал.

А теперь перейдем ко второй составляющей диеты — оптимальному содержанию питательных веществ в нашем рационе. Для нас также очень ценен фактор биологической активности продуктов. Биологически активные вещества являются в биосинтезе непосредственными предшественниками химических регуляторов физиологических процессов — ферментов, гормонов, медиаторов нервных импульсов. Существуют такие понятия, как общая пищевая ценность продукта и биологическая. Эти понятия дают возможность выявить все преимущества и недостатки продукта.

Продукты — носители «пустых калорий» — это сахар, кондитерские изделия. Они обладают значительной калорийностью, но совершенно не имеют ценных компонентов. Водочные изделия — носители не только «пустых», но и токсических калорий.

Биологическая ценность *белка* зависит от его аминокислотного состава и других структурных особенностей. Одним из конечных продуктов обмена белков в организме человека при употреблении мяса является мочевая кислота. Нарушение белкового обмена приводит к увеличению мочевой кислоты в крови, отложению мочекислых солей, подагре, мочекислому диатезу. Вот почему возникновение этих заболеваний связывают с чрезмерным употреблением мясных продуктов.

Избыток белков ведет к перенапряжению нервной системы.

Недостаток белков отражается на обмене жиров, углеводов, витаминов, минеральных веществ, что в значительной степени связано с изменением активности ферментов.

Негативно отражается на деятельности организма недостаток ненасыщенных жирных кислот — нарушается холестериновый обмен и усвоение витаминов А и Е (это становится причиной сухости и шелушения кожи, увеличения проницаемости капилляров).

Избыток же жиров способствует развитию ожирения, желчно-каменной болезни. При избытке или недостатке углеводов также возникают нарушения обмена веществ, которые приводят к различным заболеваниям.

Взрослому человеку необходимо получать в день около 90 г белков. Спорным остается вопрос соотношения в рационе белков животного и растительного происхождения. Придется Вам самим решать эту задачу, исходя из состояния Вашего организма.

В зависимости от содержания незаменимых аминокислот белки делят на полноценные (белки всех молочных продуктов и продуктов животного происхождения) и неполноценные (белки растений). Сравнительная биологическая ценность может характеризоваться такими условными цифрами: белки молока — 100 единиц, белки мяса и рыбы — 90, картофеля — 80, овса, ржаного хлеба — 75, гороха — 55, пшеницы — 50.

Многочисленные исследования показали, что при исключении из пищи *жиров* не только сокращается продолжительность жизни человека, но и замедляется его рост, а также синтез белка, снижается сопротивляемость организма неблагоприятным воздействиям окружающей среды и заболеваниям.

Жиры также необходимы для нормального усвоения кальция. Общее количество жиров, по различным рекомендациям, должно составлять 0,6—1 г на 1 кг массы тела в сутки.

Рациональное соотношение жиров животного и растительного происхождения — 2:1. Однако это соотношение может колебаться в зависимости от ряда факторов, одним из которых является функциональное состояние центральной нервной системы.

Исследования показали, что одним из важнейших факторов, определяющих ценность жиров, следует считать способность входящих в их состав жирных кислот обеспечивать синтез структурных компонентов клеточных мембран. С этой точки зрения особенно полезно употребление *оливкового масла*.

Главная функция, которую выполняют *углеводы*, — снабжение организма энергией преимущественно для мышечной работы. Чем интенсивнее физическая нагрузка, тем больше требуется углеводов. При малоподвижном образе жизни потребность в углеводах уменьшается. Однако полное исключение углеводов недопустимо, поскольку они необходимы нашему организму как составная структурная часть клеток, а также для нормальной работы мышц, сердца и печени.

Суточная потребность в углеводах составляет 400—500 г, они обеспечивают 55% общей калорийности пищи.

Основным источником углеводов в питании является растительная пища. На протяжении жизни человек употребляет около 14 т углеводов, в том числе более 2,5 т простых углеводов (глюкоза, фруктоза, сахароза).

Минеральные вещества, витамины, микроэлементы оказывают влияние на протекание жизненно важных процессов в нашем организме. Их недостаток приводит к значительному ухудшению здоровья. Из минеральных веществ и витаминов в нашем питании должны присутствовать: кальций, фосфор, магний, железо, витамины С, B_1, B_2, B_6, РР, А, D, B_9, B_{12}.

Кальцием богаты молочные продукты, фосфором — рыба, птица, мясо, сыр, молоко, гречневая и овсяная крупы, хлеб. Железа много в мясе. Витамина С больше всего в свежих овощах и фруктах. Витамины группы В содержатся в гречневой и овсяной крупах, горохе, мясе. Витамин B_2 — в молочных продуктах, гречневой и овсяной крупах, в мясе и рыбе. Витамин РР — в хлебе, гречневой крупе, мясе и рыбе.

Следует учитывать, что большинству из нас приходится приобретать продукты в магазинах, где они находятся в замороженном, расфасованном или еще в каком-нибудь обработанном виде. Поэтому множества витаминов и прочих полезных веществ там может уже и не оказаться.

Третья составляющая диеты — *режим питания* — определяется Вашим общим жизненным режимом. Но его необходимо корректировать в связи с требованиями, учитывающими суточный ритм работы желудочно-кишечного тракта.

Было установлено, что наибольшее количество желудочного сока и ферментов образуется в 18—19 часов. Для организма очень важно поддержание правильного режима питания. Причем меньшее напряжение в организме вызывает вечерняя пищевая нагрузка, то есть она более физиологична.

Йоги говорят, что от полуночи до полудня человеческий организм не воспринимает пищи, а только отдает то, что накопил за день. Настоящий голод не создается ночным отдыхом, и, следовательно, утром организм не заслужил себе еды — считают ученые-натуропаты. Пищеварительные органы человека ночью полностью не отдыхают, а продолжают свою работу, чтобы к утру снабдить организм необходимой энергией. При нормальных условиях полное усвоение пищи происходит за 10—16 часов.

Таким образом, плотный завтрак не может дать энергию, необходимую для дневного труда. Наоборот, органы пищеварения только отнимут ее.

Итак, единогласное мнение специалистов-натуропатов: утренний прием пищи — самый легкий. Дневное питание должно быть умеренным, а вот на вечер (конечно, за полтора-два часа до сна) следует оставлять самую тяжелую, то есть белковую пищу. Белковые продукты требуют большего времени для переваривания и усвоения.

Все сказанное не означает, что абсолютно все должны быть приверженцами вечернего типа нагрузки. Мы все очень разные. В реальной жизни дело обстоит не так просто. Если полный человек будет питаться по вечернему типу со своей привычкой большого количества пищи и любовью к мучной и жирной еде, у него будет расти масса тела. Ведь вечером почти нет расхода энергии, и съеденная пища будет откладываться в виде жира. К выбору режима питания следует подходить строго индивидуально.

Пища для настроения

Пища оказывает влияние на психику. Она изменяет физическое состояние и является психически активно воздействующим веществом!

Нервные клетки в теле общаются друг с другом, используя определенное вещество, так называемый медиатор. Это помогает нервам передавать сообщения, которые достигают нашего сознания в виде мыслей и чувств.

Медиаторы состоят из тех веществ, которые мы получаем вместе с пищей, и являются как бы посредниками между телом и разумом. Существуют самые разные медиаторы. Например, серотонин — важный тормозящий медиатор, снижающий нервную активность и вызывающий сон. Триптофан — аминокислота, используемая мозгом для производства серотонина, которая в большом количестве содержится в молоке и бананах. Поэтому часто стакан теплого молока, выпитый на ночь, действует успокаивающе.

Хлеб, картофель, продукты с большим содержанием углеводов повышают содержание серотонина. А пища, богатая белками, снижает количество серотонина, запрещая мозгу использовать триптофан, что воздействует возбуждающе на мозг человека. Мозг же, меняя содержание серотонина, устанавливает баланс и этим регулирует количество белков и углеводов, которые мы расходуем.

Углеводная пища может вызвать у нас ощущение расслабления и умиротворения, что часто бывает после обеда. Однако чрезмерное употребление углеводов может также, из-за изменения содержания серотонина, вызвать ощущение усталости и дискомфорта. Если Вы чувствуете раздражение или напряжение, то углеводная пища может оказаться полезной. Это что-то вроде самолечения.

К сожалению, увлечение такой пищей может привести к неприятным побочным эффектам, — я говорю о размерах Вашей талии и весе.

Пища может очень быстро изменить устойчивость Вашего внимания или память, а также самочувствие и отношение к жизни. Прием пищи изменяет внутреннее биохимическое состояние организма, меняя количество различных медиаторов. Эти вещества производят сильное действие, хотя наш организм вырабатывает их в небольших количествах.

Существует много продуктов, которые мы интуитивно используем для быстрого улучшения своего состояния: от шоколада, кофе, чая или алкоголя до сала или капусты. Оказывается, что и монотонные движения, сопровождающие процесс пережевывания пищи, сами по себе действуют как хороший транквилизатор! Часто прием пищи становится своеобразным приятным ритуалом после тяжелого дня. И мы «заедаем» стрессы, порой не замечая этого.

У нас бывают хорошие времена и плохие: хорошее время, которое вызывает приятные эмоции (любимы, полны надежд, самодостаточны, значимы и защищены материально), и плохое время, которое вызывает неприятные воспоминания (одиноки, непривлекательны, не оценены, нет работы). И вот в попытках заполнить пустоту мы начинаем неумеренно есть. Но пустота эмоционального состояния, когда хочется быть предметом заботы и быть востребованной, не заполняется так легко.

Какие же продукты наиболее полезны?

Наиболее полезны темно-зеленые и желто-красные овощи, оранжево-желтые фрукты и темно-красные ягоды.

Более половины дневной нормы фруктов и ягод и треть нормы овощей рекомендуется съедать в сыром виде. Многие витамины и биологически активные вещества разрушаются при кулинарной и термической обработке.

Ежедневная норма здорового питания — 400—500 г овощей и фруктов.

Следует помнить, что калорийность фруктов в среднем выше, чем овощей, и составляет 40—50 ккал на 100 г.

Значение продуктов этой группы трудно переоценить. Они служат источником незаменимых пищевых веществ, которые не синтезируются в организме и должны поступать с пищей. Это витамины и минералы, пищевые волокна, органические кислоты и другие биологически активные вещества (индолы, полифенолы, эфирные масла, фитонциды, хлорофилл). Как правило, продукты этой группы малокалорийны.

Они способствуют:

— улучшению работы желудочно-кишечного тракта;
— выведению из организма жиров, токсичных веществ, канцерогенов, аллергенов;
— снижению риска возникновения некоторых видов злокачественных опухолей;
— снижению уровня холестерина в крови;
— поддержанию сердца и сосудов в здоровом состоянии;

— активизации работы иммунной системы;
— нормализации обмена веществ;
— повышению защитных сил организма.

Специалисты утверждают, что прием 600 г овощей, ягод и фруктов в день снижает риск возникновения сердечно-сосудистых заболеваний на 30%.

Чтобы сохранить свежесть молодости, старайтесь как можно чаще употреблять:

— что-нибудь оранжевое. Бета-каротин в фруктах и овощах способствует уменьшению фактора риска сердечно-сосудистых заболеваний, даже среди курящих (однако, финские ученые утверждают, что бета-каротин под воздействием табачного дыма способствует образованию рака легких);

— томаты. Обследовав 100 женщин в возрасте от 77 до 98 лет, ученые обнаружили, что те из них, в крови которых был обнаружен высокий уровень ликопена (сложное химическое соединение, содержащееся в естественном виде в томатах и продуктах из них), не нуждались в посторонней помощи и легко справлялись с такими видами активности, как прогулки и плавание. Накоплено достаточное количество научных данных, свидетельствующих о том, что люди, ежедневно употребляющие в пищу томаты, в меньшей степени подвержены раку толстой кишки;

— фрукты с повышенным содержанием витамина С. Витамин С остро необходим людям, больным диабетом, гипертонией, имеющим нарушения сна. Этими выводами мы обязаны итальянским ученым, выявившим, что 1000 мг витамина С ежедневно снижает уровень «плохого» холестерина, триглицеридов и быстрого инсулина;

— клубнику или землянику. В них содержится самое большое количество витаминов С и Е, каротиноидов и других важных химических соединений;

— изюм. Когда в ежедневный рацион включен изюм, время вывода шлаков из организма в среднем сокращается вдвое.

Мука и хлебобулочные изделия, крупы и блюда из них необходимы организму.

Ежедневная норма здорового питания:

— 2—3 куска черного или белого хлеба;

— 250—300 г каши (гречневой, пшеничной, пшенной, рисовой, перловой или овсяной);

— 250 г супа из круп или макаронных изделий.

Употребление продуктов и блюд, в рецептуре которых много жира и сахара, может привести к увеличению массы тела и ожирению. Отдавайте предпочтение нежирным и несладким продуктам из зерновых и блюдам из круп, которые содержат больше белка, пищевых волокон, минеральных веществ и витаминов.

Основное назначение продуктов этой группы — обеспечивать организм необходимым количеством углеводов и энергии. Углеводы выполняют в организме в основном энергетическую функцию и служат источником легко усвояемых калорий. Они входят в состав гормонов, ферментов, секретов слизистых желез. Кроме углеводов, зерновые продукты поставляют белок, минеральные вещества (магний, фосфор, железо, цинк, селен), пищевые волокна, фитиновые соединения, витамины PP и группы B. Особенно богаты этими пищевыми веществами хлеб и крупы из цельного зерна или из муки грубого помола.

Данные продукты способствуют:

— улучшению деятельности желудочно-кишечного тракта;

— нормализации уровня холестерина в крови;

— снижению риска возникновения сердечно-сосудистых заболеваний;

— повышению защитных сил организма;

— снижению риска возникновения некоторых видов злокачественных опухолей.

Молоко, жидкие кисломолочные продукты (кефир, простокваша, ряженка, ацидофилин, йогурт), сыры, брынза, творог принесут неоценимую пользу организму.

Стакан молока или жидких кисломолочных продуктов удовлетворяет потребность в кальции на 25%, витамине B_2 — на 20%.

Ежедневная норма здорового питания:

— 2—3 стакана молока, кефира, простокваши, ацидофилина, йогурта;

— 100 г нежирного или полужирного творога, брынзы;

— 50—60 г сыра;

— 1/2 стакана сливок или сметаны.

Молочные продукты содержат жир. Отдавайте предпочтение нежирным сортам молока и молочных продуктов.

Молочные продукты — важнейший источник полноценного белка, кальция, фосфора, калия, витаминов A, D, B$_2$, а также животного (молочного) жира. Кальций в молочных продуктах находится в благоприятных соотношениях с фосфором и магнием, что улучшает усвоение и повышает содержание этих минеральных веществ в костях. Кисломолочные продукты богаты полезными микроорганизмами.

Молочные продукты способствуют:

— укреплению костей и зубов;

— красоте и здоровью кожи, ногтей и волос;

— регулированию деятельности кишечника (особенно кисломолочные продукты);

— усвоению других пищевых продуктов;

— обеспечению роста организма и нормализации обмена веществ.

При недостаточном потреблении молочных продуктов организм испытывает дефицит кальция, который может провоцировать остеопороз, приводящий к переломам костей.

Мясо, рыба, морепродукты, птица, яйца, фасоль, бобы, соя, горох, орехи, семечки способствуют повышению иммунитета.

Старайтесь есть нежирное мясо: в нем меньше холестерина и калорий. Кроме того, в нежирных мясных продуктах содержится больше железа и витаминов.

Ежедневная норма здорового питания:

— 200—250 г говядины или баранины;

— 150—200 г свинины;

— 200—250 г птицы;

— 2 куриных яйца (но не более 5 штук в неделю);

— 200—300 г рыбы;

— 0,5—1 стакан отварного гороха или фасоли;

— 1/3 стакана орехов.

Мясо, рыбу и птицу лучше готовить на гриле или тушить с овощами.

Продукты этой группы богаты полноценным белком, витаминами и микроэлементами. Белки являются источником аминокислот, из них строятся клетки организма, ферменты, гормоны.

С белками связана двигательная активность, защита организма от неблагоприятных факторов внешней среды, работа нервной системы, регуляция обмена веществ.

Мясные и рыбные продукты способствуют:
— снижению риска развития малокровия (особенно красное мясо);
— повышению защитных сил организма;
— большей энергичности и физической активности человека;
— предохранению от йододефицита (рыба).
К тому же жирные сорта рыб способствуют:
— нормализации обмена веществ;
— улучшению работы сердца и сосудов;
— улучшению состояния кожи.
Продукты из бобовых способствуют:
— уменьшению риска возникновения сердечно-сосудистых заболеваний;
— снижению риска возникновения опухолей молочной железы;
— облегчению климактерических состояний;
— регуляции содержания холестерина в крови;
— улучшению деятельности головного мозга.

Жиры, масло, сахар и кондитерские изделия, алкогольные напитки

Продукты этой группы насыщены жиром, холестерином, сахарозой и «пустыми» калориями. В то же время здоровому человеку не следует полностью отказываться от них. Просто относитесь к их употреблению с осторожностью.

Растительное масло богато полезными для здоровья ненасыщенными жирными кислотами (особенно полиненасыщенными), фосфатидами (лецитином), витамином Е.

Растительное масло способствует:
— нормализации деятельности сердечно-сосудистой системы;
— улучшению жирового обмена и состояния кожи.

Сливочное масло содержит витамин А и бета-каротин, легко усваивается. Но из-за высокого содержания насыщенных жирных кислот и холестерина его употребление должно быть ограничено.

Сливочное масло способствует:
— улучшению зрения;
— повышению сопротивляемости организма.

Сахар не содержит никаких пищевых веществ, кроме сахарозы.

Соль — продукт, которого следует опасаться. Ее избыток нарушает водно-солевой обмен, вызывает отеки, повышает артериальное давление, усугубляет воспалительные процессы и аллергические проявления, выводит из организма кальций. Но и полностью лишать организм соли нельзя — начинает прогрессировать мышечная слабость, теряются вкусовые ощущения.

Максимально допустимые количества (при отсутствии дополнительных противопоказаний):

— жиры: 1—2 ст. ложки растительного масла в день, 5—10 г сливочного масла. Помните, что резкое ограничение жиров в питании снижает выносливость организма и продолжительность жизни человека. Для сбалансированного питания необходимо употреблять в рекомендуемых количествах и животные жиры, и растительные масла;

— сахар и сладости: 5—6 чайных ложек сахара, или 3—4 чайные ложки варенья или меда, или 2—3 вафли, или 50 г торта, или 3 шоколадные конфеты, или 5 карамелек;

— соль: 6—8 г (1 чайная ложка «с горкой») в составе блюд, солений, маринадов. Используйте йодированную соль. Добавляйте ее в блюдо на конечном этапе приготовления.

Вредные и безвредные пищевые добавки

Пищевые добавки, придающие продуктам вкус, аромат, однородную консистенцию и увеличивающие срок хранения, обозначаются буквой Е и соответствующим номером (по принятым международным стандартам). Они могут быть и безвредными, и опасными.

Безвредные:

Е100 — куркумин (краситель). Может содержаться в порошке карри, соусах, готовых блюдах, варенье, консервированных овощах и фруктах, рыбных консервах;

Е363 — янтарная кислота (подкислитель). Содержится в десертах, супах, бульонах, сухих напитках;

Е504 — карбонат магния (разрыхлитель теста). Может содержаться в хлебобулочных изделиях, сыре, пищевой соли.

Е957 — тауматин (подсластитель). Может содержаться в мороженом, сладких напитках, жевательной резинке без сахара.

Аллергенные:

E151 — краситель. Может содержаться в темных соусах и кондитерских изделиях;

E414 — гуммиарабик (стабилизатор). Содержится в пиве, мороженом, готовой сухой смеси для домашней выпечки;

E102 — тартразин (краситель). Содержится в фруктовых консервах, готовой сухой смеси для домашней выпечки, мороженом, травяных ликерах, салатных соусах, ароматизированных напитках.

Канцерогенные:

E251 и E252 — нитрат натрия и нитрат калия (консерванты). Содержатся в копченой рыбе, твердых сырах, консервированной сельди и шпротах;

E343 — фосфат магния (подкислитель). Содержится в стерилизованном молоке и сливках, в сухом молоке, плавленом сыре, зерновых хлопьях для завтраков, жевательной резинке.

7.2. Раздельное питание

Наш организм не любит, когда с ним плохо обращаются. Часто, когда мы утоляем голод, мы не задумываемся, что и как едим. Практически всегда мы стремимся повкуснее поесть, а после сытной разнообразной еды можем с удовольствием съесть еще пирожное или мороженое, запивая сладкими напитками.

Теория раздельного питания имеет свою историю, сторонников и оппонентов, но, благодаря превосходным практическим результатам, ее популярность растет.

Метод *раздельного питания* разработал американец Герберт Шелтон, можно сказать, специально для того, чтобы каждый желающий мог не только питаться рационально, но и нормализовать свой вес, не ограничивая себя в еде.

Согласно теории раздельного питания, для оптимального усвоения продукты, богатые белками (это те продукты, в которых белков более 10%), и продукты, богатые углеводами (более 20%), надо употреблять не одновременно, а с интервалом 4—5 часов. Это очень важно для обеспечения нормальной работы органов пищеварения и усвоения полезных веществ.

Основной принцип раздельного питания — продукты разных групп нельзя есть одновременно. Исключение составляют крахмалы и жиры — их можно сочетать. А значит, жареная картошка вполне допустима (другое дело, понравится ли это Вашей печени), а вот классическое общепитовское блюдо — картофельное пюре с котлетой — ни-ни.

Про бутерброды с колбасой тоже забудьте: хлеб (крахмал) не сочетается с белковыми продуктами. Исключение — по Шелтону — только бутерброд с сыром. Есть еще продукты, ни с чем не совместимые. Например, дыня. Ее следует есть лишь через два часа после очередного приема пищи.

Молоко — тоже очень коварный продукт: в нем одновременно содержатся и белки, и углеводы. Поэтому запивать им что-либо не следует.

Метод раздельного питания трудно назвать диетой, потому что разрешается есть абсолютно все: мясо, рыбу, яйца, сыр и другие молочные продукты, животные жиры и растительные масла, хлеб, макароны, крупы. Надо только знать, как правильно их сочетать, чтобы не создавать своему организму дополнительных хлопот по перевариванию и усвоению питательных веществ.

При составлении рациона необходимо учитывать совместимость отдельных продуктов при пищеварении. Соблюдение этих условий позволит уменьшить затраты энергии на пищеварение, поддерживать кислотно-щелочное равновесие и создаст оптимальные условия для нормального функционирования органов пищеварения, а также будет препятствовать отложению жира впрок. Зачем делать запасы, если и так все хорошо?

Для переваривания белков и углеводов организму требуются различные условия и разное время. Для расщепления белков нужна кислая среда желудка, а для расщепления углеводов — щелочная среда кишечника. Обработка углеводов требует меньшего количества времени, чем расщепление белков.

Таким образом, если мы одновременно едим пищу, содержащую много белков и углеводов, то какие-то из этих веществ будут усвоены хуже. Непереваренные остатки пищи, скапливаясь в толстой кишке, при определенных условиях могут стать причиной некоторых заболеваний, в том числе и запоров.

К продуктам, богатым белками, относятся: мясо, рыба, субпродукты, яйца, нежирные молочные продукты, бобовые, орехи.

К продуктам, богатым углеводами, относятся: хлеб, мука, крупы, макаронные изделия, картофель, морковь, сахар.

Жиры — это животные жиры, сливочное масло, сметана, сливки, жирный творог, жирные сорта сыра (жирностью более 45%), растительные масла.

Существует также группа «нейтральных» продуктов: зелень, свежие овощи и фрукты.

«Нейтральные» продукты имеют преимущества перед другими, так как они совместимы и с продуктами, богатыми белками, и с продуктами, богатыми углеводами.

Очень важно в теории раздельного питания, чтобы свежие овощи и фрукты составляли более половины продуктов дневного рациона.

Обязательные условия раздельного питания:

— нельзя есть в один прием несочетаемые продукты;

— нельзя пить во время еды и сразу после еды. Питье (*вода, чай, кофе, компот, сок*) — не менее, чем за 15 минут до еды и не ранее, чем через два часа после еды, после белковой пищи — через четыре часа;

— промежуток между приемами пищи — не менее четырех часов;

— сладкое (*шоколад, сахар, мед*) можно есть, но только на голодный желудок (*то есть через четыре часа после еды*), запить можно сразу;

— исключить из повседневного употребления следующие продукты: молоко, йогурты с фруктовыми наполнителями, колбасы, сосиски, копчености, субпродукты, белый хлеб, макаронные изделия, консервы всех видов (кроме рыбных консервов в собственном соку и домашних овощных заготовок без уксуса), супы всех видов, бульоны, майонезы, маргарины, варенье, мороженое, пирожные;

— исключить консервированные сладкие напитки (ситро, колу и пр.);

— фрукты — отдельная еда, их можно есть за 3 [нут до основного приема пищи и через 15 минут [питья;

— чем реже приемы пищи, тем лучше.

Перейти на раздельное питание не трудно.

С чего начинать? Возьмите лист бумаги, разделите его вертикальной линией на две части. В левой части листа запишите наименования всех продуктов и блюд, которые Вы едите постоянно.

В правой части напротив каждого продукта или блюда следует написать: «годится», «не годится», или подумайте, чем можно заменить это блюдо. Например: любимую колбасу можно заменить отварным мясом или ветчиной, но без хлеба, а вот от салата «Оливье» придется отказаться вовсе.

Помните: питье только за 15 минут до еды, фрукты — за 30 минут до еды, при этом учтите, что время после приема углеводной пищи должно составлять не менее 3—4 часов, а белковой — 4—5 часов.

Категорически исключается питье во время еды, а также подслащивание блюд.

Давно известно, что пищеварение меняет свою активность в течение суток, существуют так называемые физиологические и биологические часы. По биологическим законам самое благоприятное время приема пищи — с 12 до 21 часа, а вот с 22 до 4 часов организм наиболее активно занимается ассимиляцией, то есть перевариванием и усвоением пищи. На отдых и самоочистку остается время с 4 до 12 часов дня. Исходя из этого стройте свой режим.

Итак, Вы проснулись в 7 часов и после утреннего туалета можете выпить чашку кофе или чая. Через 15 минут, пока Вы собираетесь, например, после нанесения макияжа, можно съесть яблоко, банан или апельсин — больше ничего, или тост из черного хлеба с сыром, или яичницу с зеленым горошком и салатом из капусты и т. д.

На работе можно выпить чай или кофе; или съесть бутерброд (тост) с сыром или салом; или фрукты; или кусочек шоколада; или выпить стакан кефира; или съесть 100—150 г несладкого творога, можно со сметаной, и т. д.

А вот основной прием пищи желательно перенести на вечернее время. Целесообразно, придя домой, выпить сразу же стакан воды или чая, можно сладкого. Это отвлечет Вас от навязчивого желания срочно наесться.

Через 15 минут съешьте 1—2 яблока, можно и больше, нет яблок — апельсины, курагу или любые другие фрукты, но только одного вида. А затем уже спокойно приступайте к приготовлению ужина.

Вечером, если Вы поздно ложитесь спать, можно выпить стакан кефира или съесть яблоко или бутерброд — черный хлеб с сыром, но не ранее, чем через 4 часа после ужина.

Следите за разнообразием рациона и наличием в нем углеводов и белков в необходимых пропорциях и количествах.

Совсем не обязательно полностью лишать себя сладкого, потому что при его отсутствии снижается ассоциативная способность мозга, то есть острота ума.

Чередуйте приемы мясной и углеводной пищи. Если в 12 часов дня Вы ели отварное мясо, то на ужин можно съесть кашу или отварной (печеный) картофель. Подойдет и винегрет в сочетании с тостом (черный ржаной хлеб, подсушенный в тостере или духовке). Сопровождайте любую еду салатом из свежей капусты или просто сырыми овощами.

Основная еда будет включать две составляющие: свежие овощи и белковое или углеводное блюдо.

Первое блюдо — салат из свежих овощей.

Белокочанная капуста является обязательным компонентом для худеющих. К салату из капусты можно добавить в соответствии с сезоном столовую свеклу (сырую, вареную или печеную), корни сельдерея, петрушки, пастернака, огурцы, помидоры, сладкий перец, морковь, брюкву, листья салата, лук, зелень петрушки, сельдерея, укроп и кинзу. Количество компонентов в салате, кроме зелени, должно быть ограничено четырьмя-пятью.

Второе блюдо — углеводное или белковое.

Вариант 1 — углеводное блюдо. Углеводное блюдо включает, например, кашу рассыпчатую (гречневую, пшенную, овсяную, рисовую) со сливочным, растительным маслом или сметаной, плов вегетарианский, голубцы с овощами и рисом (без мяса), капусту тушеную, овощное рагу, тосты (подсушенный черный хлеб) с салом или сливочным маслом, картофель — отварной, печеный или тушенный с овощами и т. д.

Вариант 2 — белковое блюдо. Белковое блюдо может включать различные блюда из мяса, рыбы, кисломолочных продуктов, яиц, бобовых, орехов (грецких, фундука), семечек подсолнечника и тыквы.

Если вечером очень хочется есть, можно выпить стакан кефира или что-нибудь съесть, можно даже кусочек курочки, тост из черного хлеба с сыром — этим и хороша наша система.

Следите за количеством выпиваемой жидкости. Организму взрослого человека в сутки требуется, включая все виды пищи, не более, но и не менее 2,5 литров жидкости.

Установите срок — три месяца. Этого достаточно, чтобы привыкнуть к новому. Разбейте его на этапы.

I этап — 1—3-я недели: освоение обязательного питьевого режима

Этот этап предусматривает освоение нового питьевого режима, то есть питье только перед приемом пищи и в перерывах, но не ранее, чем через 3—4 часа после еды. *Не запивать еду!*

Это самый сложный этап, прежде всего потому, что всегда трудно менять установившиеся за много лет жизненные привычки. Вы должны привыкнуть к соблюдению питьевого режима. Привыкать надо постепенно, например, не запивать еду сразу, а запить сначала через 10 минут после еды, в дальнейшем через 20, 30 и т. д.

Маленькая хитрость: чтобы не хотелось пить после еды, надо недосаливать ее, а в некоторых случаях вообще отказаться от соли. Это также поможет Вам значительно уменьшить потребление поваренной соли.

Отведите на этот этап 2—3 недели.

II этап — 2—5-я недели: освоение режима питания

За неделю Вы достигли, например, того, что после еды выдерживаете целых 20 минут и только потом пьете что-нибудь. Это — отлично! Помните: если что-то не получается, всегда можно начать сначала.

Приступайте к выполнению второго этапа.

Устанавливаем режим питания, наиболее близкий к существующему, например:

Завтрак — 7.00.

Обед — 12.00.

Ужин — 18.00.

Время приема пищи может колебаться в зависимости от возможностей, потребности и привычек, но основное условие должно выполняться неукоснительно — промежуток между любыми приемами пищи должен быть не менее 4—5 часов. Если Вы не выдержали и перекусили на работе часов в 17, то желательно подождать с ужином до 21 часа, единственным послаблением может быть вечерний чай в 19 часов.

III этап — 3—10-я недели: освоение рациона питания, отказ от вредных продуктов

Постепенно вводите в рацион только сочетаемые друг с другом продукты и исключайте вредные. Старайтесь приблизить свой суточный рацион к рекомендуемому.

Повторю еще раз, какие продукты и блюда не следует употреблять ни при каких условиях. Это молоко, йогурты с фруктовыми наполнителями, мороженое, колбасы, сосиски, копчености, белый хлеб, макаронные изделия, майонез, консервы всех видов (кроме рыбных консервов в собственном соку и домашних овощных заготовок без уксуса), супы всех видов, мясные бульоны, маргарины, пирожные, торты.

Есть несколько способов отказаться от вредных продуктов.

Первый — не покупать эти продукты и не иметь их в доме. Сами знаете, если у Вас в холодильнике лежит кусочек копченой колбасы, то рано или поздно Вы его съедите.

Второй способ — метод замены удовольствий. Прибегнем к уже испытанному способу: разделим лист бумаги вертикальной линией на две части. В левой части запишите любимые лакомства, которые Вам вредны. В правой части запишите против каждой строчки: «могу отказаться», «не могу».

С первыми все ясно, их просто надо исключить из своей жизни. Со вторыми можно поступить следующим образом — найти замену. Это может быть немного шоколада, ананас, апельсин, банан.

Хорошая замена? Отличная! Аналогичным образом можно поступить со всеми сладостями и «вредностями», к которым мы привыкли и не можем сразу от них отказаться. Булочку можно заменить пресными блинами со сметаной или бананом, бутерброд с колбасой — кусочком мяса с капустным листом, молоко — молочнокислыми несладкими продуктами.

Майонез в салате заменить сметаной, уксус на первых порах можно заменить натуральным лимонным соком, в дальнейшем же надо вообще отказаться от подкисливания и подсаливания блюд. Консервированные сладкие напитки заменяем свежеотжатым фруктовым соком, компотом из свежих фруктов или сухофруктов, чаем, водой. Кстати, газированную воду пить не следует.

Количество еды не ограничено. Единственное условие — не переедать. Что это значит, знает каждая женщина. Однако не обязательно вставать из-за стола голодной.

Чтобы легче было войти в новую систему питания, надо готовить простые блюда.

IV этап — 6—12-я недели: *полное следование системе*

Обратите внимание, с какой скоростью Вы едите. Успеваете ли Вы почувствовать насыщение раньше, чем съедите лишнее. Важна также и продолжительность приема пищи — оптимально это 20 минут.

Вам конечно же нужны союзники в Вашей семье или окружении. Хорошо бы привлечь на свою сторону членов семьи. Но если это не удалось, не надо отчаиваться. Радость от осознания того, что для себя родной Вы делаете так много полезного, может перекрыть все мелкие неурядицы и недоразумения. А результат, который не укроется от взоров окружающих, будет тому подтверждением.

Со временем Вы привыкнете к новому сочетанию продуктов и даже ощутите необычный тонкий вкус пищи. Эффект почувствуете через два-три месяца или даже раньше, если будете проводить еще и очистку организма, прежде всего — кишечника.

Последний этап можно «растянуть» на всю жизнь.

7.3. Еще раз о воде

Организм человека на 65—75% состоит из воды. В организме взрослого человека с массой тела 65 кг содержится в среднем 40 л воды, из них около 25 л находится внутри клеток, а 15 л — в составе внеклеточных жидкостей организма.

С возрастом количество воды в теле уменьшается. Одной из причин старения организма считается понижение способности коллоидных веществ, особенно белков, удерживать воду. Вода является основной средой, в которой протекают многочисленные химические реакции и физико-химические процессы (ассимиляция, диссимиляция, осмос, диффузия, транспортирование и др.), лежащие в основе жизни.

Организм строго регулирует содержание воды в каждом органе и каждой ткани. Постоянство внутренней среды организма, в том числе и определенное содержание воды, — одно из главных условий нормальной жизнедеятельности и нормального уровня метаболизма.

Вода, содержащаяся в организме, качественно отличается от обычной воды. *Во-первых*, это структурированная вода, то есть в тесном контакте с биологическими молекулами вода находится как бы в замерзшем состоянии (имеет структуру льда).

Эти «ледяные» структуры воды являются матрицей жизни. Без них невозможна сама жизнь. Только их наличие дает возможность протекания важнейших для жизни биофизических и биохимических реакций, например, проведение энергии от места ее нахождения до места потребления в организме.

Живые молекулы организма вложены в ледяную решетку, как в идеально подходящий для них футляр. Поэтому прочность удержания биомолекулами воды намного выше, когда вода, образующая с ними систему, имеет структуру льда.

Обыкновенная вода представляет собой хаотическое скопление молекул. На придание воде структуры льда организм тратит свою энергию.

Во-вторых, структурированная вода, особенно вода, содержащаяся в живых организмах, обладает дисимметрией. Любая дисимметрия — источник свободной энергии.

В-третьих, оказалось, что биологическая информация может транслироваться в водно-кристаллических структурах в виде «памяти» воды. Причем эта память настолько хорошо «записана», что ее можно стереть, прокипятив воду два или три раза. Вода, отвечающая вышеперечисленным требованиям, в изобилии находится в фруктах и овощах, ну и конечно, в свежеотжатых овощных и фруктовых соках. В овощах и плодах ее содержится 70—90%, нерастворимые вещества составляют 2—8%, растворимые — 7—16%.

Как же можно использовать свойства воды для достижения наших целей? Давайте попробуем разобраться, что же такого важного в воде, почему она имеет такое большое значение?

О воде очень подробно написано в книге Ф. Батманг-хелиджа «Вода для здоровья». Идеи автора поразили меня своей ясностью и убедительностью.

Автор утверждает, и я ему верю, что у воды две важнейшие функции — поддержание жизни и то, что она сама является источником жизни.

На протяжении жизни мы испытываем хроническое непреднамеренное обезвоживание организма, которое может заявлять о себе различными способами — болезнями. Именно обезвоживанием вызвано большинство проблем со здоровьем. Почему?

Устойчивое обезвоживание влечет за собой постоянное изменение химического состава тела. Когда новый, вызванный обезвоживанием химический состав стабилизируется, он вызывает множество структурных изменений, в том числе генетических.

В целом наш организм на 65—75% состоит из воды. А мозг — на 85% (он отличается исключительной чувствительностью к обезвоживанию).

Одной из особенностей процесса распределения воды является рационализм, с которым организм распоряжается своими функциями. Запасы воды нормируются и используются там, где нужнее. Мозг в данном случае пользуется абсолютным приоритетом.

Когда организм только начинает подвергаться обезвоживанию, до какого-то момента нарушения его функций не происходит, потому что в нем заложена резервная способность к выживанию. Но по мере того, как степень обезвоживания возрастает, организм приближается к порогу, за которым система регулирования уже не может выполнять определенные функции. В зависимости от степени потребности каждый орган начинает подавать свои собственные сигналы тревоги.

Попытки заглушить сигналы о нехватке воды с помощью лекарственных препаратов тут же сказываются на состоянии клеток организма, так как в организме не существует системы накопления воды, подобной системе накопления жира.

Чай, кофе, алкоголь и искусственные напитки содержат воду, но в большинстве из них содержатся еще и обезвоживающие вещества, например, кофеин. Они выводят из организма воду, а также какое-то количество воды из его запасов. То есть, когда Вы пьете чай, кофе или вино, Ваш организм освобождается от большего количества воды, чем содержится в напитке.

Известно, что белки и ферменты функционируют более эффективно в растворах пониженной вязкости. То есть в растворах повышенной вязкости, образующихся в результате потери воды внутри клеток, работоспособность внутриклеточной ферментативной системы уменьшается.

Но самым значительным и серьезным осложнением обезвоживания является потеря важных аминокислот, которые используются для производства нейро-трансмиттеров (веществ, обеспечивающих передачу нервных импульсов). В результате — теряется чувствительность тела, что затрагивает все виды сенсорных механизмов. Мы теряем остроту зрения, утрачиваем сексуальное влечение, способность слышать звуки определенной частоты. Мы становимся менее чувствительными и менее эмоциональными.

Главным преимуществом достаточного насыщения водой является активизация деятельности белков и ферментов. Достаточная насыщенность тела водой может оказаться наилучшей защитой от преждевременного старения.

В организме вода выполняет следующие функции.

1. Служит транспортным средством для циркулирующих в теле клеток крови, питательных веществ.

2. Является важнейшим растворителем веществ, в том числе кислорода.

3. Является связующим материалом, соединяющим твердые части клетки, формирует защитный барьер вокруг клетки.

4. Является важнейшим элементом систем охлаждения (пот) и обогрева (электризация) организма.

5. Предохраняет артерии сердца и мозга от закупорки, регулируя вязкость крови, разжижая ее в процессе циркуляции. При этом с помощью сокращений сердца не позволяет твердым веществам оседать на стенках кровеносных сосудов.

6. Приводит в действие ионные насосы, обеспечивающие перемещение микроэлементов. Системы нейропередачи в мозге и нервах зависят от быстроты прохожде-

ния натрия и калия через мембрану клетки в обоих направлениях по всей длине нервных отростков.

7. Производит энергию, стремясь в ходе осмотического процесса проникнуть в клетку, заставляя работать ионные насосы, проталкивающие в клетку натрий и выталкивающие из нее калий.

Получается, что ионные насосы генерируют электрическое напряжение и эффективность систем нейропередачи зависит от наличия достаточного количества воды в нервных тканях.

8. Служит главным регулятором энергии и осмотического баланса в организме. Натрий и калий приклеиваются к белкам насоса, и, когда вода вращает эти белки, микроэлементы действуют как динамо-машины. Благодаря быстрому движению этих катионных насосов, образуется энергия, которая накапливается в энергохранилищах, расположенных в разных частях тела. Часть энергии аккумулируется в молекулах АТФ. А часть располагается в плазматической сети, которая захватывает и связывает кальций. Связка каждых двух захваченных атомов кальция является хранилищем энергии, эквивалентной той, которая содержится в одной молекуле АТФ. Использование механизма захвата кальция как средства хранения энергии делает костную структуру организма не просто строительными лесами тела, но и хранилищем энергии. Поэтому в случае сильного обезвоживания и, следовательно, уменьшения подачи гидроэлектрической энергии организм обращается к костной структуре с требованием вернуть накопленную энергию. Все это приводит к мысли, что *главной причиной остеопороза является продолжительное обезвоживание*.

9. Электричество, вырабатываемое в районе клеточной мембраны, заставляет расположенные рядом белки выстроиться и подготовиться к проведению соответствующих химических реакций.

В процессе осмотического проникновения воды внутрь клеток, кроме создания электроэнергии, происходит обмен химическими элементами, такими, как натрий и калий.

Только вода, которая ничем не связана и перемещается свободно, способна вырабатывать гидроэлектрическую энергию. Вода, которая ранее поступила в организм, не может оставить свое занятие и устремиться в другое место. Поэтому для организма важно постоянное пополнение чистой водой. Потребность в воде нельзя удовлетворить с помощью какой-либо другой жидкости.

Еще одно достоинство воды состоит в том, что любое избыточное ее количество легко выводится из организма, то есть организм ее не удерживает. Если же потребление воды недостаточно, клетки отдают накопленную энергию.

В результате — они начинают больше зависеть от энергии, поступающей с пищей. В такой ситуации организм вынужден заниматься накоплением жира и использовать свои запасы белка и крахмала — эти соединения ему расщепить легче, чем жир. *Это одна из причин лишнего веса.*

Сигналы жажды могут выражаться по-разному:

— *чувство усталости без видимой причины*, так как вода — один из источников энергии;

— *прилив крови к лицу*. Когда тело обезвожено и мозг не может получить из кровеносной системы воду, достаточную для своих нужд, он отдает команду на пропорциональное расширение своих кровеносных сосудов;

— *чувство тревоги, подавленности и уныния*. Обезвоживание непрерывно истощает запасы некоторых аминокислот, которые необходимы для осуществления различных функций, их недостаток приводит к меньшей эффективности работы мозга. Это вызывает у нас чувство тревоги;

— *депрессия*. Это состояние свидетельствует о более серьезной фазе обезвоживания. Чтобы справиться с токсичными отходами обмена веществ, необходимо не только достаточное количество мочи, но и хороший ресурс таких аминокислот, как триптофан и тирозин, которыми печень вынуждена жертвовать для нейтрализации токсичных отходов. Триптофан необходим мозгу для производства серотонина, мелатонина и др. Когда их не хватает, нами овладевает депрессия. Тирозин — еще одна аминокислота, которую мозг использует для выработки адреналина, норадреналина. Их недостаточная активность повергает человека в бездействие и тоску;

— *вялость*. Это признак того, что требуется усилить кровообращение;

— *беспричинное нетерпение*. Для спокойной работы мозг должен затрачивать большое количество энергии.

Если у него нет резерва, он старается как можно быстрее закончить работу;

— *невнимательность*. Это еще одна попытка мозга уклониться от работы, требующей энергии.

Какие болезни могут угрожать при обезвоживании?

Ф. Батмангхелидж называет основные:

— *астма* — это не болезнь, а кризисное осложнение, вызванное нехваткой воды в организме;

— *высокое кровяное давление*. Кровеносные сосуды созданы с учетом постоянных колебаний объема крови и потребностей тканей. В сосудах есть крошечные отверстия, или просветы, которые открываются в соответствии с количеством крови внутри сосудов. В условиях недостаточного снабжения водой 66% дефицита приходится на воду, содержащуюся в клетках, 26% — на жидкость вокруг клеток, а 8% — на воду в системе кровообращения. Кровеносная система приспосабливается к потере, уменьшая свою емкость. Сначала закрываются периферические капилляры, а потом крупные сосуды сжимают стенки, чтобы оставаться наполненными. Такое сокращение приводит к росту давления в артериях. Если они не сожмутся, это приведет к высвобождению в крови газов и газовым пробкам.

Другой причиной является необходимость создать такое давление в артериальной системе, чтобы воду можно было впрыснуть в жизненно важные клетки, такие, как клетки мозга.

По мере обезвоживания требуется все большее давление. Механизм прост. Под воздействием стресса или в условиях нарастающего обезвоживания начинается выделение гистамина, который активизирует выработку вазопрессина (гормона, уменьшающего выделение мочи почками).

Вазопрессин (*vaso* — сосуд, *pression* — давление) вызывает также сужение близлежащего участка сосуда. Такое сжатие сосудов создает давление для проталкивания сыворотки крови и содержащейся в ней воды через отверстия в кровеносных сосудах для дальнейшего проталкивания этой воды в клетки.

При обезвоживании начинается процесс удержания соли, необходимой для обратного осмоса (явление медленного просачивания растворов сквозь проницаемые органические перегородки). Организм накапливает воду в виде избыточной жидкости в тканях, из которых отфильтровывается свободная вода и впрыскивается затем в жизненно важные клетки.

Мы же с Вами обращаем внимание только на увеличение объема воды в межклеточном пространстве и автоматически причисляем удержание жидкости и повышение кровяного давления к патологическим процессам. А на самом деле это адаптационная мера для борьбы с обезвоживанием. Использование мочегонных средств при гипертонии усугубляет обезвоживание.

Объем воды внутри и вне клеток должен быть сбалансированным. Ведь вода приводит в действие кальциево-натриевые белковые насосы и вырабатывает гидроэлектричество. Обычная соль регулирует уровень воды вокруг клеток. Калий, магний и кальций — это жизненно важные минералы, регулирующие объем воды внутри клеток.

Тем, у кого сердце и почки работают нормально, можно пить до двух стаканов воды за полчаса до каждого приема пищи и один стакан через два часа после еды. С увеличением потребления воды Вам придется одновременно увеличить и потребление соли (желательно с пищей), чтобы возместить ее потери в результате увеличения количества выделяемой мочи. Ваш рацион должен включать не мене 3—4 г соли, 1 г кальция, 400—800 мг магния, 2000—4000 мг калия.

Калий Вы получите из таких продуктов, как виноград, картофель, фасоль, горох, помидоры, курага, молоко, яйца, сыр. _Магний_ есть в морской капусте, пшеничных отрубях, орехах, зеленых листовых овощах (содержат магний как компонент хлорофилла).

Что касается _кальция_, то морская капуста, сыр, бобы, фасоль, горох, орехи, белокочанная капуста, петрушка, йогурт, творог и оливки обеспечат Вас полноценным минералом в органическом виде. Йод — очень важный элемент для регулирования жидкости в теле. Он необходим щитовидной железе для выработки тироксина — ее главного гормона, заставляющего клетки производить все белковые насосы, регулирующие баланс натрия, калия и других минералов снаружи и внутри клеток и вырабатывать энергию;

— _диабет._ Если уровень обезвоживания растет, мозгу приходится больше полагаться на глюкозу как источник энергии. В чрезвычайных ситуациях, вызванных стрессом, до 85% дополнительных потребностей мозга в энергии удовлетворяется за счет сахара. Вот почему людям, находящимся в состоянии стресса, постоянно хочется сладкого. Если всем другим клеткам нужен инсулин, чтобы пропустить глюкозу через свои стенки, то мозг пропускает сахар через мембраны без его помощи. Главная проблема: нехватка воды в организме замедляет метаболизм соли (как натриевой, так и калиевой).

При обезвоживании уровень триптофана, регулирующего потребление соли, в мозге понижается. Соль же регулирует объем воды вне клеток. При уменьшении уровня удержания соли в результате недостатка триптофана ответственность за удержание воды в организме несет сахар в крови.

Чтобы проделать эту дополнительную работу и компенсировать низкое содержание соли, поднимается уровень сахара. Начинает активно работать простагландин Е. Это химическое вещество подавляет работу клеток поджелудочной железы, запрещая им вырабатывать инсулин.

Развивается инсулиннезависимая форма диабета (диабет II типа), когда организм вырабатывает какое-то количество инсулина, но не высвобождает его из-за влияния простагландина Е. Когда инсулина выделяется слишком мало, основные клетки недополучают сахар и некоторые аминокислоты. Это приводит к постепенному разрушению клеток. Вот как диабет становится причиной многих сопутствующих заболеваний;

— *запор*. Кишечный тракт использует много воды для измельчения твердой пищи. Его задача — превратить в жидкость растворяемые компоненты пищи. Отходы, которые невозможно измельчить, проходят по разным отделам кишечника и постепенно уплотняются для выведения из организма. При достаточном количестве воды какая-то ее часть увлекается ими и будет служить смазкой, которая поможет пройти через толстую кишку. Чем больше организм нуждается в воде, тем сильнее он старается реабсорбировать воду из отходов, тем медленнее осуществляется моторная функция нижней части кишечника. Итог нам всем известен — запоры. Предотвратить такую ситуацию можно с помощью дополнительного приема воды и, конечно, пищи, содержащей клетчатку, которая способна удерживать воду;

— *гастрит, изжога*. Объяснить появление изжоги как сигнала нехватки воды просто. Когда мы пьем воду, она проходит в кишечник и поглощается там. В течение получаса она попадает в слизистую оболочку желудка, секретируясь из крови. Для стенок желудка слой слизи, покрывающий их, является защитной изоляцией от кислоты, поток которой омывает пищу в процессе переваривания. Промывание слизи питьевой водой — важная техническая часть обслуживания защитной системы стенок желудка. Слизь на 98% состоит из воды и на 2% — из волокон, которые удерживают воду. Вода, в свою очередь, растворяет бикарбонат (щелочь), который выделяется в желудке и выполняет роль буфера, защищающего желудок от кислоты (реакция нейтрализации), пытающейся пройти через слизь. Это непрерывный процесс. Обезвоживание изменяет консистенцию слизи, делая ее неэффективной в качестве антикислотного буфера. Оно позволяет кислоте проникнуть сквозь барьер и достичь лежащих ниже клеток, вызывая боль;

— *головная боль, мигрень*. Автор считает, что мигрень — это сигнал обезвоживания и перегрева мозга, посылаемый нервной системой;

— *боли в суставах*. Хроническая боль в нижней части позвоночника или суставах рук и ног является сигналом недостатка воды в этих областях. Боль возникает, когда циркулирующей воды не хватает, чтобы вымыть накопившиеся в этом месте кислотные и токсичные вещества. Продолжительное обезвоживание, которое оставляет хрящ без достаточного количества воды, приводит к усилению трения и сдвигающему напряжению в том месте, где хрящ касается сустава. Хрящ — это желатинообразная живая ткань. Нормальное окружение хряща — щелочное. Щелочной уровень среды зависит от количества воды, которая протекает через хрящ и вымывает из него кислоту. При обезвоживании окружение хряща становится кислотным. Эту кислотность ощущают нервные волокна, которые регистрируют боль. Удалить кислоту из хрящевых клеток и передать воде, которая выведет ее, помогает соль;

— *боли в пояснице*. 75% веса верхней половины тела поддерживается гидравлическими свойствами дисков, которые абсорбируют и удерживают воду в своих ядрах. Разумеется, организм должен быть хорошо наполнен водой, чтобы она могла покинуть систему кровообращения и заполнить диски;

— *ожирение*. Сигналы о голоде и жажде похожи, их легко спутать. Однако сначала подается сигнал о жажде. Мы ошибочно принимаем его за чувство голода. Самый лучший способ отделить ощущение жажды от чувства голода — пить воду перед едой, за полчаса до приема пищи, и через два часа после него выпивайте по два стакана воды. Есть Вы станете намного меньше, а характер предпочтений в еде изменится. Вам будет больше хотеться белков, чем углеводов. Сброс веса произойдет за счет выведения отечной жидкости, которая содержится в тканях и помогает управлять системой обратной доставки воды в жизненно важные клетки организма.

Если в дополнение к увеличенному приему воды Вы активизируете чувствительные к гормонам сжигающие жир ферменты, то потеря веса окажется более заметной и более пропорциональной. Ферменты, сжигающие жир, чувствительные к гормонам физической активности — адреналину и его семейству, вырабатываются, когда мышцы активны и начинают сжигать жир как основной продукт питания,— вот почему необходимы регулярные прогулки.

Липаза — фермент, который расщепляет жир и превращает его кусочки в маленькие жирные кислые частицы, используемые затем мышцами и печенью. Активность липазы стимулируется гормонами, список которых возглавляет адреналин симпатической нервной системы.

Стакан воды стимулирует симпатическую нервную систему на протяжении полутора или двух часов. Конечным результатом секреции адреналина является постепенная потеря накопленного жира и сброс лишнего веса. Такой вариант является более стабильным, чем любые попытки снизить калорийность питания;

— *остеопороз*. Болезнь начинается в 20—25 лет. Диагностируют ее в возрасте около шестидесяти лет. Уменьшение общей костной массы объясняется превышением скорости рассасывания над скоростью формирования костной ткани. Архитектура плотных костей включает мириады переплетенных коллагеновых волокон. От-

дельные волокна скреплены вместе и сплетены в трех-
ниточные пряди.

Переплетенные пряди выкладываются рядами, скреп-
ляются и переплетаются таким образом, чтобы в них об-
разовались полые зоны для заполнения кристаллами
кальция и натрия. Кальций обеспечивает необходимую
жесткость, чтобы кости могли принять на себя вес тела.
Кроме того, кости служат хранилищем 24% содержащегося в организме натрия, а также других минералов, которые не растворяются в жидкости и накапливаются
в костях в виде кристаллов. Таким образом, формирование костей зависит от кальция, натрия и, в меньшей степени, от других минералов.

Натрий — важный ингредиент для поддержания объема жидкости, окружающей клетки. Отложившийся в костях натрий входит в общий резерв натрия в организме
и одновременно участвует в кристаллизации костей,
придавая им дополнительную прочность. Следовательно, можно предположить, что его недостаток может быть
фактором, способствующим развитию остеопороза.

Один из главных факторов развития остеопороза —
процесс распада костей, инициатором которого служит
простагландин Е, подчиненное вещество, которое активизируется по команде гистамина.

Последствием является истощение резервов кальция
в результате распада костей. Обезвоживание, которое
стимулирует активность гистамина, приводит к остеопорозу. Единственный способ подавить активность гистамина — увеличить ежедневное потребление воды до
восьми стаканов.

Пассивный образ жизни и недостаточная нагрузка на
костную структуру ускоряют развитие остеопороза, в то
время как физическая работа способствует отложению
кальция и укреплению костного скелета.

Можно предположить, что основная проблема заключается в нашей зависимости от нашего чувства жажды
как единственного сигнала к употреблению воды. Обще-
известно, что сухость во рту — это один из признаков
обезвоживания. Это такое же локальное чувство, как
чувство голода.

Однако сухость во рту — это не тот признак, на который следует полагаться. Наше тело использует другую
логику: чтобы обеспечить способность пережевывать

и проглатывать пищу, а также производить смазку пищевода, вырабатывается обильное количество слюны, даже если организм испытывает острую нехватку воды для выполнения остальных жизненных функций.

Обезвоживание проявляется в разных тяжелых формах, включая угрожающие жизни. Сухость во рту — это один из самых последних признаков обезвоживания организма. К тому времени как сухость во рту сигнализирует о нехватке воды, организм успевает подготовиться к полному отказу от некоторых функций.

К сожалению, именно так развивается процесс старения — путем сокращения количества ферментативных функций. Не давайте стариться своему организму и используйте следующие рекомендации.

Основные рекомендации

Воду надо пить за 30 минут до еды. Это позволит подготовить пищеварительный тракт.

Воду надо пить всегда, когда чувствуете жажду.

Воду надо пить через 2—2,5 часа после еды, чтобы завершить процесс пищеварения и устранить обезвоживание, вызванное расщеплением пищи.

Воду надо пить по утрам сразу после пробуждения, чтобы устранить обезвоживание, вызванное сном.

Воду надо пить перед физическими упражнениями, чтобы создать запас воды для выделения пота.

Воду надо пить тем, кто подвержен запорам. Два-три стакана воды сразу после пробуждения действуют как самое эффективное слабительное.

Не забывайте о соли, которая необходима многим органам, являясь нормализующим все жизненные процессы минералом.

Исключите из рациона газированные напитки, содержащие кофеин.

Откажитесь от употребления алкоголя.

Потребность организма в воде нельзя удовлетворить с помощью соков или молока.

Глава 8. СКАЖЕМ НЕРВАМ «НЕТ!»

8.1. Стресс — злой гений цивилизации

Каждая женщина знает, что значит чувствовать себя усталой, измученной, слабой и угнетенной. Если мы чувствуем нервозность, слабость, усталость, то это состояние мы создаем себе сами нашими неправильными привычками. Вы получаете от жизни то, что вкладываете в нее.

Релаксация, психоразгрузка, расслабление — это техники создания ощущений, и создать необходимые ощущения мы можем себе сами. Если Вы следуете ясной программе создания нервной силы, Вы создаете также и чувство полной релаксации. Вы должны заслужить ее, но не с помощью сигарет, алкоголя, кофе или чая. Не надейтесь с помощью успокаивающих (или возбуждающих!) средств достигнуть мастерства в расслаблении.

Когда тело совершенно спокойно, внутри Вас мир, покой и радость жизни. Это именно то, к чему мы стремимся.

Стресс и отрицательные эмоции могут в значительной степени отразиться на здоровье, воздействуя на организм, разрушая его природные жизненные программы, замещая их программами самоуничтожения.

Головной мозг в состоянии стресса получает команду о том, что всему телу грозит опасность, и начинает защищаться. Мышцы напрягаются, сжимаются, в них нарушается нормальный ток крови, лимфы и энергии, в крови резко меняется состав гормонов, увеличивается число сердечных сокращений. Из-за нервного напряжения возникает спазм не только в мышечном корсете, но и в тканях внутренних органов, в результате чего нарушается их нормальное функционирование, расположение относительно друг друга.

Клетки, получая сильный «пинок», перестают нормально делиться и обмениваются друг с другом искаженной информацией. Тело запоминает этот ужас и кодирует его в генах, программируя весь организм на ответные реакции. Эти реакции преследуют человека всю жизнь, превращаясь в хронические заболевания, гнев, раздражение, нервное напряжение, нарушения сна.

Стресс действует даже на нашу фигуру! Кто не сталкивался с непомерным «жором» в период нервного возбуждения и жизненных расстройств? Как трудно взять себя в руки!

Целостный подход к сохранению здоровья сочетает заботу обо всех аспектах — физическом, умственном и эмоциональном. Часто уравновешенность — не врожденная особенность характера, а результат работы над собой.

Как на Вас отражаются каждодневные стрессы? Эта напряженность влияет на Ваш организм с разных сторон: кровяное давление повышается, пульс учащается, а иммунная система оказывается в аварийном состоянии. В процессе эволюции в нас был заложен механизм защитной реакции на стресс.

К чему приводит сегодняшний периодически повторяющийся «легкий» стресс? Повторяющийся выброс гормонов стресса может исчерпать Ваш запас энергии и уменьшить защитную реакцию.

Стресс может быть причиной развития сердечно-сосудистых заболеваний, гипертонии, рака и многих других нарушений. Кроме того, напряжение может способствовать болезням кишечника, дисфункции щитовидной железы, головным болям, бессоннице и различным кожным заболеваниям.

Хронический стресс опустошает запас питательных веществ в организме и витаминов группы В, антиоксидантов, цинка и других минералов, необходимых для работы иммунной системы. Все это ведет к старению организма.

Не случайно стресс называют «тихим убийцей». Разумный подход заключается в искусстве управлять эмоциями, а для этого надо научиться останавливать стресс, прежде чем его последствия создадут проблемы.

Вот некоторые тревожные симптомы:
— длительное отсутствие жизненной энергии и интересов;
— умственная слабость;
— проблемы с концентрацией внимания и памятью;
— расстройство сна;
— скрежетание зубами и сжатые челюсти;
— отсутствие контроля над эмоциями — быстрый переход от слез к гневу;

— вздрагивание при посторонних звуках;
— возбужденность;
— неестественно высокие интонации голоса, быстрая речь;
— пищевые расстройства — переедание, как следствие — понос или запор;
— головные боли;
— боль в области шеи и спины.

Если Вы обнаружили у себя хотя бы несколько из этих симптомов, Вам необходимо:
— заняться спортом, чтобы сжечь лишний адреналин и спровоцировать выработку эндорфинов;
— использовать технику релаксации;
— научиться радоваться жизни;
— прощать других (накопленные обиды отнимают много жизненных сил);
— упростить жизнь (например, делать генеральную уборку квартиры не чаще двух раз в месяц);
— придерживаться здорового образа жизни и здорового питания.

8.2. Как научиться «держать удар»

Кто-то из великих сказал: «Никто не сможет заставить Вас почувствовать себя униженным без Вашего согласия».

Самооценка — психологический фактор огромной важности, предопределяющий многие поступки человека. Веру в себя можно укрепить, придерживаясь следующих рекомендаций:
— перечислите все требования, которые Вы предъявляете к себе. Превратите их в свои желания;
— держите спину всегда прямо, следите за хорошей осанкой (да-да, это очень важно!);
— умейте прощать себе свои ошибки;
— обозначьте пять поступков, которые бы Вы совершили, если бы были о себе лучшего мнения. Начните выполнять задуманное с любого поступка;
— проводите больше времени с людьми, которые Вас вдохновляют и поддерживают веру в свои силы;
— избегайте общения с теми, кто не верит в Вас и расслабляет Вас;

— во время тренировок и принятия вкусной и полезной пищи напоминайте себе о том, что Вы этого достойны;
— читайте хорошие книги и обсуждайте прочитанное с друзьями;
— планируя что-то новое в своей жизни, составьте план и заручитесь поддержкой друзей;
— радуйте себя добрыми поступками;
— радуйте себя теплой ванной, массажем;
— общайтесь с людьми, которые так же, как и Вы, хотят измениться к лучшему.

Положительное эмоциональное состояние защищает от заболеваний и продлевает жизнь. А негативные эмоции со временем как бы «накапливаются» в организме. Этот процесс может длиться на протяжении всей жизни, но, в конце концов, приводит к заболеваниям сердечно-сосудистой системы, пищеварительного тракта, органов дыхания.

Это прекрасное состояние — чувствовать себя счастливой и полной надежд.

Эмоциональная устойчивость, умение «держать удар» — это не врожденная особенность отдельных счастливчиков. Этому важному качеству может обучиться любая из нас, если захочет.

Как правило, чаще всего нас выводят из состояния душевного равновесия чужие слова, сказанные в минуту гнева, которые, может быть, и слушать-то не стоило. Но мы слушаем, покрываясь краской стыда, чувствуя подступающие слезы. Слушаем и даже запоминаем все эти речи, чтобы потом иметь возможность многократно мысленно повторять их себе, смакуя обиду.

Действительно, жизнь и люди вокруг нас такие, какие есть, и изменить их характеры мы не в силах. Но мы можем изменить наше отношение к их словам и поступкам.

Несколько успокоительных приемов

Если Вы попали в стрессовую ситуацию, первое, что Вы должны сделать, это выпрямить спину, расправить плечи и втянуть живот. Перестаньте думать о происшедшем. Подумайте о том, как Вы сейчас выглядите (это всегда важно!). Расслабьте лицо, снимите с него напряженное и обиженное выражение.

Проведите несколько раз языком по зубам, потом оближите губы. Положите руки на лоб и слегка прижмите. Нежно похлопайте себя ладонями по скулам. Потрите виски. Сделайте несколько глубоких вдохов и выдохов, положив руки на колени и расслабив их. Затем сделайте несколько глубоких вдохов, сцепив пальцы в замок. Если сидите за письменным столом или компьютером, снимите обувь и тихонечко постучите ногами по полу, причем всей ступней.

Еще одно «успокоительное» упражнение — удары ребром ладони по твердой поверхности. Это успокаивает и позволяет сосредоточиться, а заодно и укрепляет ребро ладони.

Если Вас никто не видит в данный момент — можно попрыгать и помахать руками и ногами.

Дыхательная гимнастика помогает снять напряжение и раздражение и является хорошим средством борьбы с усталостью. Сядьте повыше, чтобы ноги свободно свешивались.

Несколько раз переплетите ноги в одну и в другую сторону: заплетите в одну сторону — расплетите, заплетите в другую сторону. Несколько раз подвигайте сплетенными ногами вправо-влево. Выпрямите ноги, напрягите, потом расслабьте. Слегка согните ноги в коленях, поставьте их параллельно друг другу и покачайте ими вправо-влево. Встаньте, выпрямитесь, как струна, еще раз глубоко вдохните, выдохните ртом.

10 секретов женщины без стресса

Секрет 1. Убежденность в том, что ситуация под контролем.

Никто не застрахован от внезапных (приятных или не очень) событий, влекущих за собой изменения привычного уклада жизни. Но только мы в ответе за наш собственный распорядок. Другие люди и внешние обстоятельства в большинстве случаев ничего не решают. Ощущение контроля над происходящим — это то, что необходимо для душевного спокойствия.

Вы считаете, что Вашей жизнью управляет кто-то другой? Тогда Вам гарантирован стресс. Конечно, если у Вас авторитарные родители, упрямый друг сердца или неуравновешенный босс, трудно считать себя кузнецом своего счастья. Постарайтесь избежать амплуа жертвы.

Научитесь ежедневно находить время только для себя. Вы не можете изменить других людей, но спланировать собственный день — в Ваших силах.

Секрет 2. *Оптимизм.*

Всем известна шутка, что один и тот же стакан воды может быть полупустым для пессимиста и наполовину наполненным — для оптимиста. Выбор спокойной и счастливой женщины очевиден: позитивный взгляд на вещи. Кому-то он дается от природы, а кому-то приходится его формировать. Ситуация складывается в нашу пользу, если мы делаем то, что считаем нужным. Так почему же мы позволяем страху перед потенциальным провалом возобладать над надеждой на лучшее? А страх неудачи порождает стресс.

Секрет 3. *Реализм.*

Очень полезно повторять себе, что все будет хорошо. Но бормотать это, закрыв глаза и направляясь прямиком в канализационный люк, — неразумно. Увы, но слепой оптимизм — не панацея. Иногда лучше принять обстоятельства и терпеливо переждать неблагоприятную ситуацию.

Это вовсе не означает, что те, кого стресс обходит стороной, не хотят и не умеют мечтать. Ничего подобного! Они делают это «профессионально»: разрабатывают планы действий и могут посмеяться над наивностью собственных заблуждений. Верно и то, что эти женщины, взявшись за осуществление плана А, всегда держат в голове запасной план Б.

Секрет 4. *Способность видеть всю картину целиком.*

Если хотите избавиться от стресса — не переживайте по мелочам. Проблема, от которой и следа не останется через пару месяцев, попросту не стоит Ваших нервов. Надо научиться расставлять приоритеты, в том числе эмоциональные. Всегда старайтесь утром оценить предстоящий день и выбрать самые важные дела. Когда Вас что-либо будет сильно отвлекать, спросите себя: «С толком ли я трачу время?».

Ответили: «Нет» — отложите до лучших времен решение проблемы, предварительно оценив ее масштаб. Например, если в разгар работы Вам звонит знакомая, вежливо скажите ей, что лучше поговорить в более удобное время. Но если у подруги случилось что-то очень важное — настоящее несчастье или, наоборот, радостное событие, тогда разговор может оказаться действительно очень значимым делом.

Секрет 5. Не обещать ничего лишнего.

Часто мы сами обеспечиваем себе стрессы. Одна из распространенных ошибок — говорить людям то, что они хотят услышать, а не то, что соответствует Вашим возможностям. Так можно наобещать столько, что выполнить все это просто невозможно.

Вы не справляетесь с заявленным объемом, и стресс удваивается — ведь Вы подводите людей. Выход прост: учитесь обещать меньше, чем в состоянии сделать. Вот увидите, друзья обрадуются, если Вы, хотя и с опозданием приедете на вечеринку,— ведь Вы сказали, что вообще не успеете. Будет доволен и Ваш начальник, если Вы закончите отчет днем раньше, а не неделей позже.

Секрет 6. Контакты с людьми.

Сотни психологических исследований говорят о том, что в результате общения при условии доброжелательного настроя сторон стабилизируется сердечный ритм и снижается кровяное давление, а значит, люди становятся более спокойными. Поэтому поддерживайте добрые отношения с окружающими. И при этом не будьте жилеткой, в которую все плачутся, — сами ищите поддержки, когда Вам плохо.

У мужчин в кризисных ситуациях своя стратегия поведения: они «прячутся в панцирь» и «вылезают» оттуда только затем, чтобы наносить удары и спорить. Женщина же может позволить себе роскошь искать сочувствия и понимания. Пусть Вас знают как человека, который первым принесет апельсины заболевшему товарищу, но ведь и Вы в беде не останетесь одна.

Секрет 7. Укрепление здоровья.

Стресс, вызванный какими-либо заболеваниями, бывает довольно сильным и при этом действует исподтишка. Не стоит недооценивать мелкие неполадки в работе Вашего организма, пообещав себе заняться ими, как только кончатся «трудные времена». Вполне вероятно, что состояние здоровья и не дает Вам выкарабкаться из лап стресса.

В правила борьбы с депрессией входит поддержка и подпитка нервной системы. Селен, а также антиоксиданты и витамины группы В хорошо дополнят любой витаминный комплекс, особенно если у Вас напряженный период. Но они, конечно, не заменят двух основных составляющих здоровой жизни без стресса — сна и правильного питания.

Секрет 8. Беречь свою энергию.

Защищайте свою энергетику от внешних вторжений. Нас окружают энергетические «черные дыры»: тот, кто вечно раздражен и недоволен жизнью, не находит лучшего занятия, кроме как пытаться затащить Вас в свой скорбный мир. Вы хорошо знаете таких людей. Держитесь подальше от энергетических вампиров, но если столкновений избежать не удается, то старайтесь отгородиться от их негативного влияния. Если Вы мысленно возведете вокруг себя защиту из белого сияния, то потеряете меньше сил. И, может быть, даже зарядите своей позитивной энергией несчастного «вампира».

Секрет 9. Гибкость.

Желая достичь определенных результатов, меняйте все — даже собственное поведение. Гибкость — очень важная черта для борьбы со стрессом. Например, если Вы не можете переспорить коллегу, хотя и уверены, что правы, попробуйте для разнообразия прислушаться к его аргументам. Во-первых, в них наверняка есть здравый смысл, во-вторых, проследив за ходом мыслей оппонента, Вы поймете, где он ошибся, и Вам будет легче направить его рассуждения в нужное русло. А в-третьих, когда слушаете Вы, то стараются слушать и Вас.

Секрет 10. «Смотреть далеко вперед!»

Что бы ни случилось, не принимайте ничего на свой счет и не ищите собственной вины. Вместо того чтобы заниматься самобичеванием, постарайтесь вынести урок из сложной ситуации, в которую Вы попали. Не опускайте руки и спрашивайте себя: «Почему это случилось именно сейчас? Чему я могу научиться? Что я могу сделать, чтобы повернуть все в свою пользу?». Возможно, в ближайшей перспективе Вы не найдете ответов на эти вопросы. Но Ваши позитивные мысли обеспечат Вам будущее без стрессов.

Власть над стрессом

Люди, ориентированные на успех, редко позволяют себе раздражаться или испытывать стресс по поводу мелких неурядиц. Скорее, они сделают все возможное для того, чтобы внушить окружающим уверенность: все под контролем, даже стихийные бедствия! Переживают бесконечные стрессы лишь те, кто не вполне осознает, чего он хочет. Стресс может оказаться полезным, если активизирует наши способности.

Техника деперсонализации

Если Вы видите, что Ваш собеседник начинает «заводиться» и настроен высказать Вам в лицо массу нелицеприятных слов, а Вы очень болезненно на это реагируете, воспользуйтесь техникой деперсонализации.

«Камешки»

Представьте себе, что слова — это камешки, которые сейчас выпадают изо рта Вашего собеседника. Ему кажется, что он что-то говорит, а Вы прекрасно видите, что это только камешки, которые все падают и падают, укладываясь в небольшую кучку на полу.

Камешки бывают разных цветов и размеров, они уже образовали горку у Ваших ног, и Вы с интересом думаете, сколько их еще осталось? Рано или поздно запас «камешков» у собеседника иссякает, и тогда он в недоумении замолкает, не видя Вашей ответной реакции. В этот момент можно, последовав примеру Вольтера, спокойно сказать: «Это все эмоции. А где аргументы?».

«Детский сад»

Если Ваш собеседник (или собеседники) склонен к вызывающему поведению, которое порой доводит Вас до нервных срывов, то для сохранения своего здоровья Вам стоит научиться относиться к его выходкам, как к детским шалостям.

Вы же не обижаетесь на несмышленых детей? Даже если они кричат, капризничают, размахивают руками, бросают на пол игрушки, топают ногами, Вы (как и полагается взрослому человеку) смотрите на них снисходительно и спокойно ждете, когда они выдохнутся.

В особенно тяжелых случаях Вы можете представить себе, что попали в обезьяний питомник и теперь с интересом наблюдаете за одной из обезьян, которая очень старается походить на человека и даже издает какие-то членораздельные звуки (только постарайтесь не засмеяться, а то стоящий напротив Вас бабуин может и обидеться).

Доведите ситуацию до абсурда

Иногда окружающие причиняют нам боль, намекая на какие-то недостатки и оплошности. Например, начиная искать изъяны в купленной нами вещи или в приготовленном блюде (причем шепотом, достигающим звука невероятной силы).

Обычная наша ошибка в таких случаях — начать возражать и спорить — может сильно подпортить нам настроение и доставить радость победы обидчикам. А если не возражать? Попробуйте согласиться с говорящим. Скажите сами все, что он хотел сказать Вам, и развивайте эту мысль до ее логического конца. Ваша лучшая подруга, критически осмотрев Ваш новый наряд, находит в нем какие-то изъяны?

Немедленно с ней согласитесь и добавьте: «Да, ты права, это платье некрасивое и сидит мешковато, да ты и сама знаешь — у меня совершенно нет вкуса». Все, говорить ей в этот момент становится нечего. Ну, разве только начать спорить с Вами и пытаться убедить, что Вы к себе несправедливы и вкус у Вас есть.

Высказав вслух то, на что Ваш собеседник только намекал, Вы лишаете его оружия, дезориентируете. Противник повержен и в полной растерянности: он ожидал слез, обиды, спора, а Вы не только не стали с ним спорить, а продолжаете улыбаться! Поверьте, этот прием Вам не придется повторять с одним человеком более двух–трех раз: ему быстро наскучит задевать Вас, если Вы не будете отвечать на его удары.

8.3. Как преодолеть стресс? Расслабиться

Постоянная усталость, нервозность, раздражительность, повышенная тревожность и стресс крадут у Вашей жизни час за часом, заставляя стареть быстрее. Когда Вы нервничаете, переживаете или переутомляетесь, в кровь в большом количестве выбрасываются гормоны: адреналин и норадреналин. Ваши кровеносные сосуды сужаются, резко подскакивает артериальное давление. В организме — хаос и паника.

Мы не всегда можем приспособиться к стрессам, убрать причины, вызывающие их. Но многое можем сделать, чтобы защитить себя от стрессов. Природа подарила нам прекрасную возможность расправляться с переживаниями и невзгодами — *релаксацию*.

Когда мозг теряет способность перезаряжать свои естественные аккумуляторы в соответствии с требованиями жизни, он перестает функционировать нормально.

Нам нужен доступ к источнику энергии, интеллекта, творческих способностей и гармонии. Наряду с физической очисткой мы можем получить его методом психологической релаксации, то есть медитации.

Что такое *медитация*? Это система духовных практик, которая позволит Вам взять на себя ответственность за содержание своих мыслей. Медитация создает в Вас центр тишины и спокойствия. Из этого центра Вы сможете отстраненно наблюдать за потоком сменяющих друг друга чувств, мыслей и побуждений.

Слово «медитация» происходит от латинского *meditari* — движимый к центру. Именно это, по-видимому, происходит во время медитации. Без напряжения, не прилагая никаких усилий, Вы оказываетесь в самом центре себя. У Вас появляется такое ощущение, будто Вы находитесь на неком возвышении, с которого ясно и отчетливо видите происходящее, можете осознать, что для Вас по-настоящему важно, способны сохранить спокойствие в кризисной ситуации и т. д.

Зачем надо медитировать? Чтобы снять нервное напряжение, а также чтобы справиться с навязчивыми мыслями.

Как осуществляется медитация?

Существует множество различных приемов. Нет какой-то одной «правильной» техники: каждая имеет свои достоинства. Я опишу несколько методик. Выберите одну из них, какое-то время поработайте — хотя бы три-четыре недели — и посмотрите, что из этого получится.

Лучше всего медитировать один раз в день, в одно и то же время, идеально — утром, до начала повседневных дел. Для медитации требуется от пятнадцати минут до одного часа.

Пятнадцать минут ежедневно дадут Вам больше, чем часовые медитации дважды в неделю. Но, повторяю, не существует «правильной» продолжительности медитации. При некотором навыке Вы сами будете знать, когда Вам пора закончить медитацию, — будет это через десять минут или через сорок.

Выберите место. Не обязательно использовать какое-то особенное место. Чаще всего это Ваша квартира.

Теперь о позе. Индийцы предпочитают позу «лотос», японцы сидят на пятках. Для них эти позы хороши, поскольку усвоены еще в детстве. Нам же эти позы могут показаться трудными, а вызываемая ими физическая боль будет отвлекать и препятствовать медитации. Не позволяйте никому морочить Вам голову, понуждая к мучительной имитации чужой культуры. Можно заниматься медитацией по утрам в пустой комнате, сидя в кресле, пока домашние спят.

Единственное правило: на чем бы Вы ни сидели, держите спину прямо. Это не означает, что Вы должны полностью выпрямить позвоночник — не получится, поскольку он имеет естественные изгибы. Не горбитесь. Сядьте удобно. Ноги на полу. Кисти рук лежат свободно на коленях или, если предпочитаете, так, чтобы соприкасались большие и указательные пальцы, так делают на Востоке.

Все описываемые далее методы имеют общие свойства.

1. Они вырабатывают концентрацию внимания — первую ступень медитации. Видели ли Вы когда-нибудь кошку, выслеживающую добычу? Это качество однонаправленности разовьется у Вас по мере обучения медитации.

2. Они просты, в них нет ничего чрезмерно сложного.

3. Они основываются на многократных повторениях. Именно повторение позволит Вам развить в себе способность к концентрации, поможет справиться с возникающим чувством скуки и со всеми отвлекающими мыслями и внутренним сопротивлением, с которыми Вам придется столкнуться. Важно научиться наблюдать за отвлекающими Вас мыслями спокойно, дружески и беспристрастно.

Итак, *чтобы начать медитацию*:

1) примите медитативную позу;
2) держите спину прямо;
3) настройтесь на то, чтобы отодвинуть на время все эмоции и проблемы;
4) закройте глаза;
5) оставьте любые суждения, ожидания и фантазии по поводу Вашей медитации;
6) расслабьте мышцы лица;

7) отрегулируйте дыхание. Дышите через обе ноздри и считайте, сколько тактов счета требуется Вам для вдоха. Затем — сколько для выдоха. Под действием вдыхаемого воздуха Ваш живот должен выпятиться, а грудь — расшириться. Побудьте в неподвижности несколько мгновений и лишь потом начинайте выпускать воздух. Пусть Ваше дыхание будет легким и неслышным. Когда почувствуете, что дыхание стало ровным, приступайте к медитации.

Созерцание предмета

Выберите какой-нибудь предмет. Это может быть небольшая статуэтка, чашка, веточка, камень, пламя свечи, кучка песка, коробка спичек,— в общем, все, что угодно.

Сосредоточьте на этом предмете все свое внимание. *Смотрите* на него так поглощенно, как будто Вы никогда раньше ничего подобного не видели. Затем закройте глаза и, если возможно, прикоснитесь к нему. После этого снова всматривайтесь в Ваш предмет. Каждый раз, когда Вы замечаете, что внимание уходит в сторону, отмечайте это и мягко возвращайте внимание к предмету. «О, я опять думаю, что я буду делать после медитации. Назад к тебе, статуэтка! Рассмотрю твои изгибы, вот щербинка, вот блеск» и т. д.

И не взыскивайте с себя строго за подобное отвлечение. Отнеситесь к себе, как родители относятся к любимому ребенку, которого они хотят удержать на узкой дорожке, в то время как со всех сторон его манят цветы, бабочки, заросли. Не надо таращить глаза, просто смотрите, осторожно расслабьте мышцы глаз. И не забудьте о легкой улыбке. Через некоторое время Вы обнаружите, что почти вошли в жизнь предмета и Ваше сознание слилось с ним.

Счет дыхания

Глубоко и ровно дыша, считайте циклы дыхания. «Дыхание — раз. Дыхание — два» и т. д. Говорите себе «дыхание» при вдохе, а счет — при выдохе.

В одном из медитативных методов предлагается использовать восходящий ряд чисел. Однако при этом может возникнуть искушение достичь определенного числа, что будет мешать. Фиксация на цели, которую предстоит достичь в будущем, действует разрушительно на переживание медитации в настоящем. Вероятно, лучше считать до определенного числа — пяти или десяти (число «10» используется учителями дзэн), а затем начинать вновь с единицы.

Если Вы обнаружите, что думаете о чем-то, не относящемся к счету, мягко напомните себе о стоящей перед Вами задаче и возвращайтесь к счету.

Осознаваемое дыхание

Вы наблюдаете и описываете свое дыхание, отмечаете его фазы. «Я дышу медленно. Мой живот выпячивается, грудь расширяется. Пауза. Теперь выдох» и т. д. Не вмешивайтесь в свой дыхательный процесс, не пытайтесь изменить свое дыхание, а просто наблюдайте за ним.

Плывите по течению. Обращайте особое внимание на паузы — ту, что следует за вдохом, и ту, которая возникает после выдоха. В эти моменты Вы ближе всего к своему центру.

По преданию, Будда сказал: если Вы в состоянии осознавать свое дыхание в течение одного часа, Вы достигнете просветления. (Имеется в виду, что Ваше осознавание не упустит ни одного вдоха и выдоха!)

Если в голову забредет посторонняя мысль, не надо с ней бороться — впустите ее, придумайте ей какое-нибудь обозначение, образно говоря, повесьте на нее бирку и положите эту мысль на полку, где при желании сможете ее найти после медитации.

Некоторые отвлекающие мысли будут чрезвычайно соблазнительными, но Вы не должны попадаться на удочку. Это в Ваших силах! Однако, если Вас посетит какое-то изумительное озарение или Вы вдруг найдете решение мучающей Вас долгое время проблемы, вполне допустимо прервать медитацию, чтобы додумать новую мысль. Уверяю Вас, среди отвлекающих мыслей подобные откровения будут встречаться не часто.

Внимающая медитация

В этом медитативном методе Вы просто наблюдаете за всем, что происходит. Что бы ни произошло, отметьте это и оставьте: любые мысли, какие придут в голову; любые звуки, которые Вы услышите; мысли, которые у Вас возникнут по поводу этих звуков; Ваше дыхание; любые телесные ощущения, от внезапного зуда до дрогнувшей мышцы; и снова дыхание.

Если Вы обнаружите, что продумываете пришедшие в голову мысли, вместо того чтобы, только отметив их, возвращать каждый раз свое сознание в центральную точку, откуда оно лишь бесстрастно взирает на все происходящее вокруг, ни на чем не фиксируясь, переключитесь тогда на наблюдение за своим дыханием — это ведь непрерывный процесс.

Вам может понадобиться сочетание описываемой техники с техникой осознаваемого дыхания.

Когда возникают эмоции или болезненные воспоминания, не позволяйте им овладевать собой. Снабжайте их лаконичными пометками, например: «чувство уныния», «воспоминание», «чувство раздражения», опять «воспоминание, воспоминание». Эти воспоминания и чувства будут постепенно слабеть. И, что более важно, Вы начнете отождествлять себя с *Объективным Наблюдателем* и *Свидетелем*, а не с человеком, который подвержен этим мыслям и чувствам.

При правильном выполнении это упражнение может стать важным средством оздоровления, используемым в тех случаях, когда Вам очень «не по себе». Этот вид медитации Вы можете практиковать во время любого занятия, например, за мытьем посуды.

Несколько часов осознания

Найдите несколько часов, когда Вы можете быть в одиночестве. Беритесь в это время за простые дела, например, уборка в доме, стирка, работа в саду, приготовление пищи. Работайте медленно (вполовину Вашей обычной скорости или еще медленнее), с полным осознанием каждого шага работы.

«Сейчас я чищу морковку, теперь мою ее, выключаю воду, сейчас думаю о засухе в Сахаре, теперь нарезаю морковку» и так далее, отмечая при этом каждую постороннюю мысль, пришедшую в голову.

Вы можете, не торопясь, принять ванну, отправиться на прогулку или совершить медленную трапезу — все это должно происходить с полным осознанием. И при этом неукоснительно помечайте каждую мысль, пришедшую в голову. Это — наиболее мощное из всех средств овладения искусством самонаблюдения.

Я часто применяю именно такой метод снятия нервного напряжения.

Медитация с мантрой

Мантра — это духовно заряженное слово или фраза на санскрите, например, *Ом* или *Ом Мани Падме Хум*, которые произносятся вновь и вновь в ритме дыхания, одно повторение на выдохе, другое (про себя) на вдохе.

По преданию, мантры были «получены из космоса» мудрецами много сотен лет назад. Полагают, что они вызывают вибрации, пронизывающие и очищающие ум и тело. Разумеется, в качестве мантр могут использоваться не только санскритские слова, но и слова на других языках.

Вы можете либо нараспев произносить Вашу фразу, либо повторять ее мысленно. Сохраняйте ритм Вашей мантры и, как и в других медитативных техниках, отмечайте любые посторонние мысли и образы. Мягко освобождайтесь от них и возвращайтесь к своему заданию.

Как и в результате других медитативных практик, при повторении мантр возникают расслабление и другие полезные физиологические эффекты — уменьшается реакция на стресс, снижается частота пульса и кровяное давление, дыхание замедляется, уменьшаются головная боль и боли в спине.

Однако на определенном этапе мантра может стать препятствием к дальнейшему продвижению в медитации, поскольку у Вас может возникнуть зависимость от нее (привязанность, как сказал бы буддист). Если такое произойдет, Вам надо поблагодарить мантру за помощь, которую она Вам оказала, после чего продолжить свой путь, избрав другой метод медитации.

Если Вы еще не пробовали медитировать, я надеюсь, прочитанное вдохновит Вас на это. Если один из описанных методов сразу привлек Вас, начните с него, если нет, можно начать с метода осознаваемого дыхания.

Помните: Вы отвечаете за выбор места и времени, а также концентрацию внимания и воли на выполнении задания. Остальное произойдет само собой.

Могу еще предложить упражнение из *успокаивающей йоги*. Это упражнение помогает при нервном истощении, способствует углубленному расслаблению и одновременно улучшает работу мозга. К тому же оно снимает болезненные ощущения, возникающие в плечах и шее вследствие стресса.

Выполните глубокий вдох и, вытянув перед собой обе руки, дотроньтесь до пола. Опираясь на ладони и стопы, старайтесь всем туловищем подняться как можно выше. Руки и колени при этом должны быть выпрямленными, а голова опущена вниз.

Сохраняйте такое положение в течение нескольких минут, затем встаньте на колени и опустите голову. Совет: зафиксировав нужное положение, удерживайте его не менее минуты. Но если вдруг почувствуете боль — прекратите выполнение упражнения.

Психологические установки могут ускорить, замедлить и даже повернуть вспять процессы старения. Мы сами в силах отрегулировать свое внутреннее время. «Вера творит биологию!» — утверждают ученые. И призывают нас: «Вместо веры в то, что Ваше тело все время стареет, придерживайтесь другой установки: наше тело каждый миг обновляется». То есть не начинать стареть к сорока годам, в соответствии с расхожим мнением, а продолжать наслаждаться жизнью как можно дольше. Мы ведь переводим стрелки часов на летнее и зимнее время, доказывая тем самым условность любого отсчета. Почему бы не «подкрутить» свой собственный часовой механизм?

Глава 9. ЗАКАЛИВАНИЕ? ЗАКАЛИВАНИЕ!

9.1. Реакция организма на охлаждение

Понятие постоянства температуры тела человека относительно. Например, открытые участки кожи при низкой температуре охлаждаются быстрее, чем закрытые. А вот температура закрытых участков тела и внутренних органов при колебаниях температуры окружающего воздуха практически не меняется.

Колебания температуры зависят от времени суток, активности организма, температуры окружающей среды, теплоизоляционных свойств одежды. Во время тяжелой физической работы, тренировок и спортивных соревнований температура тела может повышаться на 1—2 градуса, иногда и больше. На температуру тела и изменение физиологического состояния организма оказывают влияние нервное возбуждение, беременность.

Человек может переносить отклонения внутренней температуры тела от нормальной на 4 градуса в обе стороны: нижний предел — 33°С, верхний — 41°С. В течение суток температура тела изменяется незначительно: максимальные ее величины (37,0—37,1°С) наблюдаются в 16—18 часов, минимальные (36,2—36,0°С) — в 3—4 часа. У пожилых людей температура тела может снижаться до 35—36°С.

Постоянство температуры тела возможно лишь в том случае, если количество образующегося тепла равно количеству тепла, отдаваемого телом в окружающую среду. Иными словами, постоянство температуры тела обеспечивается сочетанием двух взаимосвязанных процессов — теплопродукции и теплоотдачи. Если приход тепла равен его расходу, то тогда температура тела сохраняется на постоянном уровне. Если же теплопродукция преобладает над теплоотдачей, температура тела повышается. В тех случаях, когда образование тепла отстает от теплоотдачи, наблюдается снижение температуры тела.

Теплообразование для человека — важнейший способ поддержания постоянства температуры тела. Непрерывное протекание обменных процессов в организме сопровождается образованием тепла и затратами жизненной энергии.

В различных органах тела образуется неодинаковое количество тепла. Главный регулятор теплопродукции — мышцы. При интенсивной физической нагрузке они поставляют до 90% тепла. В нормальных условиях на долю мышц приходится 60—70% теплопродукции. Второй по значимости источник теплопродукции — печень и пищеварительный тракт. Они дают 20—30% тепла.

Кроме тепла, образующегося в самом организме, человек в жаркое время получает тепло окружающей среды. Так, при понижении температуры внешней среды ниже 15°С теплообразование значительно усиливается, а при повышении (выше 30°С) уменьшается. Однако при значительном повышении температуры окружающей среды (выше 37°С) отмечается нарушение теплообмена, и температура тела вновь повышается.

При снижении температуры воздуха нередко возникает холодная дрожь — непроизвольное сокращение скелетных мышц. Эта реакция организма носит защитный характер: она усиливает теплообразование в мышцах и тем самым поддерживает нормальную температуру тела. Таким образом, количество тепла в организме определяется, во-первых, теплом, образующимся за счет обменных процессов, во-вторых, теплом, поступающим из внешней среды.

Наряду с образованием тепла в организме постоянно происходит его расход путем теплоотдачи. Иначе мы погибли бы от перегрева.

Тепло в основном выделяется через кожу, а также посредством дыхания. Отдача тепла происходит по законам физики следующими путями: излучение тепла нагретой поверхностью тела, нагревание более холодного воздуха и соприкасающихся с телом предметов, испарения с поверхности кожи.

Итак, в тех случаях, когда холод или жара столь значительны, что нельзя рассчитывать на поддержание температуры тела в нормальных пределах, работоспособность и здоровье, несмотря на охлаждение и перегревание тела, могут быть сохранены благодаря систематическому закаливанию организма.

Различаются определенные стадии в реакциях кожи на охлаждение. *Первая стадия* — побледнение. При действии холода кожные артерии и капилляры сужаются, количество протекающей через них крови уменьшается.

Кожа бледнеет, температура ее падает. Разница температуры кожи и окружающего воздуха уменьшается. Это сокращает теплопотери за счет теплоотдачи. Кожа «съеживается», и образуется «гусиная кожа».

Затем происходит расширение кожных сосудов, кожа краснеет и становится теплой (*вторая стадия*). При умеренных охлаждениях лицо, руки и другие открытые части тела могут пребывать в таком состоянии длительное время. Человек при этом не ощущает действия холода.

Дальнейшее воздействие холода вызывает появление вторичного озноба (*третья стадия*). Симптомы его следующие: кожа снова бледнеет, приобретает синюшный оттенок, сосуды расширены, наполнены кровью, их способность сокращаться ослаблена, синеют губы.

Выработка тепла за счет химической терморегуляции в этом состоянии оказывается недостаточной. При вторичном ознобе может произойти переохлаждение организма и развиться простудное заболевание.

У незакаленных людей вторая стадия может не проявиться, а сразу наступит третья — переохлаждение, со всеми вытекающими последствиями.

9.2. Главные правила закаливания

Систематическое закаливание — испытанное и надежное оздоровительное средство. Наиболее важные правила закаливания — систематичность, постепенность и последовательность, активный режим, самоконтроль.

От простого к сложному — именно этим девизом следует руководствоваться постоянно, в любое время года! А теперь давайте поговорим о правилах, забывать которые нельзя.

Принцип систематичности требует ежедневного выполнения закаливающих процедур.

Итак, первое условие: процедуры проводятся не от случая к случаю, а систематически. Каждый день! Иначе добиться закаливающего эффекта невозможно. Систематические закаливающие процедуры повышают способность нервной системы приспосабливаться к меняющимся условиям внешней среды.

Свою закалку можно сохранить лишь путем непрерывного выполнения необходимых закаливающих процедур — невзирая ни на возраст, ни на время года. Если перерыв будет вынужденным, то закаливание возобновляется от исходной точки: начинают с «мягких» процедур, затем постепенно переходят к более сильным. Словом, придерживайтесь общепринятого правила: от простого — к сложному!

Другое обязательное условие правильного закаливания — постепенное и последовательное увеличение дозировки процедур. Только постепенное усиление того или иного раздражителя (например, понижение температуры воды, применяемой для водных процедур), а также последовательный переход от малых доз воздействия к большим обеспечивают желаемый эффект.

Безрассудно начинать борьбу за свое здоровье сразу с обтирания снегом или купания в проруби. Такое «закаливание» наверняка окончится серьезным простудным заболеванием.

Высокий закаливающий эффект дает применение контрастных процедур, когда согревание организма быстро сменяется охлаждением и наоборот, но к такому режиму закаливания надо себя подготовить некоторыми оздоровительными мероприятиями.

Эффективность закаливания намного повышается, если проводить его в активном режиме, то есть выполнять во время процедур, например, физические упражнения или какую-нибудь мышечную работу. Доказано, что физические упражнения при закаливании холодом дают возможность компенсировать вызванную охлаждением интенсивную теплоотдачу за счет более интенсивного теплопроизводства.

Активный режим для повышения устойчивости к холоду допускает более быстрое нарастание интенсивности холодового раздражения, чем пассивный. Это способствует более быстрому повышению устойчивости организма к холоду. Занятия такими видами спорта, как лыжный и конькобежный, фигурное катание на коньках, легкая атлетика, плавание, гребля, парусный спорт, альпинизм и туризм, с точки зрения закаливания особенно благоприятны.

9.3. Воздушные ванны и свежий воздух

«Купание» в воздушной среде соответствует природе человека. Воздушные ванны благотворно действуют на человека. Благодаря им мы становимся более уравновешенными, спокойными. Незаметно исчезает повышенная возбудимость, улучшается сон, уходит усталость, появляются бодрость и жизнерадостное настроение. Воздушные ванны положительно влияют на сердечно-сосудистую систему, так как способствуют нормализации артериального давления и улучшают работу сердца.

Воздух не только поставляет кислород. Именно воздух наиболее универсальное средство закаливания. С воздушных ванн медики рекомендуют начинать систематическое закаливание организма. Это простой, но вместе с тем очень полезный способ.

Воздушная ванна может быть общей, если воздействию воздуха подвергается вся поверхность тела, либо частичной, когда обнажается только его часть (туловище, шея, руки, ноги). Закаливающее воздействие воздушных потоков связано прежде всего с разницей температур между ними и поверхностью кожи.

Слой воздуха, находящийся между телом и одеждой, обычно имеет постоянную температуру ($27-28°C$). Разница между температурой кожи одетого человека и окружающим воздухом, как правило, невелика. Потому-то отдача тепла организмом почти незаметна. Но как только тело человека освобождается от одежды, процесс отдачи тепла становится интенсивнее. Чем ниже температура окружающего воздуха, тем большему охлаждению мы подвергаемся.

Воздушные ванны по воздействию на организм подразделяются на тепловатые (выше $22°C$), прохладные ($20-17°C$), холодные ($16°C$ и ниже). Такое деление, конечно, условно. У закаленных людей ощущение холода возникает при более низкой температуре.

Воздействие холодного воздуха на большую часть поверхности тела вызывает в организме определенную реакцию. В первый момент, вследствие большой отдачи тепла, возникает ощущение холода, затем кровеносные сосуды кожи расширяются, приток крови к коже увеличивается, и ощущение холода сменяется приятным чувством тепла.

Воздушные ванны принимают лежа, полулежа, в движении. Для получения хорошей реакции рекомендуется раздеваться быстро — чтобы воздух оказал воздействие сразу на всю поверхность обнаженного тела. Это вызовет быструю и энергичную реакцию организма. Во время прохладных и холодных ванн полезно выполнять энергичные движения. Однако, если во время воздушной ванны станет холодно, появятся «гусиная кожа» и озноб, немедленно оденьтесь и сделайте небольшую пробежку, несколько гимнастических упражнений. После воздушных ванн полезны водные процедуры.

Благодаря совершенным механизмам терморегуляции человек легко переносит температурные изменения и может приспособиться к различным климатическим условиям. Для него оптимальна относительная влажность воздуха — 40—60%.

Сухой воздух всеми переносится легко. Повышенная влажность воздуха неблагоприятна: при высокой температуре она способствует перегреванию организма, а при низкой температуре — переохлаждению. Установлено также, что при высокой относительной влажности воздуха нам холоднее, чем при низкой. Объясняется такое явление тем, что вода лучше проводит тепло, чем воздух.

Для здоровых людей первые воздушные ванны длятся 20—30 минут при температуре воздуха 15—20°C. В дальнейшем продолжительность процедур каждый раз увеличивается на 5—10 минут и постепенно доводится до 2 часов.

При закаливании воздухом ни в коем случае не доводите себя до озноба. Холодные воздушные ванны рекомендуется завершать энергичным растиранием тела или теплым душем. Большие возможности для закаливания организма представляют круглогодичные тренировки на открытом воздухе, занятия всеми видами спорта, связанными с закаливающим действием воздуха.

Определенный закаливающий эффект наблюдается также при ношении легкой одежды, допускающей циркуляцию под ней воздуха. В условиях города, например, при умеренных морозах и непродолжительном пребывании на открытом воздухе зимой вместо шубы лучше надеть демисезонное пальто, утепленную спортивную куртку, отказаться от теплых шарфов.

9.4. Секреты водных процедур: обтирание, обливание, душ и купание

Высокая эффективность воздействия воды на организм объясняется тем, что ее теплоемкость в 28 раз выше, чем теплоемкость воздуха. Так, воздух при температуре 13°C воспринимается как прохладный, в то время как вода той же температуры кажется холодной. При одной и той же температуре воздуха и воды организм теряет в воде почти в 30 раз больше тепла. Именно по этой причине вода рассматривается как весьма сильное закаливающее средство.

У водных процедур есть еще одна особенность. Они, как правило, оказывают на человека и механическое воздействие. Более сильное действие по сравнению с воздухом вода оказывает и за счет растворенных в ней минеральных солей, газов и жидкостей. Кстати, с целью усиления раздражающего действия воды иногда в нее добавляют 2—3 ст. ложки поваренной соли либо 3—4 ст. ложки уксуса на ведро. Морская вода — идеальное средство для закаливания.

Каждая женщина, в зависимости от состояния, степени закаленности, других условий, может выбрать подходящие для нее процедуры.

Воздействие некоторых из них не велико (например, обтирания мокрым полотенцем). Сила же воздействия других: душа, купания — достаточна. Закаливание водой начинайте с «мягких» процедур — обтирания, обливания, затем переходите к более действенным — душу, купанию и т. д.

Для получения благоприятного воздействия начинать водные процедуры следует согревшись, поскольку в холодной воде происходит еще большее охлаждение. Главное при закаливании — температура воды, а не продолжительность процедуры.

Неуклонно придерживайтесь правила: чем холоднее вода, тем короче должно быть время ее соприкосновения с телом. Водные процедуры рекомендуется вначале проводить при температуре воздуха не ниже 17—20°C, и лишь по мере нарастания закаленности можно переходить к более низкой.

Особенно эффективно сочетание закаливания водой с физическими упражнениями. Вот почему после тренировочных занятий рекомендуется обязательно принимать водные процедуры.

Обтирание — начальный этап закаливания водой. В течение нескольких дней производят обтирания полотенцем, губкой или рукой, смоченными водой. Сначала обтираются лишь по пояс, затем переходят к обтиранию всего тела.

Обтирание делается в направлении тока крови и лимфы — от периферии к центру. Придерживайтесь определенной последовательности. Сначала обтирайте водой голову, шею, руки, грудь, спину, вытирайте их насухо и растирайте полотенцем до покраснения. После этого то же самое проделайте со ступнями, голенями, бедрами. Продолжительность всей процедуры, включая и растирание тела (заменяет самомассаж), не должна превышать 5 минут.

Обливание характеризуется действием низкой температуры воды, небольшим напором струи, падающей на поверхность тела. Это резко усиливает эффект раздражения, поэтому обливания противопоказаны людям с повышенной возбудимостью. И здесь необходим принцип постепенности.

Для первых обливаний применяется вода температуры около 30°С. В дальнейшем температура снижается до 15°С и ниже. Длительность процедуры с последующим растиранием тела составляет 3—4 минуты. Обливания вначале делают в закрытом помещении при температуре воздуха 18—20°С, затем — на открытом воздухе.

Для того чтобы подготовить организм к такому переходу, перед каждой процедурой тщательно проветривайте помещение, снижая температуру в нем до 15°С. Летом обливания делают на открытом воздухе ежедневно при любой погоде. Людям, имеющим высокую степень закалки, эти процедуры можно продолжать до глубокой осени.

Душ — еще более эффективная водная процедура. Благодаря механическому раздражению падающей водой, душ вызывает сильную местную и общую реакцию организма.

Для закаливания используют душ со средней силой струи — в виде веера или дождя. На первых порах температура воды может быть 30—35°С, продолжительность — не более одной минуты. Затем температуру воды постепенно снижают, а время приема душа увеличивают до двух минут. Процедура обязательно должна заканчиваться энергичным растиранием тела полотенцем, после чего, как правило, появляется бодрое настроение.

При высокой степени закаленности после физических нагрузок (в гигиенических целях, для снятия утомления, вызванного тренировкой или тяжелой физической работой) полезно применять так называемый *контрастный душ*. Его особенность состоит в том, что попеременно используются теплая и холодная вода с перепадом температуры от 5—7 до 20 градусов и более.

Купание в открытых водоемах — один из наиболее эффективных способов закаливания. Температурный режим при этом сочетается с одновременным воздействием на поверхность тела воздуха и солнечных лучей. Плавание имеет большое оздоровительное значение, способствует гармоничному развитию организма, укрепляет мышечную, сердечно-сосудистую и дыхательную системы, формирует очень важные двигательные навыки.

В древности с пренебрежением говорили о неполноценных людях: не умеет ни читать, ни плавать... Начинают купальный сезон, когда температура воды и воздуха достигнет 18—20°С. Прекращают купание при температуре воздуха 14—15°С, воды — 10—12°С. Лучше купаться в утренние и вечерние часы. Нельзя входить в воду чрезмерно разгоряченной или охлажденной.

Сильное воздействие на организм оказывают *морские купания*. Их особая ценность состоит в сочетании термического раздражения с механическим — ударами волн, а повышенное содержание в морской воде солей, прежде всего поваренной, вызывает химическое раздражение кожи.

9.5. По земле босиком

Лето — самое благоприятное время для водных процедур. Одной из наиболее доступных и эффективных процедур является прогулка босиком по мокрой траве. При этом не важно, чем смочена трава — росой, дождем или просто полита водой. Время такой прогулки должно составлять от 15 до 45 минут.

Закончив прогулку, не торопитесь сразу вытирать ноги. Лучше надеть сухую обувь и немного походить по сухому, покрытому песком или камнями месту сначала быстрым шагом, постепенно перейдя на обыкновенный шаг. Продолжительность такой ходьбы зависит от того, как скоро высохнут и нагреются ноги, она не должна превышать 15 минут.

Не меньшим оздоровительным эффектом обладает и другая летняя гидропроцедура — хождение по мокрым камням. Лучше всего использовать холодную воду, к которой можно добавить немного уксуса. Камни должны оставаться влажными на протяжении всей процедуры (лучше всего использовать холодную воду).

Зимой прогулку по мокрым камням можно заменить ходьбой по каменным плитам, политым снеговой водой. Осенью полезно ходить по траве, покрытой изморозью. Все это можно делать при любой погоде. Кроме того, рекомендуется ходить босиком по комнате хотя бы 15—20 минут каждый вечер перед сном, предварительно подержав ноги по щиколотку в холодной воде.

Выполнять эти процедуры особенно полезно людям с холодными ногами, подверженным частым ангинам, бронхитам, катарам, приливам крови к голове и вследствие этого страдающим головными болями. Продолжительность зависит от Вашего состояния — от 3 до 15 минут. Здоровым людям ходить по мокрым камням в целях закаливания — до получаса.

Водные процедуры, однако, этим не ограничиваются. Обливание коленей направляет кровь в бескровные сосуды. Хорошо, если струя воды льется с большой высоты. Если ноги холодные, процедуру делать нельзя! Страдающим малокровием нельзя это делать зимой, только летом. Слабым людям надо начинать ходить в теплой воде, потом постепенно переходить к более холодной.

Для укрепления рук и ног сначала надо стоять в холодной воде, доходящей до колен и выше, не более минуты. Это легко сделать в ванне, где можно держать руки и ноги в холодной воде. Такая процедура усиливает приток крови к конечностям. Погружение рук в воду оказывает помощь страдающим ознобами, тем, у кого постоянно холодные руки.

Наши ноги имеют чудесное свойство через поры в стопах выводить шлаки, яды, вредные вещества, то есть они очень хорошо заботятся об очистке организма, как и наши подмышечные впадины. Особенно много выделений между пальцами стоп, отчего возникают опрелости, раздражения, расчесы, грибок. Нужна ежедневная простейшая профилактика этих зон, гигиена стоп — мытье ног с мылом водой комнатной температуры.

Не пренебрегайте и самомассажем стоп, особенно если у Вас «сидячая» работа, малоподвижный образ жизни или если Вы вынуждены долгое время находится в постели. Двух минут самомассажа стоп достаточно, чтобы снять утомление или боль. Десять минут самомассажа одной рефлекторной зоны являются эффективной лечебной процедурой.

9.6. Целительный солнечный свет

Солнечный свет — и целитель, и надежный союзник в борьбе с болезнями. Действие на организм волшебных ультрафиолетовых лучей неодинаково и зависит от длины волны.

Одни лучи оказывают витаминобразующее действие — способствуют образованию в коже витамина D, недостаточность которого вызывает нарушение фосфорно-кальциевого обмена в организме. Другие оказывают так называемое эритемное и пигментное действие, т. е. вызывают на коже образование эритемы (покраснение) и пигмента, обусловливающего загар. Наиболее короткие ультрафиолетовые лучи оказывают бактерицидное, убивающее микробов, действие.

Ультрафиолетовые лучи очень чувствительны к различным препятствиям. Так, один слой марли задерживает до 50% всех ультрафиолетовых лучей. Марля, сложенная вчетверо, как и оконное стекло толщиной 2 мм, полностью исключает их проникновение.

При облучении солнцем часть его лучей отражается кожей, другая часть проникает вглубь и оказывает тепловое действие. Инфракрасные лучи могут проникнуть в организм на 5—6 см, видимые лучи — на несколько миллиметров, а ультрафиолетовые — только на 0,2—0,4 мм.

Солнечный свет обладает поистине целебной силой. Его лучи, прежде всего ультрафиолетовые, действуют на нервно-рецепторный аппарат кожи и вызывают в организме сложные химические превращения.

Под влиянием облучений повышается тонус центральной нервной системы, улучшается обмен веществ и состав крови, активизируется деятельность желез внутренней секреции. Все это благотворно сказывается на общем состоянии человека. Солнечный свет, кроме того, оказывает губительное действие на болезнетворных микробов.

Положительное действие солнечных лучей на организм проявляется только при определенных дозах солнечной радиации. Передозировка может нанести большой вред — вызвать серьезные расстройства нервной, сердечно-сосудистой и других жизненно важных систем организма.

Самая распространенная причина злоупотребления солнцем — стремление как можно быстрее и сильнее загореть, приобрести красивый цвет кожи. Кожа темнеет в результате солнечных облучений потому, что в ней откладывается особое красящее вещество — меланин. В настоящее время установлено, что оздоровительное действие солнечной радиации проявляется при таких дозах, которые не вызывают интенсивной пигментации.

При закаливании солнечными лучами надо следить за тем, чтобы нагрузка нарастала постепенно. Начинают прием солнечных ванн под навесом, затем постепенно переходят к ваннам рассеянного света и, наконец, выходят под прямые солнечные лучи.

Солнечные ванны лучше принимать утром, когда земля и воздух менее нагреты и жара переносится значительно легче. В середине дня солнечные лучи падают более отвесно и, естественно, опасность перегрева организма увеличивается. Летом в южных районах нашей страны лучше загорать в период от 7 до 10 часов, в средней полосе — с 8 до 11 часов, на севере — с 9 до 12 часов. Весной и осенью самое подходящее время для загара — с 11 до 14 часов.

Будьте особенно внимательны при дозировании солнечных ванн. Если организм не будет постепенно привыкать к действию солнечных лучей, возможны печальные последствия.

После солнечной ванны желательно сделать обливание или другую водную процедуру.

Глава 10. В ЗДОРОВОМ ТЕЛЕ — ЗДОРОВЫЙ СОН

10.1. Чистый организм — гарантия здорового сна

Современная жизнь, с ее стремительными темпами и несомненными достижениями научно-технического прогресса, увы, не всегда в ладах с экологией. Отсюда все острее встают проблемы засорения организма. Во всех наших органах начинают откладываться вредные вещества, шлаки, токсины, соли.

Подобный процесс приводит к преждевременному старению и постоянным недомоганиям. Молодость тает на глазах! Все внутренние силы приходится тратить на нейтрализацию вредных воздействий. Ни на что другое их уже просто не хватает. В этой связи остро встает проблема очистки организма.

Не будем лукавить, так или иначе каждому хочется иметь подтянутую фигуру, свежую и здоровую кожу. Токсины, накопившиеся в организме, вызывают общую интоксикацию, характеризующуюся раздражительностью, головной болью, плохим сном, аллергией. В итоге — все труднее сбросить лишний вес, а любая пища провоцирует расстройство желудка.

Почему же это происходит? Ведь каждый разумный человек старается вести здоровый образ жизни. Почему же организм засоряется? Чтобы понять это, надо знать некоторые особенности строения человеческого организма.

Наше тело состоит из трех составляющих: скелета, мягких тканей и клеток. Основная часть клетки называется протоплазмой. По своей структуре она напоминает жидкий студень. В этом студне и собирается «веселая компания» токсинов, шлаков и солей.

Клетки плотно встроены в мышечную и соединительную ткани, в которых также преобладает коллоидный белок. Сами коллоидные белки похожи на тонкие нити, которые в процессе старения соединяются друг с другом, образуя более толстые и тяжелые составляющие, которые усиливают давление на внутренние органы, из-за чего те сжимаются и деформируются. Кроме того, в течение жизни постоянно происходит потеря воды через потение и мочеиспускание. Она иссушает клетки, заставляя их сжиматься.

Для того чтобы противостоять этим процессам, организм затрачивает огромные энергетические усилия. Ведь из обезвоженной и сжатой протоплазмы вывести шлаки почти невозможно. Клетка плотно удерживает их в себе.

Ситуация усугубляется тем, что многое из того, что мы употребляем в пищу, в основе своей также имеет коллоидный белок. Такой белок, поступая в организм, сталкивается с коллоидным белком клеток. Чтобы не допустить их плавного перетекания друг в друга, ведущего к сгущению клеточной массы, организм отдает часть своего энергетического заряда. Этот многократно повторяющийся процесс подрывает основы энергетики организма. Из-за этого образуются застойные области. В них и происходят такие неприятные процессы, как сгущение, склеивание, образование шлаков. Это приводит к появлению камней, опухолей и кист.

Нельзя забывать и о возможном неблагоприятном влиянии окружающей среды. Можно вспомнить о разрушающей силе холода и сухости, способствующих обезвоживанию клеток. Отрадно, что тепло и влажность помогают клеткам разжижаться и не позволяют им удерживать в себе вредные вещества.

В нашем организме находится определенное количество вредных веществ, причем их объемы чаще зависят не от возраста, а от образа жизни и состояния здоровья, и делятся на две большие группы: экзотоксины и эндотоксины.

Правда жизни заключается в том, что мы не можем дышать, пить, есть и вместе с тем не поглощать массу «чуждых элементов» химического и природного происхождения — *экзотоксинов.*

Чаще всего с экзотоксинами мы сталкиваемся: при пищевых отравлениях (токсины микробов, грибков, нитраты, тяжелые металлы); при неправильном питании и «неправильных» диетах, в том числе при вдыхании воздуха, насыщенного вредными примесями (проблема мегаполиса и вредного производства, курение); при злоупотреблении алкоголем; при лекарственных интоксикациях (прием препаратов, содержащих токсичные вещества, прием лекарств в больших дозах).

Это, разумеется, не все источники токсинов для организма человека. Возьмем, к примеру, вечных спутников человечества — паразитов, попросту глистов. Проникая к нам в желудок с водой и едой, они поселяются надолго и основательно, причем не только там, но и в кишечнике, печени и даже в мозгу. Они живут, питаются и выделяют экскременты, которые отравляют организм.

Кроме того, наш организм может «заниматься» и самоотравлением.

Эндотоксины — это как раз те вещества, которые образуются в организме в процессе его жизнедеятельности. Как Вы, наверное, уже догадались — *неправильной жизнедеятельности*, то есть при различных заболеваниях и нарушениях обмена веществ, например:

— отклонениях в работе кишечника (дисбактериоз);
— дисфункциях печени (гепатиты различной формы);
— болезнях носоглотки (ангина, фарингит, грипп, ОРЗ);
— заболеваниях ротовой полости (парадонтит, парадонтоз, гингивит);
— заболеваниях почек;
— аллергических состояниях;
— стрессах.

В современных условиях нашим органам-работягам становится все труднее и труднее справляться с агрессией токсинов, и наступает момент, когда те начинают накапливаться внутри нас. Это приводит к осложненному течению многих заболеваний и препятствует выздоровлению. Если в крови, например, начинают собираться какие-нибудь бляшки, в почках — песок и камни, то виноваты не только «шлаки», но и плохая работа органов и расстройство обмена веществ.

Места накопления токсинов в организме самые разные. Непереработанные и недоокисленные продукты присутствуют практически во всех тканях. В первую очередь они скапливаются в кишечнике. Это следствие нарушения симбиоза — нормального сосуществования и взаимодействия бактерий и человека: число болезнетворных кишечных бактерий растет, а количество полезных бактерий микрофлоры — уменьшается.

Слизистая оболочка толстой кишки является первой и самой главной линией обороны организма от токсинов. Различные инфекционные и воспалительные заболевания, ревматизм, полиартрит, бронхиальная астма, кожные заболевания, повышенное артериальное давление, мигрень, аллергия и многие другие недомогания могут быть обусловлены нарушением функции кишечника.

Образуясь на стенках кишки, билирубиновые камни, налеты, наросты и корки мешают перистальтике и транспортировке пищи. В результате — запоры, вздутие или диарея. Лекарства лишь на время улучшают состояние, нерешенная проблема загоняет организм в глухой угол.

Забитая толстая кишка препятствует нормальному всасыванию витаминов и микроэлементов, а также воды, и мы «высыхаем». Если мы вовремя не помогаем себе, своему организму, он сам пытается спрятать свои яды в какую-нибудь капсулу, а в результате — полипы, опухоли. Накапливаемые токсины нарушают обмен веществ, что приводит к *ожирению.* Как это?

Вот как. Наш организм начинает спасаться. Накапливает жир. Ведь лишний вес — это не только причина заболеваний, но и их следствие. А жировые прослойки и целлюлитные «залежи» — весьма удобный «отстойник» для шлаков.

Сопротивляемость организма снижается, общее состояние никуда не годится, силы покидают, и настроение «на нуле», депрессия, усталость, бессонница, необъяснимые страхи, злость, обиды. Даже в зеркало смотреться не хочется!

Да и что там можно увидеть: тусклый взгляд, землистого цвета кожа, тонкие блеклые и редкие волосы. Неужели это я? Любой косметолог скажет Вам, что, если организм отравлен токсинами, глупо ожидать от своей кожи здорового цвета и хорошего состояния.

Особенно чувствительны к токсинам волосы. И если они секутся и выпадают — это первый сигнал тревоги: «С „излишками" в организме нужно что-то делать!». И даже самые хорошие косметические средства здесь оказываются бессильными.

Каждая женщина может сама выбрать способ очистки своего организма. Кто-то обходится и вовсе без чисток. Но не будем забывать, что все неприятные процессы в организме связаны во многом с разрушительным действием шлаков и болезнетворных бактерий, жизнь которых «бурлит» внутри наших органов. Так почему же не попробовать несколько отодвинуть приближение старости и продлить молодость, вечные спутники которой — бодрость, хорошее настроение и крепкий сон.

Очистка кишечника

Организм, как известно, состоит из органов, а наиболее чувствительный из них — кишечник. В нем могут скапливаться десятки килограммов вредных веществ. И тогда уже неважно, чем питается человек, — на пользу ничего не идет.

Самый древний способ очистки кишечника — это клизма. Ее применяли еще в Древнем Египте, а в Индии была написана целая книга о том, как с помощью клизм избавиться от множества болезней. Для эффективной очистки кишечника необходимо соблюдать определенные правила.

Очистительная клизма применяется для очистки кишечника от каловых масс и газов. С помощью клизмы вводят жидкость в нижний отрезок толстой кишки.

Вот перечень необходимых принадлежностей:

— кружка Эсмарха: резиновый, эмалированный или стеклянный резервуар объемом около 2 л с резиновой трубкой, на конце которой имеется кран, регулирующий поступление воды;

— растительное масло.

Помните: клизма — предмет личной гигиены.

Клизму применяют в различных положениях: лежа на левом или правом боку с поджатыми к животу коленями; сидя на корточках; стоя на коленях с упором на локти, лежа на спине с поднятыми ногами с упором в стену. Делайте все сами.

Воду для клизмы лучше брать сырую отстоявшуюся или кипяченую (комнатной температуры 18—21°C). Такая вода усиливает перистальтику кишечника.

Процедуру желательно проводить после естественной дефекации. Если таковой нет, то сначала сделать одну клизму для выведения каловых масс из кишечника, а потом произвести собственно очистительную.

После процедуры наконечник клизмы необходимо тщательно промыть горячей водой с мылом.

Действие очистительной клизмы мягкое. При этом опорожняется только нижний отдел кишечника. Вводимая жидкость оказывает механическое, термическое и химическое воздействие на кишечник, что немного усиливает перистальтику, разрыхляет каловые массы и облегчает их выведение. Действие клизмы наступает через 10 минут.

Клизма сделана правильно, если после завершения очистительной процедуры Вы почувствовали пустоту в животе и легкость в теле.

При очистке толстого кишечника хорошее действие оказывают отвары трав: тысячелистника обыкновенного, шалфея, душицы, календулы, ромашки, листьев березы, семени укропа, подорожника большого.

Очистка кишечника по Уокеру

Заранее приготовьте 2—3 л кипяченой воды. Лучшее время для очистки — 5—7 часов утра, можно перед сном — в 20—23 часа. В 2 л воды добавьте 1—2 ст. ложки яблочного уксуса или лимонного сока. *Никогда не применяйте минеральную воду.* Изменение кислотно-щелочного показателя в кишечнике за счет минеральной воды неизбежно изменит этот же показатель в крови и может вызвать заболевание.

Зачем надо добавлять яблочный уксус или лимонный сок в воду для клизмы? Дело в том, что процессы брожения и гниения протекают в щелочной среде, легкое подкисление прекращает их, уничтожает болезнетворных микробов, стимулирует жизнедеятельность полезной и необходимой микрофлоры.

Воду влить в кружку Эсмарха. Конец шланга или наконечник окунуть в подсолнечное масло. Кружку подвесить так, чтобы шланг не натягивался, когда Вы будете вводить наконечник. Опуститесь на колени на мягкий коврик. Примите, например, коленно-локтевое положение — на коленях и на одном локте, так как вторая рука будет поддерживать наконечник, вводя его в задний проход.

Наконечник надо вводить медленно, осторожно, особенно при геморрое. Лучше даже снять наконечник — вода пойдет быстрее. Введя наконечник, приподнимите таз, а голову опустите ниже и начинайте глубоко дышать, втягивая в себя воздух, коротко выдыхая через рот. Сделайте 7 втягиваний живота и отдохните. Чем энергичнее Вы будете втягивать воздух, тем быстрее вольется в прямую кишку вся вода.

Если вода вошла не вся, а Вы уже чувствуете боль в кишечнике, перекройте кран на шланге или зажмите шланг прищепкой (зажимом), поднимитесь на ноги и, не вынимая наконечник из заднего прохода, помассируйте живот движением вверх, затем снова опуститесь на колени и продолжайте процедуру. Воду надо ввести всю!

Когда вода в кружке закончится, удалите наконечник, положите на задний проход заранее подготовленную прокладку, зажмите мышцу прохода и постарайтесь держать воду не менее 7 минут. Боль, чувство распирания в животе успокаивайте поглаживанием. Если удастся, походите с введенной водой недалеко от унитаза или полежите на животе. Возможно, первый раз долго удерживать воду будет трудно. Чтобы не было сильного распирания, постарайтесь до клизмы добиться естественной дефекации. Сидя на унитазе, массируйте живот, прощупывая пальцами кишки. Если определяется булькающий звук, значит,— не вся вода вышла.

Никогда не начинайте делать клизму при недостатке времени. Следует ввести всю воду, не торопясь. Недопустимо из-за недостатка времени оставлять что-то в кишках: оставшаяся часть воды всосется в каловые массы и принесет еще больший вред.

Повторяю: если после процедуры Вы почувствуете пустоту в желудке и легкость в теле, клизма получилась.

Но если Вы чувствуете, что в кишках еще много каловых масс, следует еще раз налить воды в кружку и ввести ее, чтобы вытолкнуть из кишечника все, что осталось.

1-я неделя: делайте такие клизмы ежедневно.

2-я неделя: делайте клизмы через день.

3-я неделя: клизмы — через 2 дня.

4-я неделя: клизмы — через 3 дня.

5-я неделя и затем вся жизнь: клизма — один раз в неделю.

Давайте разберемся, что же в результате получилось. Вы отмыли стенки кишечника, убрали завалы каловых камней, гниль, продукты брожения. Теперь Ваш организм станет получать из пищи чистые вещества для создания новых клеток.

Прекратился процесс проникновения в организм шлаков, канцерогенов, ядов и прочих «излишеств». Стала очищаться кровь. Значит, прекратился рост и развитие Ваших болезней, прекратилось наступление старости. Вы остановили старость!

Без полной очистки желудочно-кишечного тракта невозможна очистка других органов.

Очистку желудочно-кишечного тракта следует делать 1—2 раза в год: перед началом весенне-летнего и началом осенне-зимнего сезонов.

Очистка печени

Вообще-то, речь пойдет об очистке системы «печень — желчный пузырь».

Наша печень — один из самых важных органов.

За 24 часа она производит от 1 до 1,5 л желчи. А желчь нам необходима для расщепления жиров на глицерин и жирные кислоты.

Известно около 30 биохимических функций печени. Особенно важна очистительная функция, протекающая преимущественно ночью. Если она протекает некачественно, Вы просыпаетесь уставшей.

Самым распространенным заболеванием печени является камнеобразование в самой печени и в желчном пузыре. Происходит это в основном из-за неправильного питания, возможно и влияние стрессов.

Прежде чем чистить печень, надо очистить толстую кишку.

Чтобы произошла очистка печени, необходимо вызвать мощный желчегонный эффект, сокращение желчного пузыря и раскрытие общего желчного протока. Эта процедура называется *тюбаж.*

Физиологические механизмы, используемые при очистке печени: для проведения очистки необходимо использовать сильное желчегонное средство.

К сильнодействующим средствам, обеспечивающим повышенное выделение желчи, относятся яичные желтки, растительные масла, серно-кислая магнезия, карловарская соль.

1. Прием больших доз растительного масла (особенно оливкового) вызывает сильный желчегонный эффект: сокращение желчного пузыря и максимальное раскрытие всех желчных протоков.

2. Интенсивному выделению желчи из печени способствуют кислоты. Лимонная кислота, содержащаяся

в лимонном соке, стимулирует эту функцию и, кроме того, растворяет твердые выступы — крючки, которые удерживают желчные камешки в протоках.

3. Тепло — наилучший способ уменьшения воспалений и болезненных спазмов в печени. Известно, что камни в печени на 90—99% состоят из холестерина. Если мы за 3—4 часа до чистки разогреем область печени и продолжим ее согревать после приема масла и лимонного сока, тепло оплавит камни, они свободно пройдут по желчным протокам, и болевых спазмов не возникнет.

4. Желчные протоки обладают гладкой мускулатурой, способны расширяться до 2 см в диаметре, при сокращении развивать такое усилие, что желчь выбрасывается под давлением 300 мм, а в экстремальных случаях давление может достигать 800!

5. Возможно рассасывание желчных камней. Это происходит при отбухании коллоидов и образовании трещин, а также частичном их растворении в нормальной желчи.

6. Лимонный сок обладает сильным кислым вкусом. Согласно китайской народной медицине, кислый вкус стимулирует функцию печени. Кроме того, эфирные масла лимонного сока действуют одновременно и как желчегонное средство, и как антисептик.

7. Печень и желчный пузырь наиболее интенсивно работают с 23 до 3 часов.

В подготовке к очистке печени возможно применение пиявок. Специалисты пишут о быстром изменении секреции печени под влиянием гирудина — секрета пиявок. При применении пиявок в течение суток меняется содержание гепарина и протромбина в крови. Это продукты секреции печени. Они регулируют свертываемость крови.

Очистка печени по Малахову

Следует хорошо разогреть печень. Тепло — наилучший фактор уменьшения болезненных спазмов. Повышенный кровоток в печени активизирует процессы, а также разжижает желчь, делая ее более текучей.

Хорошо бы прогревать печень и в день чистки, и всю следующую ночь. Это может заметно увеличить эффект. Желчные протоки обладают гладкой мускулатурой и способны расширяться до 2 см в диаметре, а при сокращении развивать такое усилие, что имеющиеся камни с легкостью выбрасываются в кишечник и затем покидают организм.

Если за 3—4 дня до очистки Вы будете питаться в основном растительной пищей и употреблять большое количество свежеотжатого сока (1 часть сока свеклы и 4—5 частей яблочного сока, желательно кисловатого) и делать очистительные клизмы один раз в день, Ваша предварительная подготовка будет идеальной.

Утром в день очистительной процедуры, после туалета, сделайте клизму. Затем легко позавтракайте, предварительно выпив свежий сок. Также легко пообедайте и через 1—2 часа начинайте прогревать область печени. Для этого приложите грелку (можно электрогрелку) с горячей водой. Ходите с ней весь остаток дня до очистительной процедуры.

В 19—20 часов начинайте процедуру очистки печени. Предварительно подогрейте масло и лимонный сок до 30—35°С. Для разовой очистки достаточно 100—200 г масла и столько же сока.

Итак, все готово: стоят два стакана, один с маслом, другой с соком. Вы делаете один–два глотка масла и запиваете столькими же глотками сока. Через 15—20 минут, если нет тошноты, повторяете. Ждете 15—20 минут, и так несколько раз — пока не выпьете все масло и сок. Затем прикрепляете грелку к области печени и спокойно отдыхаете. Как показала практика, чем больше прогреваете печень, тем лучше эффект. Держите ее всю ночь и весь следующий день.

Если Вы плохо переносите масло и Вас начинает тошнить после первого приема, необходимо подождать, пока эти неприятные ощущения исчезнут, и только тогда повторить прием.

Растяните процедуру, это не страшно, а даже полезно. Но если тошнота не проходит, ограничьтесь выпитым количеством, и этого будет достаточно. Грелку можете снять.

Все это вместе — тепло, активность ферментов, усиленный кровоток — позволит Вам раздробить и расплавить камни, промыть и выгнать вон весь «мусор».

Никакая другая очистительная процедура не действует так мощно, как вышеописанная. Примерно в 23 часа или позже (бывает, и под утро), когда активность печени и желчного пузыря максимальны, начинается извержение камней и нечистот. Это выражается в прослаблении. Вы увидите все «добро», нажитое с помощью неправильного образа жизни, извращенного питания и сразу поймете, что ни о каком здоровье не может быть и речи, если это «добро» остается в организме. Утром обычно еще раз прослабляет, и может выйти еще большее количество камней и мазутообразной желчи.

Сделайте очистительную клизму.

Немного отдохните и можете поесть. Первая еда должна состоять из 0,5 л сока (морковного или свекольно-яблочного, в соотношении 1:5). Сок дополнительно промоет Вашу печень. После этого можете есть салаты, кашу, сваренную на воде, затем вернуться к обычной жизни.

Практические рекомендации по очистке печени

Как показала практика, первую чистку печени лучше сделать с 150—200 г масла, чтобы не было рвоты. В последующих чистках можно увеличить дозу до 300 г.

Если через некоторое время возникнет рвота и в рвотных массах обнаружатся слизистые включения (зеленого, черного или другого цвета), это указывает на то, что масло и сок сработали в желудке, очистили его от имеющейся там патологической пленки. У некоторых это происходит при первой очистке. Вторую проделайте с меньшим количеством сока и масла, а при третьей — слегка увеличьте количество.

Во время очистки старайтесь быть расслабленной и спокойной. Как правило, во время чистки с помощью масла и лимонного сока болей не бывает.

Ничего не бойтесь, ибо страх спазмирует сосуды и желчные протоки. Из-за этого у Вас может ничего не получиться, и это другая причина рвоты. Если у Вас возникли страх, беспокойство или нервозность, связанные с ожиданием, и Вы чувствуете себя «зажатой», скованной, примите две таблетки но-шпы и успокойтесь. Все остальное произойдет автоматически.

Общие рекомендации по частоте проведения чисток — одна чистка в квартал.

Питание после чистки печени

Сразу после чистки печени следует выпить свежеотжатый морковный или яблочный сок со свекольным. Яблоки должны быть кисловатыми, тогда в соединении со свекольным получится очень хорошая на вкус смесь.

Затем можно съесть салат из свежей зелени, чуть подкисленный или подсоленный чем-нибудь натуральным: лимонным соком, клюквой, морской капустой. Далее — каша, сваренная на воде, можно добавить немного масла, морской капусты. Так же пообедайте и поужинайте. На следующий день питание можно разнообразить.

Теперь можно перейти к правильному питанию, чтобы печень лишь укреплялась. При правильном уходе печень очень хорошо восстанавливается и омолаживается. Известно, что у животных, например, при удалении 75% ткани печени, полное восстановление происходит в течение 8 недель.

Очистка печени смесью соков

Смесь морковного, свекольного и огуречного соков — отличное очистительное средство для желчного пузыря, печени и почек. Кроме того, такая смесь обеспечивает высокое содержание витамина А, фосфора, серы, калия и других щелочных элементов и является наилучшим естественным строителем кровяных клеток.

Нам понадобится: 2—3 лимона ежедневно, горячая вода и смесь морковного, свекольного и огуречного соков в равных количествах.

Очистка: необходимо пить сок одного лимона с половиной стакана горячей воды несколько раз в день и полстакана смеси морковного, свекольного и огуречного соков 3—4 раза в день. Сок лимона и смесь соков следует употреблять в разное время.

Продолжительность курса — 1—2 недели.

Очистка почек

Пока почки не болят, мы на них не обращаем внимания, а ведь о них надо заботиться. Орган работает с таким рвением, какое другим частям тела даже «не снилось». Самое главное предназначение почек — очистка всей жидкости нашего организма от несовместимых с жизнью продуктов обмена веществ. Это мочевина, хлорид натрия и другие соли, шлаки. Все это удаляется из нашего тела через почки, следовательно, чистота наших дорогих почечек служит залогом нашей же молодости — красивой кожи, ясных глаз и уверенности в себе «на все сто».

Условие: чистка почек проводится только после очистки кишечника и печени.

После чисток кишечника и печени Вы почувствуете себя намного здоровее. Жизненные силы, ранее тратившиеся на нейтрализацию последствий самоинтоксикации из толстого кишечника, на поддержание работы печени, теперь будут целиком использоваться для наведения порядка в организме. Омоложение всего организма пойдет быстро и качественно.

Но у некоторых людей могут быть камни в почках. Что же это такое — камни в почках? Чем страшна *почечно-каменная* болезнь?

Она связана с образованием в почках, вернее, в их чашечках и лоханках, песка или целых «булыжников». Причиной, как правило, служит нарушение обмена веществ в сочетании с инфекцией.

Иногда болезнь протекает скрыто и обнаруживается только при рентгеновском обследовании. Первые же признаки (в виде тупых болей в пояснице или приступов почечной колики) появляются чаще всего тогда, когда камень уже имеет большие размеры либо попадает в мочевыводящий проток и перекрывает его. Боли усиливаются при ходьбе, после поднятия тяжести и других физических нагрузок.

Для оздоровления почек могу посоветовать обильное питье и теплые ванны.

Обильное питье необходимо для промывания лоханок и чашечек почек и одновременного уменьшения количества плотных веществ в моче. Полезны свежие соки овощей и фруктов из-за их мочегонных свойств и их минерального и витаминного состава.

Соли калия (особенно нитрат калия) наиболее активны, но токсичны. В идеальном виде они присутствуют в смеси свежеотжатых соков: морковного — 7 частей, сельдерея — 4, петрушки — 2 и шпината — 3 (можно и без шпината).

Глюкоза, ксилоза, фруктоза увеличивают выделение воды, ионов натрия и хлора.

Такие мочегонные средства, как чай с лимоном, чай из виноградных листьев, из хвоща или липовый чай, усиливают и учащают сокращения лоханок и мочеточников, как бы проталкивая в мочевой пузырь соли и камни.

В народе давным-давно известно мочегонное средство, которое отвечает почти всем условиям,— это арбуз.

Арбуз (мякоть и отвар корок) оказывает сильное мочегонное действие, но не раздражает почки и мочевыводящие пути. Ощелачивание мочи способствует растворению солей и предотвращает образование камней и песка (2—2,5 кг арбуза в течение суток).

Теплые ванны способствуют нормализации капиллярного кровообращения, снятию спазмов, что улучшает работу почек, препятствует склеротированию почечных клубочков и почечных канальцев. Расслабление и расширение мочевыводящих путей способствует безболезненному прохождению песка и мелких камней.

Растворению камней способствуют вещества с большим содержанием эфирных масел специфического горько-холодящего вкуса. Такие вещества в изобилии содержатся в полыни и пижме. Древние целители рекомендовали пить сок пижмы для растворения камней в почках и мочевом пузыре.

Очень эффективно растворяет почечные камни пихтовое масло.

Сок черной редьки также растворяет камни.

Лимонная кислота и другие кислоты способствуют растворению фосфатных и карбонатных камней.

Укроп содержит 4% эфирного масла, успокаивает почечную колику, растворяет камни. «Родственники» укропа — сельдерей и фенхель — обладают такими же свойствами. Эти растения необходимо употреблять для профилактики почечно-каменной болезни, к тому же они улучшают пищеварение. Зверобой обладает схожими свойствами.

Установлено и другое — растительные пигменты (особенно много их в свежеотжатых соках овощей и фруктов) под действием окислительно-восстановительных превращений окисляют мочу, что приводит к растворению некоторых видов мочевых камней. Растительных пигментов особенно много в корнях шиповника, а также в его плодах и свежеотжатых соках моркови и свеклы.

Наша цель при очистке почек — предотвращение зарождения новых камней, крошение и дробление уже образовавшихся камней и удаление их из организма, причем делать это мы должны мягко и постепенно.

Итак, для *очистки* и *оздоровления почек* будем следовать наставлениям Авиценны:

1) устраните причины, ведущие к образованию камней.

Для этого прямо сейчас измените **систему питания и образ жизни** с целью нормализации обмена веществ, что устранит причины, ведущие к камнеобразованию;

2) применяйте средства (кому какое подходит или имеется в наличии) для раздробления (рассасывания) камней, превращая их в песок.

Выбирайте любое средство: сок черной редьки, сок лимона, пихтовое масло, корни шиповника, свежеотжатые овощные соки;

3) произведите срыв раздробленных камней (песка) и мягко, постепенно их изгоните.

Употребляйте, одновременно с растворением камней, мочегонные средства: чай с лимоном, чай из виноградных листьев или хвоща;

4) почувствовав, что начинается отход дробленых камней (песка), примите теплую ванну для лучшего и безболезненного их выхода.

Очистка почек с помощью арбуза

Очистка производится летом, в арбузный сезон. Для этого следует запастись арбузами и черным хлебом. Только это надо есть в течение недели, а то и двух.

Во время чистки желательно присутствие домочадцев. Потому что, когда начинается отход песка и камней, может появиться сердечная слабость. Приготовьте корвалол, валидол, нашатырный спирт. Надо быть готовой. Ведь эта процедура — маленькая операция, но без ножа.

Если в почках и мочевом пузыре имеются камни, то наиболее подходящим временем их выведения будет период с 17 до 21 часа.

Именно в эти часы проявляется максимальная активность мочевого пузыря и почек. Надо принять теплую ванну и есть много арбуза. Тепло расширит мочевыводящие пути, снимет боли и спазмы (особенно когда будут выходить камни), арбуз вызовет интенсивное мочеотделение — промывание, а активность мочевого пузыря и почек будет способствовать срыву и изгнанию песка и камней.

Эту чистку можно проводить в течение 2—3 недель до получения ожидаемого результата.

Очистка почек пихтовым маслом

Для проведения чистки почек используется пихтовое масло в сочетании со следующими травами: по 50 г зверобоя, душицы, шалфея, мелиссы и спорыша. Траву надо измельчить до размера чаинок.

На неделю следует исключить из рациона продукты животного происхождения и пить чай из этих трав с медом.

Очистка: начиная с 7-го дня и в течение 5 последующих дней пить настой сбора трав с пихтовым маслом. Настой пьют 3 раза в день за 30 минут до еды. Каждый раз в 100—150 г приготовленного раствора добавляют 5 капель пихтового масла, после чего настой тщательно размешивают.

Песок и камни, «склеенные» пихтовым маслом в сгустки бурого или темно-красного цвета, «выпадают» в мочу, поэтому, если очистка происходит, моча значительно мутнеет.

Как только в моче появляется муть (обычно на 3—4-й день употребления пихтового масла), начинайте применять дополнительные рекомендации на время прохождения камней и песка по мочевым путям. После двух недель очистки дайте организму отдых — 1—2 недели, затем повторите курс, и так до получения желаемого результата.

Предостережение. Мочегонный сбор с пихтовым маслом надо пить через соломинку, чтобы не растворилась эмаль на зубах! (Можно наполнять им капсулы из-под лекарств и глотать.)

Дополнительно: 2 ст. ложки нарезанных корней шиповника залить одним стаканом воды и дать настояться (хотя бы ночь), не закрывая, потом кипятить 15 минут, дать остыть. Процедить.

Принимать по 1/3 стакана 5 раз в сутки в течение 10 дней. Это позволит вывести песок из почек с меньшими проблемами.

Профилактика заболеваний почек

Профилактика направлена на содействие растворению и выведению солей мочевой кислоты.

Рекомендуется пить соки, есть салаты, фрукты, проросшую пшеницу. Салаты слегка «подсаливайте» сухой морской капустой, чтобы стимулировать работу почек, уменьшите употребление сладостей.

Используйте мочегонные отвары.

Постоянно стимулируйте общее капиллярное кровообращение. В этом Вам помогут бег, физические упражнения.

Только благодаря комплексному подходу можно обеспечить своим почкам здоровье, а себе долголетие. Помните пословицу древних целителей: «С хорошими почками можно дожить до 100-летнего возраста, даже если сердце является больным».

Очистка сосудов — помощь всему организму

Миллионы людей сталкиваются с проблемой уплотнения стенок артерий, сужением просвета сосудов и ухудшением кровоснабжения органов.

Кровь — это жизнь. Любому участку нашего организма для поддержания жизнеспособности нужна обогащенная кислородом кровь. Каждая клетка организма получает питание от крови. Кровь соединяет и питает все органы и системы организма. Кровь прошла через больной орган и отправилась дальше — она уже несет в себе болезнь.

Так могут ли оставаться молодыми и здоровыми все органы, если болен хоть один из них?

Что же на самом деле болеет — только один орган или нездоров организм в целом? Конечно, нездоров организм в целом, и нездоров он именно из-за того, что в нем нарушена гармония, нарушен баланс.

Недостаточная физическая активность, избыток жирной пищи толкают нас к болезням, отбирающим силы и молодость, укорачивающим жизнь.

Помолодеть никогда не поздно. Займитесь очисткой своих сосудов.

Напоминаю: до того как начать очистку сосудов, необходимо очистить кишечник.

Очистка сосудов с помощью сока овощей и фруктов

Иммуностимулирующий и очищающий состав: 150 г сока красной свеклы (выдержать 3 часа после его получения), 120 г сока граната, 150 г сока лимона, 150 г сока моркови, 150 г сока яблок антоновки, 100 г цветочного меда смешать, хранить в холодильнике.

Очистка: принимать по одной чайной или десертной ложке 3 раза в день в течение трех месяцев.

Очистка сосудов с помощью меда

Рецепт очищающего состава: 1 кг цветочного меда, сок 10 крупных лимонов, сок 8 крупных головок чеснока, пропущенных через соковыжималку, 100 г яблочного уксуса.

Очистка: принимать по одной столовой ложке в 1/2 стакана кипяченой воды 3 раза в день в течение 1—2 месяцев.

Очистка сосудов с помощью семян льна

Самый простой в приготовлении и хорошо очищающий сосуды состав готовится из семян льна. Вечером 1/3 стакана семян заливают 1 л воды, доводят до кипения и 2 часа держат на водяной бане.

За ночь отвар настаивается, утром его процеживают. Получается около 850 мл киселеобразной жидкости.

Очистка: жидкость необходимо выпить за 5 дней. Пьют по 1/3 стакана утром натощак и вечером до еды. Чтобы был хороший эффект, пить надо 15 дней. Лечение повторяют через 3 месяца.

Очистка капилляров по системе Ниши

Капилляры верхних и нижних конечностей, являющиеся двигательной силой циркуляции крови в конечностях, рекомендуется укреплять выполнением простого упражнения: лягте спиной на пол, под шею подложите валик. Затем поднимите вверх руки и ноги так, чтобы ступни ног держались параллельно полу. В таком состоянии начинайте трясти (вибрировать) обеими руками и ногами одновременно.

Времени на такое упражнение надо немного: его делают утром и вечером в течение 1—3 минут.

Очистка суставов способствует увеличению их подвижности

Часто мы ощущаем боль в суставах, хруст в коленях, опухание и плохую подвижность голеностопа. Все это мешает нам легко и свободно двигаться, заниматься физкультурой, да просто жить спокойно! А виной тому — и отложение солей, и изнашивание околосуставных сумок, и всевозможные костные наросты.

Этих проблем можно избежать, если вовремя заняться очисткой и приведением в норму своих суставов. Ведь отложение в них солей происходит медленно, поначалу совершенно незаметно и безболезненно.

Вот на этом-то этапе, когда еще заметных изменений нет, самое время заняться очисткой суставов. Но если изменения есть, это не значит, что делать очистку уже поздно,— наоборот, она тем более нужна, хотя и может проходить сложнее, с болевыми ощущениями. Будьте к этому готовы.

Для проведения эффективной и щадящей очистки суставов необходимо использовать не одну и не две оздоровительные методики. Значительных успехов можно добиться только при применении комплексной и целенаправленной системы оздоровительных процедур, включающей, кроме очисток, массаж, лечебную гимнастику, местное и общее прогревание.

Перед очисткой суставов очень важно очистить кишечник, чтобы не было аллергии.

Очистка суставов с помощью лаврового листа

5 г измельченного лаврового листа залить 300 мл кипящей воды, кипятить 5 минут на слабом огне. Затем воду вместе с листьями залить в термос (прямо с огня), дать настояться в течение 4 часов.

Очистка: настой процедить и пить в течение дня по одному глотку, распределив все количество на 12 часов (сразу все не пить — можно вызвать кровотечение).

Эту процедуру повторять в течение трех дней.

Во время приема отвара лавровых листьев рекомендуется ежедневно проводить контрастные водные процедуры и воздушные ванны.

После трех дней приема сделать перерыв на неделю. Затем повторять процедуру еще в течение 3 дней. Водные процедуры проводятся без перерыва.

Если есть запоры, надо делать клизмы и в период перерыва.

Первый год надо очищать суставы один раз в 3 месяца, далее — один раз в год после очистки кишечника и печени.

Очистка суставов соком черной редьки

Имейте в виду: этот способ может вызвать некоторые болевые ощущения. В этом нет ничего страшного, такие боли будут свидетельствовать лишь о том, что процесс очистки идет нормально. Сок черной редьки способен излечить даже очень значительные патологии суставов!

Возьмите 10 кг черной редьки, промойте, освободите от корешков, не очищая от кожуры, пропустите через мясорубку и отожмите сок. Перелейте сок в банку, плотно закройте крышкой и поставьте в холодильник.

Очистка: сок принимать 3 раза в день независимо от режима питания, не более чем по 2 ст. ложки за один прием, до тех пор, пока сок не закончится.

В период очистки надо полностью исключить из своего рациона сдобу, жирные блюда, мясо, яйца и продукты, содержащие крахмал.

Очистка суставов картофельной водой

Этот способ хорошо очищает суставы и снимает воспаление при артритах. Кроме того, очищается и кишечник.

Картофельный отвар: 1 кг неочищенного картофеля хорошо вымыть, нарезать маленькими кусочками, варить в течение 1,5 часов, затем процедить.

Очистка: пейте эту воду 3 раза в день по 200 г: утром натощак, в середине дня и непосредственно перед сном — так в течение двух недель, затем сделайте перерыв на 2 недели, после чего повторите курс.

Лимфу и кровь тоже надо очищать!

Мы не много знаем о лимфе и лимфатической системе. Каждая клетка организма окружена особой межклеточной жидкостью, через которую питательные вещества и кислород из крови поступают к клеткам, туда же попадают все вредные продукты жизнедеятельности клеток, а также токсические вещества, бактерии и вирусы, проникающие в организм из внешней среды.

Все эти болезнетворные агенты могут вызывать повреждение клеток и даже их гибель. Поэтому необходим постоянный отток межклеточной жидкости, дренаж всех органов и тканей, обеспечивающий удаление вредных веществ и освобождающий пространство для поступления питательных веществ из крови.

В лимфатических узлах, одновременно являющихся и органами иммунной системы, уничтожаются бактерии и вирусы и частично обезвреживаются вредные для организма вещества. Затем лимфатические сосуды, сливаясь, формируют главные лимфатические протоки, из которых лимфа попадает в кровеносное русло. В крови и печени завершаются процессы обезвреживания, начатые в лимфатических узлах.

Таким образом, состояние лимфатической системы во многом определяет здоровье каждой клетки и молодость организма в целом. Вот как она важна!

Очистку лимфы, как и любого другого органа, можно проводить лишь после очистки кишечника.

Очистка лимфы с помощью соков цитрусовых и талой воды

За 1—2 дня до начала очистки лимфы налить в пластмассовую посуду сырую воду (желательно родниковую или пропущенную через очиститель), плотно закрыть и поставить в морозильную камеру (рядом не должно лежать мясо).

Когда вода замерзнет, внесите ее в теплое помещение, талую воду необходимо осторожно слить, чтобы не попал осадок. Талой воды требуется 2 л (можно приготовить ее в несколько приемов).

Очистка. 1-й день: подготовить 900 г сока грейпфрута, 900 г сока апельсинов, 200 г сока лимонов. Все смешать, разбавить 2 л талой воды.

Утром натощак сделать клизму из 2 л воды с 2 ст. ложками яблочного уксуса. Затем выпить 100 мл воды с растворенной в ней глауберовой солью или любым слабительным. Сразу же встать под горячий душ и хорошо разогреться.

Выпить 200 мл приготовленной смеси. Вы сразу начнете потеть, появятся позывы к опорожнению кишечника, «стул» может быть жидким. Далее принимать по 100 г смеси каждые 30 минут, пока не будут выпиты все 4 л смеси. Питание обычное.

2-й день: с утра — клизма. Дальше сделать все, как в 1-й день.

3-й день: клизма и все, как в 1-й день.

Процедуру можно делать один раз в год.

Очистка лимфы с помощью лимонов и меда

Очистка. 1-й день: утром клизма; соблюдать вегетарианскую диету. За день съесть тертый лимон с хорошо распаренной цедрой (сок не подогревать), смешать с фруктовым сахаром или медом.

2-й день: то же самое, но 2 лимона.

3-й день: то же, 3 лимона.

4-й день: то же, 4 лимона.

5-й день: то же, 5 лимонов и так далее до 15 лимонов в день. Затем — обратный порядок, то есть каждый день

на один лимон меньше. За месяц растворяются все отложения, выводятся шлаки, очищается лимфа, кровь насыщается витаминами.

10.2. Волшебная сила бани

Отдыхаете ли Вы в бане? С любовью к себе, к своему телу. Так, чтобы после банных процедур кожа блестела и даже хрустела от чистоты, душа пела от радости, а умиротворение и легкость наполняли все Ваши клеточки?

В бани, парилки, сауны сейчас ходят единомышленники. Сегодня это не просто место для мытья, но и ритуальное действо для обновления души и тела и восстановления внутренней гармонии. Впрочем, с этой целью бани и были придуманы древними.

Каких только бань не бывает на свете! Сколько культур, столько и представлений о том, как лучше и эффективнее париться. Самая экзотическая для европейцев, пожалуй, японская баня — фуро.

Вместо парилки там большая деревянная бочка, заполненная водой температурой около 45—50°С. Вода нагревается печкой, устраиваемой прямо под бочкой. В воду погружаются по шею и проводят в ней не более 5—6 минут.

Прогреваться подобным образом можно и в опилках, и в песке, и даже в мешке с березовыми листьями. Однако эти удовольствия не являются массовыми, а выполняют скорее лечебную функцию.

В последние годы все большее распространение у нас получила финская баня — сауна. Интересно, что исконная финская сауна почти ничем не отличалась от русской парной бани.

И в русской бане, и в финской сауне издавна получали пар, поливая водой раскаленные на огне камни. И русские, и финны пользовались вениками в процессе банной процедуры. И те, и другие, разогревшись, бросались в холодную воду или в снежный сугроб.

Сегодня во всем мире популярны сауны с сухим паром: температура воздуха — около 80°С при относительной влажности воздуха от 5 до 10%.

Есть любители, которые поднимают температуру до 100 или даже 120°С, но такой жар могут вынести только абсолютно здоровые люди. В русской бане влажность воздуха выше — до 30%, а температура не превышает 60°C. Впрочем, и в русской парной, и в сауне можно легко установить любой температурный и влажностный режим.

Оздоровительный эффект от сухой или влажной парилки зависит от периодичности. Лучше всего посещать баню или сауну один раз в неделю, можно и один раз в две недели. Но только не раз в полгода или год — тогда стойкого оздоровительного эффекта не получится.

В последнее время мы постоянно видим по телевидению рекламу различных косметических препаратов, помогающих избежать появление морщин на лице. И женщины, стараясь выглядеть моложе, тратят огромные средства на эти препараты, забывая о том, что существуют более доступные и проверенные веками методы. Морщины — это следствие нарушения функции сальных желез и, значит, следствие потери кожей упругости.

Кожу надо тренировать! Горячая баня — великолепный тренажер и очиститель кожи. Достичь красоты можно, получая от этого удовольствие. Баня — это удовольствие, радость! Она способна заменить многие косметические средства — помогает не только избежать морщин, но и сохранить упругость кожи, очистить весь организм от шлаков.

Установлено, что банная процедура значительно снижает уровень молочной кислоты в организме — основного фактора усталости. Баня успокаивает организм, помогает ему справиться с болезнями, стрессами, работает на здоровье.

Баня воздействует на организм многосторонне. Важнейшие факторы ее физиологического влияния — температура, влажность и механическое воздействие. Высокая температура парной раздражает терморецепторы кожи и слизистых оболочек верхних дыхательных путей.

Насыщение воздуха водяными парами способствует обмену воздуха в легких, улучшает деятельность слизистой оболочки дыхательных путей вследствие конденсации на ней водяных паров, влияет на терморегуляцию тела посредством потоотделения.

Под влиянием бани повышается потребление кислорода и увеличивается выделение углекислого газа. Во время пребывания в парной увеличивается частота дыхания до 20 вдохов в минуту, увеличивается жизненная емкость легких, иногда на 20%, возрастает вентиляция легких. Еще до повышения внутренней температуры тела под влиянием локальной гипертермии ускоряются обменные процессы в организме.

Древние медики считали высокую температуру «очищающей силой».

В парилке сердце начинает работать активнее — пульс повышается до 120 ударов в минуту. Приходит в движение резервная кровь. Кровь приливает к коже. Нервное напряжение спадает, наблюдается приятная вялость, расслабленность. Организм отдыхает от повседневных забот.

Дело в том, что наша кожа под воздействием пара начинает «усиленно» потеть. Забитые жиром и грязью поры открываются, кожа *очищается* и начинает дышать «полной грудью». Вот почему необходимо после последнего захода в парилку хорошенько вымыться жесткой мочалкой. Она удалит с поверхности кожи омертвевшие клетки, черные точки и грязь.

Экипировка

Собираясь в баню, не забудьте резиновые тапочки, веник, шапочку из натурального материала, простыню (чтобы набросить после парилки), подстилку (в парилку), полотенце, мыло, шампунь, мочалку, чистое белье, расческу. Можно прихватить пемзу для пяток, крем, маникюрные ножницы.

Как правильно париться в сауне

Перед первым заходом в парилку надо ополоснуться под теплым душем, голову не мочить, чтобы не перегрелась, и лучше надеть шапочку. Желательно лечь на полок, потому что, если сидеть, разница температур на уровне головы и ног может достигать 30°С.

Чтобы открылись поры, следует хорошо прогреться, но делать это надо в несколько этапов. После непродолжительного (около 5 минут) пребывания в сауне встаньте под душ, на этот раз более прохладный. Вымойтесь и заходите в сауну снова. Теперь можно наслаждаться теплом от 10 минут до получаса — это зависит от подготовленности организма. Заканчивают посещение сауны прохладным душем и отдыхом в предбаннике.

Как правильно париться в русской бане

Вначале все делается так же, как в сауне. Лучше всего ходить на первый пар. И мыться с мылом после последнего захода в парную. Не забудьте потереться мочалкой: она удалит с поверхности кожи мертвые клетки.

Париться веником может не каждый. Это целое искусство, иначе веник может стать орудием пытки. Вначале круговыми движениями веником к телу нагнетают жар, потом медленно проводят им от пяток до затылка. Затем массируется каждая часть тела: движения должны быть мягкими, веником лишь слегка касаются тела. Приемов банного массажа — много: опахивание, поглаживание, постегивание, похлестывание, компресс, растяжка, растирание.

Особенности парения в сауне

Парение в сауне и банная процедура имеют ряд особенностей. В сауне температура выше, чем в русской бане: комфортно находиться на полке при 100—110°C, когда влажность не превышает 10%. В сауне интенсивное потение начинается позже, чем в русской бане, поэтому продолжительность пребывания может быть продлена до 15 минут.

В сауне следует выполнять такие условия:

— ограничить или исключить подачу воды на каменку. Повышение температуры в парной достигается нагревом сухого воздуха раскаленными камнями и электронагревателем, а не плесканием на них воды. От попадания воды на камни возникает чувство покалывания или жжения кожи, вызванное появлением в воздухе пара. Влажность нельзя быстро снизить, поэтому надо покинуть парную;

— чтобы повысить нагрев тела, следует подняться на верхний полок. Температура в хорошо прогретой сауне повышается на 20°C с каждыми 50 см;

— из банной процедуры в сауне следует исключить веник. В помещении парной должен быть естественный обмен воздуха. Для обеспечения низкой влажности и смены воздуха в стене вблизи печи устраивают вентиляционное отверстие с задвижкой, через которое свежий воздух поступает в помещение;

— в сауне, где температура достигает 90—120°C, а печь не имеет камней, излишняя сухость раздражает слизистую оболочку носоглотки. Чтобы увлажнить воздух, в такой бане брызгают горячей водой на стены и потолок.

Вроде бы понятно. Однако все не так просто. Новичок должен знать, что с баней шутить нельзя. Здесь все надо делать очень осторожно и постепенно. Помнить: баня — это лечебное средство, и, как и лекарство, это средство надо принимать с умом, не в «лошадиных» дозах.

После душа перед заходом в парилку голову обмотайте полотенцем или наденьте шерстяную шапочку.

Войдя в парилку, не поднимайтесь сразу на полок. Сначала надо 5—7 минут посидеть внизу или полежать на среднем полке. Тело должно предварительно прогреться при сравнительно небольшой температуре. Нагрев вызовет необходимое расширение сосудов, и начнется потоотделение.

После первого прогревания (через 5—7 минут) выйдите из парилки и отдохните. Поднимаясь с полка, не вставайте резко — можно потерять равновесие. А выйдя из парилки, не ложитесь сразу, лучше 2—3 минуты походить.

Отдыхать между заходами в парилку надо 15—20 минут. Во время отдыха полезно выпить маленькими глотками чашку свежезаваренного травяного чая, стакан кваса, сока или минеральной воды.

После отдыха можно опять идти париться.

Если Вы паритесь с веником, влажность должна быть более высокой. Если поливать камни небольшими порциями воды, можно сделать пар менее влажным, «легким» и «мягким».

Баня усиливает обмен веществ и способствует выведению шлаков и поэтому задерживает старение.

Старение — самоотравление организма продуктами обмена веществ. Стареющий организм — это зашлакованная система с затухающими процессами самообновления из-за малых физических нагрузок, детренированности сердечной мышцы и системы кровообращения.

Практический опыт, а также изученное экспериментальным путем влияние сауны и бани на биоэлектрическую активность мозга показывают, что они способствуют также подготовке организма ко сну. Те чувства, которые мы испытываем в сауне, отражены в финском изречении: «В сауне проходит гнев». Происходит практически мгновенное избавление от тех стрессовых ситуаций, которые угнетали Вас до порога бани.

Спрашивается, какие могут быть переживания по поводу сложностей на работе или раздоров с мужем или другом, когда Ваше тело попадает в жгучие объятия пара. Согласитесь, в таких экстремальных условиях Вам уже не до побочных переживаний! А это значит, что освобожденная от гнета отрицательных воздействий психика начинает автоматически благотворно воздействовать на работу всех без исключения систем Вашего организма. Разве этого мало?

Веник все время должен быть влажным, для этого его предварительно замачивают (15 минут) и периодически погружают в теплую воду.

Ароматы

Запахи можно создавать вениками (можжевеловым, крапивным, березовым, дубовым и др.) и добавляя в воду для полива камней настойки и отвары лекарственных растений или мед. Главное — знать, что мята улучшает настроение, хорошо действует на сердце, эвкалипт отлично прочищает носоглотку, хвойный аромат используется при переутомлении, чабрец оказывает снотворное действие.

В бане нельзя

Париться как на голодный, так и на переполненный желудок. Сидеть на нижней, самой холодной скамье, чтобы пробыть в парилке подольше. Сидеть на верхнем полке, когда голова находится под потолком, а ноги внизу. Обливаться теплой водой вместо холодной. Пить спиртное, во всяком случае, до того как закончите париться, так как алкоголь притупляет чувства, нарушает терморегуляцию и создает повышенную нагрузку на сердце.

Банные заблуждения

1. В бане не худеют. Жир в бане не «топится», а вес снижается (до 1,5 кг) из-за обильного потоотделения и восстанавливается за пару часов. Чтобы водный баланс не нарушался, в бане надо периодически что-нибудь пить: минеральную воду, чай.

2. Если в парилке «горит» кожа, трудно дышать, а сердце вот-вот выскочит из груди, то, что бы ни говорили любители экстремального парения, Вам такая баня пользы не принесет. Доверяйте своим ощущениям.

Запреты на банные удовольствия

Людям с сердечно-сосудистыми заболеваниями, нарушениями функций центральной нервной системы, с повышенной либо пониженной чувствительностью к теплу, с нарушениями водно-солевого баланса в бане следует быть особенно осторожными. Лучше воздержаться от походов в баню страдающим кожными инфекционными заболеваниями, людям со сниженным иммунитетом, с аллергией на запахи.

Если Вы считали себя здоровой, но после часового пребывания в бане с соблюдением оптимального режима посещения парной и бассейна у Вас начались головные боли, слабость, бессонница, потеря аппетита,— значит, что-то в Вашем организме не так. При осваивании банного искусства надо придерживаться принципов постепенности, посильности и последовательности.

10.3. Массаж у себя дома

Массаж не только позволяет усилить кровообращение, но и способен обеспечить более активный выход токсинов и обогащение кислородом, который кормит и питает весь организм.

Воздействие массажа на кожу: массируя кожу, мы воздействуем на все ее слои, на кожные сосуды и мышцы, на потовые и сальные железы, а также оказываем влияние на центральную нервную систему, с которой кожа неразрывно связана.

Массаж оказывает многообразное физиологическое воздействие на кожу:

— она очищается от отторгающихся роговых чешуек эпидермиса, а вместе с ними от посторонних частиц (пыль и др.), попавших в поры кожи, и микробов, обычно находящихся на поверхности кожи;

— улучшается секреторная функция потовых и сальных желез и очищаются их выводные отверстия от секрета;

— активизируется лимфо- и кровообращение кожи, устраняется влияние венозного застоя, усиливается кровоснабжение кожи и, следовательно, улучшается ее питание, в результате чего бледная, дряблая, сухая кожа делается розовой, упругой, бархатистой, значительно повышается ее сопротивляемость механическим и температурным воздействиям;

— повышается кожно-мышечный тонус, что делает кожу гладкой, плотной и эластичной;

— улучшается местный и общий обмен, так как кожа принимает участие во всех обменных процессах в организме.

В процессе массажа создается высокая температура в массируемой области, за счет которой происходит таяние жировой ткани. Легкие поглаживающие движения в области живота способствуют поступлению кислорода, который также влияет на сжигание жировой прослойки.

Воздействие массажа на подкожно-жировой слой

На жировую ткань массаж действует опосредованно, через общее воздействие на обмен веществ. Повышая обменные процессы в организме, усиливая выделение жира из жировых депо, массаж способствует «сгоранию» жиров, находящихся в избыточном количестве в жировой ткани.

Воздействие массажа на мышцы и суставы

Под влиянием массажа повышается эластичность мышечных волокон, их сократительная функция, замедляется мышечная атрофия.

Массаж способствует повышению работоспособности мышц, при этом ускоряется восстановление работоспособности после большой физической нагрузки. Даже при кратковременном массаже (в течение 3—5 минут) функция утомленных мышц восстанавливается лучше, чем во время отдыха в течение 20—30 минут.

Массаж оказывает существенное влияние на суставы. Под действием массажа улучшается кровоснабжение сустава, укрепляется его сумочно-связочный аппарат, ускоряется рассасывание суставного выпота, а также патологических отложений в околосуставных тканях.

Воздействие массажа на нервную систему

Нервная система первая воспринимает действие массажа, так как в коже находится огромное количество нервных окончаний. Изменяя силу, характер, продолжительность массажа, можно снижать или повышать нервную возбудимость, усиливать и оживлять утраченные рефлексы, улучшать трофику тканей, а также деятельность внутренних органов.

Глубокое влияние оказывает массаж на периферическую нервную систему, ослабляя или прекращая боли, улучшая проводимость нерва, ускоряя процесс регенерации при его повреждении. При нежном медленном поглаживании снижается возбудимость массируемых тканей, и это оказывает успокаивающее воздействие на нервную систему, при энергичном и быстром поглаживании повышается раздражительность массируемых тканей. Очень важна для воздействия на нервную систему атмосфера проведения массажа: теплый воздух, приглушенный свет, приятная спокойная музыка.

Воздействие массажа на кровеносную и лимфатическую системы

Массаж вызывает расширение функционирующих капилляров, раскрытие резервных капилляров, благодаря чему создается большее орошение кровью не только массируемого участка, но рефлекторно и внутренних органов, в результате чего усиливается газообмен между кровью и тканью (кислородная терапия). В покое в 1 мм^2 поперечного сечения мышцы работает 31 капилляр, а после массажа количество капилляров увеличивается до 1400! Раскрытие резервных капилляров под влиянием массажа способствует улучшению перераспределения крови в организме, что облегчает работу сердца.

Большое влияние оказывает массаж на циркуляцию лимфы. Лимфоток происходит очень медленно — 4—5 мм в секунду, однако скорость течения очень изменчива и зависит от разных факторов. Под влиянием массажных движений — поглаживаний в направлении движения лимфы — кожные лимфатические сосуды легко опорожняются, и ток лимфы ускоряется. Кроме прямого влияния на местный лимфоток, массаж оказывает рефлекторное воздействие на всю лимфатическую систему, улучшая тоническую и вазомоторную функции лимфатических сосудов.

Воздействие массажа на обмен веществ

Массаж оказывает разнообразное влияние на обменные процессы. Под влиянием массажа усиливается мочеотделение. В крови увеличивается количество гемоглобина, эритроцитов и лейкоцитов. Массаж не вызывает в мышцах увеличения количества молочной кислоты, а также органических кислот, накопление которых ведет к развитию ацидоза. Этим объясняется благотворное воздействие на утомленные мышцы. Усиливая обмен веществ, массаж и в этом случае способствует уменьшению жировых отложений.

Освоить и правильно выполнять некоторые приемы само-массажа нетрудно.

Самомассаж лучше делать при полном расслаблении мышц.

В первую очередь необходимо освоить основные приемы: поглаживание, выжимание, разминание, растирание, потряхивание, встряхивание, ударные приемы и пассивные движения.

Различные приемы самомассажа действуют по-разному: одни успокаивают (поглаживание, растирание), другие возбуждают (поколачивание, рубление, похлопывание).

Поглаживание

Это самый распространенный прием. Выполняют его ладонной поверхностью кисти, причем четыре пальца соединены вместе, а большой отведен.

Ладонь плотно прижимается к массируемому участку, слегка обхватывая его. Поглаживание можно проводить как одной рукой, так и двумя попеременно: одна следует за другой, как бы повторяя движение. Поглаживание очищает кожу, улучшает функции потовых и сальных желез, успокаивающе действует на центральную нервную систему. Движения должны быть легкими, без усилий, медленными и ритмичными.

Выжимание

Выполняют его ребром ладони, установленной поперек массируемого участка, или кистью со стороны большого пальца, причем кисть устанавливают также поперек. Проводят такой самомассаж энергично, поэтому он воздействует не только на поверхность кожи, но и на более глубокие слои. На центральную нервную систему выжимание действует тонизирующе. Под влиянием выжимания в зоне воздействия происходит быстрое опорожнение и наполнение кровеносных сосудов, которое способствует лучшему питанию и прогреванию тканей.

Выжимание усиливает крово- и лимфоток, способствует ликвидации застойных явлений и отеков, что оказывает выраженное болеутоляющее действие, повышает тонус кожи и мышц, улучшает их функциональное состояние. Этот прием может применяться как при сухом самомассаже, так и в ванной, в бане с использованием мыла, крема, мазей.

Разминание

Это основной прием глубокой проработки мышечной системы, улучшающий эластичность сухожилий, растягивающий укороченные фасции, способствующий улучшению крово- и лимфообращения не только в массируемом, но и в других участках тела.

Разминания, особенно глубокие, оказывают стимулирующее влияние на нервную систему. После интенсивной физической работы этот прием позволяет быстро восстановить тонус уставших мышц.

Применяют следующие приемы разминания: ординарное (одной рукой), двойной гриф (одна кисть накладывается на другую для усиления ординарного разминания), двойное кольцевое (кисти рук устанавливаются поперек массируемой мышцы), продольное и подушечками пальцев. Первые четыре приема применяют только на крупных мышцах (бедро, икроножная мышца).

Разминание подушечками четырех пальцев можно выполнять одной и двумя руками с отягощением. Четыре пальца массирующей руки сведите вокруг большого пальца (как бы щепоткой, как берут рассыпанную соль).

Установив пальцы на массируемую мышцу, надавливайте на нее, одновременно вращая кисти: правую — вправо, левую — влево, одновременно продвигаясь вперед. Прием выполняйте от начала мышцы медленно, не задерживаясь на одном и том же месте, чтобы не вызвать раздражения и неприятных ощущений.

Разминание подушечкой большого пальца. Этот прием надо выполнять как на плоских, так и на крупных мышцах (бедре, плече).

Наложите кисть вдоль массируемой мышцы, большой палец слегка отведите, а четыре оставшихся являются как бы опорой и скользят пассивно. Подушечкой большого пальца надавливайте на мышцу, одновременно вращая в сторону указательного пальца, и так до конца массируемой мышцы.

Перед проведением самомассажа прежде всего необходимо выполнить несколько несложных гимнастических упражнений.

1. Исходное положение: стоя, руки за головой (голову отвести назад). На вдох руки поднять вверх, потянуться и прогнуться, выдох — руки опустить. Повторить 3—4 раза.

2. Шаг на месте (бедро поднимать высоко) — 30 секунд.

3. Исходное положение: стоя, руки за головой. Наклон туловища вперед, попытаться как можно больше приблизиться к полу, затем вернуться в исходное положение. Прогнуться назад. Вернуться в исходное положение. Повторить 2—3 раза.

4. Исходное положение: стоя, ноги шире плеч. На вдохе поворот плечами и головой влево — правая кисть касается левого плеча, а левая заводится как можно дальше за спину. На выдохе вернуться в исходное положение. Повторить в другую сторону. При выполнении этого упражнения очень важно, чтобы нагрузка приходилась на позвоночник, а не на тазобедренные и голеностопные суставы. Повторить в каждую сторону по 3—4 раза.

5. Ходьба на месте — 20 секунд.

Как освоить самомассаж

Самомассаж начинают с бедра и коленного сустава (так же на другой ноге), далее массируют голени и стопы. После ног массируют грудь, шею, руки (плечи, локтевой сустав, предплечье, кисть), широчайшие мышцы спины, живот. Затем в положении стоя массируют область таза, поясницу, спину, голову.

Массируем бедра

Передняя поверхность бедра массируется следующим образом.

Положение I. Сидя на скамье, вытяните вдоль нее массируемую ногу, другую ногу опустите на пол. После поглаживания двумя руками делайте выжимание ребром ладони или поперечное (с внутренней стороны бедра оно выполняется одноименной рукой, а с наружной — разноименной).

Аналогично выполняйте ординарное разминание и двойной гриф. Затем проведите разминание внутреннего участка. На наружной части бедра дополнительно гребнем кулака прямолинейно растирайте фасцию. Заканчивайте массаж потряхиванием, ударными приемами и поглаживанием.

Положение II. Сидя на стуле, ноги полусогнуты. Упритесь наружным краем стопы в пол. Такое положение позволяет массировать одновременно переднюю и заднюю поверхности бедра. Можно применить поглаживание двумя руками, выжимание ребром ладони с отягощением, разминание (ординарное, двойной гриф, двойное кольцевое), растирание, потряхивание. Заканчивайте массаж поглаживанием. Переднюю поверхность бедра можно массировать в положении сидя, положив ногу на ногу.

Заднюю поверхность бедра можно массировать также в двух положениях.

Положение I. Сидя, нога отставлена в сторону на носок, пятка приподнята. В этом положении проводите поглаживание одной рукой, выжимание, разминание, потряхивание и поглаживание.

Положение II. Лежа на боку (массируемая нога сверху). В этом положении удобно делать самомассаж в походах, на стадионе, игровой площадке и т. д. Проводятся те же приемы.

Массируем коленный сустав

В положении сидя применяются:

— кругообразное поглаживание двумя руками;

— растирание — «щипцами» (кисть плотно обхватывает сустав и энергичным растирающим движением продвигается от голени вверх), основанием ладоней и буграми больших пальцев продольное и кругообразное (руки располагаются с внутренней и наружной сторон сустава), спиралевидное подушечками пальцев обеих рук и с отягощением зигзагообразное, кругообразное.

При самомассаже коленного сустава (предварительно надо тщательно промассировать нижнюю треть бедра) особое внимание следует уделять боковым связкам. В конце сеанса массажа необходимо выполнить несколько пассивных сгибаний и разгибаний.

Массируем голени и стопы

Икроножные мышцы массируют в нескольких положениях.

Положение I. Сидя на скамье, нога согнута, стопа поставлена на скамью. Обычно применяют поглаживание двумя руками, выжимание (левую ногу массируют правой рукой — с внутренней стороны, левой — с наружной); разминание — ординарное (одной рукой фиксируйте ногу в коленном суставе, другой выполняйте прием, затем положение рук меняйте), двойной гриф подушечками всех пальцев (пальцы проникают в глубь мышцы и вращательными движениями смещают ее в сторону), потряхивание и поглаживание.

Положение II. Сидя. Массируемая нога согнута, повернута и наружной боковой поверхностью стопы опирается о колено другой ноги. Выполняйте комбинированное поглаживание, выжимание (положение рук при этом такое же, как и при поглаживании, но на мышцу надавливают более энергично), разминание — ординарное, двойное кольцевое, двойной гриф (кисти при этом ставят поперек мышцы), потряхивание и поглаживание.

Переднеберцовые мышцы массируйте с помощью поглаживания одной и двумя руками, поперечного выжимания и выжимания ребром ладони; разминания — подушечками пальцев одной руки и с отягощением, фалангами пальцев, сжатых в кулак. Заканчивайте массаж поглаживанием.

Ахиллово сухожилие, голеностопный сустав и стопу с пальцами массируйте в тех же положениях, что и голень. Подойдет и растирание.

Массируем область груди

Положение I. Сидя на стуле, положив ногу на ногу (на приподнятое бедро положите одноименную руку).

Положение II. Лежа на спине (под головой валик, подушка), согнув руку со стороны массируемого участка и положив ее ладонью на живот.

Положение III. Стоя, рука со стороны массируемого участка опущена вдоль туловища.

Самомассаж груди проводится противоположной рукой.

Применяются следующие приемы:

— поглаживание (ладонь плотно прикладывается к груди и движется вверх от подреберного угла, затем в сторону — к подмышечной впадине);

— выжимание (рука движется по двум-трем линиям большой грудной мышцы, обходя сосок, от грудины к подмышечной впадине);

— разминание подушечками всех пальцев, фалангами пальцев, согнутых в кулак (в том же направлении, что и выжимание);

— растирание: на межреберных промежутках — прямолинейное, зигзагообразное, спиралевидное (выполняется слегка согнутыми пальцами в промежутках межреберья энергичными надавливаниями) от грудины к подмышечным впадинам; в области реберной дуги — прямолинейное (выполняется двумя руками одновременно: большие пальцы располагаются над дугой, а остальные снизу, несколько углубляясь в подреберную впадину, захватив подреберный угол в «щипцы») от грудины в обе стороны. Прием выполняется и в положении лежа на спине с согнутыми (в коленных суставах) ногами;

— потряхивание на большой грудной мышце.

Самомассаж груди можно делать и в положении стоя.

Массируем руки

Положение I. Сидя, положив ногу на ногу. Предплечье массируемой руки свободно лежит поперек на приподнятом одноименном бедре.

Положение II. Сидя. Массируемая рука лежит на столе.

Самомассаж плеча: на двуглавой мышце производите поглаживание, выжимание, ординарное разминание (кисть полностью захватывает мышцу), потряхивание. При самомассаже трехглавой мышцы плеча массируемая рука свободно свисает вдоль туловища или лежит на бедре.

Самомассаж дельтовидной мышцы проводится в двух исходных положениях: сидя на стуле — массируемая рука лежит на столе; сидя на кушетке — одна нога согнута в коленном суставе и массируемая рука лежит предплечьем на колене. В этом же положении выполняют: поглаживание, выжимание по 2—3 линиям, разминание (ординарное, подушечками пальцев), растирание кругообразное (в области плечевого сустава), потряхивание, поглаживание.

Самомассаж локтевого сустава проводится в том же положении. Чтобы промассировать участки вокруг сустава, надо поворачивать кисть ладонью попеременно вверх и вниз. Применяются растирания: «щипцами» (образованными с наружной стороны подушечками пальцев и большим пальцем с внутренней стороны), прямолинейное и кругообразное — подушечками четырех пальцев; ребром ладони. После растираний необходимо выполнить различные движения.

Самомассаж предплечья. Массируйте вместе с лучезапястным суставом в том же положении. На внутренней стороне (рука лежит ладонью вверх) выполняйте: поглаживание, выжимание ребром ладони, разминание — ординарное подушечками четырех пальцев, фалангами пальцев, согнутых в кулак, ребром ладони; потряхивание и поглаживание. Те же приемы выполняются на внешней стороне (рука лежит ладонью вниз).

Самомассаж лучезапястного сустава. Кисть повернута ладонью вниз. Проводите растирание: «щипцами», кругообразное — подушечками четырех пальцев, ребром ладони. Необходимо завершить движениями лучезапястного сустава: сгибанием, разгибанием, кругообразными в обе стороны.

Самомассаж кисти и пальцев. Массируемая рука лежит предплечьем на столе (бедре, животе), ладонью вниз. Вначале растирайте межкостные мышцы наружной стороны кисти.

В этом случае применяется растирание: прямолинейное, зигзагообразное, спиралевидное, подушечками четырех пальцев в межкостных промежутках, прямолинейное и кругообразное подушечкой большого пальца, спиралевидное основанием ладони (пальцы приподняты вверх, кисть расслаблена), ребром ладони (в различных направлениях).

На ладонной стороне кисти применяются следующие приемы:

— выжимание ребром ладони, разминание;

— кругообразное — подушечками четырех пальцев, кругообразное — подушечкой большого пальца, кругообразное — гребнями кулака;

— растирание — прямолинейное и зигзагообразное гребнями пальцев, сжатых в кулак (во всех направлениях).

Самомассаж пальцев. После общего поглаживания проводите растирание:

— «щипцами» (захватив указательным и средним пальцами массируемый палец, как в клещи, делают прямолинейное и спиралевидное движения), начиная от ногтевых фаланг по направлению к основанию пальцев. Пальцы массирующей руки вращаются вокруг массируемого пальца, эти же движения делайте подушечками всех пальцев, которые плотно обхватывают массируемый палец. Кроме «щипцов», выполняйте кругообразное растирание — подушечкой большого пальца, прямолинейное — подушечкой большого пальца, поперек массируемого пальца;

— общее (на всех пальцах) основанием ладони (его можно выполнять прямолинейно, зигзагообразно и т. д. во всех направлениях).

Заканчивайте самомассаж пассивными движениями в пальцевых суставах или общим разминанием и растиранием.

Массируем шею и трапециевидные мышцы

На мышцах шеи самомассаж делается в положении сидя или стоя.

На задней поверхности шеи применяют:

— поглаживание — обе руки плотно прикладываются к затылку и движутся вниз, затем по трапециевидным мышцам — по надплечью (в обе стороны от позвоночного столба можно поглаживать правой рукой по левой стороне шеи, и наоборот);

— выжимание — кисти расположены как при поглаживании, только давление больше приходится на большой палец (прижат к указательному) или ребро ладони;

— разминание подушечками четырех пальцев вдоль позвоночного столба, а также в местах прикрепления мышц к затылочной кости (по направлению от одного уха к другому, пальцы расположены перпендикулярно по отношению к массируемому участку и продвигаются с энергичным надавливанием).

На передней поверхности шеи применяют:

— поглаживание попеременное (двумя руками) от угла нижней челюсти вниз;

— легкое разминание на грудино-ключично-сосцевидной мышце (сверху вниз).

Заканчивают самомассаж активными и пассивными движениями шеи во всех направлениях (вначале их выполняют сидя с закрытыми глазами, а после 6—8 сеансов можно проводить прием стоя с открытыми глазами).

Движения надо делать медленно, чтобы не вызвать усиленного прилива крови к мозгу.

Массируем широчайшие мышцы спины

Положение I. Сидя на стуле, положив ногу на ногу, одноименную руку — на приподнятое бедро.

В этом положении противоположной рукой выполняют: поглаживание, выжимание, разминание подушечками всех пальцев от таза вверх.

Положение II. Стоя, слегка наклонившись в сторону массируемого участка. Разноименной рукой, как и в положении сидя, выполняют те же приемы.

Массируем мышцы живота

Самомассаж возможен в положении сидя или лежа, особенно эффективен в положении лежа на спине. Чтобы максимально расслабить мышцы живота, нужно согнуть ноги в коленях.

В обоих положениях применяют следующие приемы:

— поглаживание двумя руками поочередно (снизу вверх до реберного угла) или одной рукой (рука движется по ходу часовой стрелки, совершая подковообразное движение — снизу вверх справа к правому подреберью, затем поперек живота — к левому подреберью, затем вниз — по левой стороне, область мочевого пузыря не массируется);

— выжимание основанием ладони правой руки (левая отягощает) или пальцами левой руки (правая отягощает) по ходу часовой стрелки;

— разминание двойное кольцевое — на прямых мышцах живота: левая рука сверху (четыре пальца с правой стороны живота, большой палец с левой), а правая — снизу (четыре пальца с левой стороны живота, большой палец с правой). Прямые мышцы живота можно разминать и таким образом: руки положить одну выше другой (ладонями вниз) и делать движения навстречу друг другу. Мышцы живота при этом смещаются зигзагообразно;

растирание: прямолинейное, спиралевидное гребнями пальцев, согнутых в кулак. Движения выполняются от подреберья сверху вниз и вверх, а также поперек (особенно эффективно при толстой жировой прослойке).

Массируем область таза

Сотрясение — пальцы в замке, руки устанавливаются внизу живота ладонями вверх и сотрясающими движениями то приподнимают, то опускают живот. Прием выполняется в положении стоя и сидя, особенно эффективен при самомассаже в воде.

Перед массажем живота необходимо освободить кишечник и мочевой пузырь.

Ягодичные мышцы массируют в положении стоя, нога массируемой стороны слегка согнута в колене, отставлена назад и немного в сторону (на носке). После поглаживания одной рукой делают выжимание, затем разминание: ординарное, гребнем кулака, основанием ладони, подушечками четырех пальцев.

Заканчивают самомассаж потряхиванием и поглаживанием.

После этого массируют крестцово-поясничную область в положении стоя, ноги на ширине плеч. Начинайте с поглаживания ладонной, затем тыльной поверхностью кисти. Далее выполняйте растирание: прямолинейное и кругообразное — подушечками четырех пальцев обеих рук от копчика вверх; прямолинейное и кругообразное — гребнями кулаков. При растирании следует выводить таз попеременно вперед и назад, что позволяет более глубоко и тщательно промассировать крестцовую область.

Массируем область спины

Самомассаж мышц спины начинайте с поглаживания: ладони обеих рук плотно приложите к спине в область поясницы и делайте легкие движения (от позвоночного столба в обе стороны), их можно выполнять и тыльной стороной кистей. Затем на длинных мышцах спины (от поясницы вверх) проводите выжимание ребром ладони (со стороны указательного пальца). Разминание выполняйте тыльной стороной пальцев, сжатых в кулак, либо кулаком (стороной большого и указательного пальцев). После такого массажа полезно сделать общее растирание всей спины жестким полотенцем.

Массируем голову

Самомассаж кожи волосистой части головы делают одной или двумя руками в направлении роста волос. Применяйте поглаживание — легкими скользящими движениями пальцев, выжимание — ребром ладони (со стороны мизинца или со стороны указательного пальца), кругообразное разминание — подушечками четырех пальцев одной или обеих рук (кожа сдвигается в различных направлениях).

Заканчивайте самомассаж поглаживанием в направлении от макушки к ушам.

10.4. Особое внимание массажу лица

Конечно, очень хорошо, если Вы регулярно посещаете косметолога и делаете массаж лица. Но не каждая женщина может это себе позволить. А процедура эта просто необходима, поэтому попробуйте научиться делать массаж самостоятельно.

Перед началом нужно очистить лицо и шею косметическими препаратами. Затем нанести на них питательный крем.

Придерживайтесь основных массажных линий:

— подбородок — от середины нижней челюсти к мочке уха;
— щеки — от уголков рта, верхней губы и крыльев носа к ушной раковине, от боковой поверхности носа к вискам;
— верхнее веко: от внутреннего угла глаза к наружному;
— нижнее веко: от наружного угла глаза к внутреннему;
— нос — от переносицы по спинке носа к кончику и от спинки носа вниз к боковой поверхности носа;
— лоб — от середины лба вдоль бровей к вискам и от бровей вверх к волосистой части головы;
— шея спереди: снизу вверх,
— шея по бокам: сверху вниз.

А теперь удобно сядьте перед зеркалом, спину расслабьте.

Начинайте делать массаж с шеи: поглаживайте правой рукой левую половину шеи, а левой рукой — правую половину шеи.

Затем переходите к обработке носогубных складок:

— средним пальцем правой руки поглаживайте кожу вокруг губ;
— в местах образования морщин надавите на кожу указательными пальцами обеих рук.

Настал черед щечек: делайте прямолинейное и пощипывающее движения по массажным линиям, растирайте кругообразными движениями.

Веки требуют особо осторожного отношения:

— массажируйте подушечками безымянных пальцев.

Движения должны быть очень нежными, не растягивать кожу.

— погладьте кожу век по массажным линиям;
— сделайте легкое разминание-надавливание подушечками пальцев.

Лоб поглаживайте всей ладонью попеременно обеими руками:

— от бровей к волосистой части головы;
— от середины лба к вискам одновременно обеими руками;

— одной рукой фиксируйте кожу на виске, другой делайте зигзагообразное поглаживание;

— если на лбу много морщин, делайте петлеобразное растирание, обращая особое внимание на места, где морщинки появляются в первую очередь: между бровями, у наружных углов глаз. Растирание производите средним пальцем правой руки, при этом левой рукой придерживайте кожу, чтобы она не растягивалась.

Для улучшения контура лица можно сделать следующее:

— при помощи большого и указательного пальцев осторожно пощипывайте кожу вдоль края нижней челюсти к ушам;

— поколачивайте подбородок расслабленными кистями рук, начиная от центра в стороны. Заканчивайте все поглаживанием подбородка.

Завершается массаж поглаживанием всего лица. Остатки крема снимите ватным тампоном, смоченным в очищающем тонике.

После процедуры желательно сделать питательно-смягчающую маску.

10.5. Уход за шеей

Кожа шеи очень нежна и чувствительна, и если за ней не ухаживать, то первые преждевременные морщинки могут появиться уже в 25-летнем возрасте. Это связано с тем, что на шее почти отсутствует жировая ткань, и мышцы ее слабеют быстрее мышц лица и других частей тела. Здесь очень тонкая кожа, кровь циркулирует медленнее, а значит, она хуже питается, быстрее стареет, теряет упругость. Надо помнить и то, что кожа шеи бывает либо нормальной, либо сухой, так как здесь нет сальных желез.

Древние египтянки для сохранения гибкой, изящной шеи носили на голове тяжести и, благодаря этому имели грациозную осанку. Они считали, что женщина, у которой хорошая осанка и голова гордо поднята, выглядит моложе.

Если вы не хотите, чтобы шея выдавала ваш возраст, то придется избавиться от некоторых вредных привычек: не читайте лежа, не спите на высокой подушке, от этого даже у молодых людей образуются поперечные морщины.

Ежедневный уход

Шею можно мыть обычным образом — прохладной водой с мылом, а после этой процедуры рекомендуется сполоснуть ее водой с лимонным соком для того, чтобы смягчить кожу. Если кожа шеи очень сухая и уже склонна увяданию, ее очищают средствами для особо чувствительной кожи.

После мытья нанесите на шею дневной крем, тот который используете для лица. Сначала разотрите крем ладонями и, слегка откинув голову, легкими, скользящими движениями правой руки нанесите его на левую сторону шеи, левой рукой — на правую. Направления движений только снизу вверх, от ключиц к подбородку.

Затем проделайте легкий массаж: тыльными поверхностями ладоней слегка похлопывайте шею с боков, а подбородок, где откладывается больше всего жира, «побейте» пальцами.

Вечером, когда будете очищать лицо, не забудьте и о шее.

Чтобы обеспечить коже полный комфорт, после очищения нанесите жирный питательный крем, который нужно распределить с кончиков пальцев мягкими движениями в направлении от основания шеи к подбородку. Через несколько минут, когда крем впитается, его излишки промокните салфеткой.

Гимнастика для ленивых дам

Совсем несложные упражнения для шеи можно проделывать утром перед завтраком, или сидя на рабочем месте.

Каждое упражнение необходимо повторять 3—4 раза, постепенно увеличивая число повторений до 10—12.

1. Сидя за столом, локти на стол, подпереть подбородок кулаками. Наклонить голову вперед, преодолевая сильное сопротивление рук и напрягая все мышцы шеи.

2. Наклонять голову влево и вправо, «препятствуя» движениям головы с помощью рук, прикладывая их к вискам.

3. Наклонять голову назад, оказывая сопротивление сцепленными на затылке руками.

4. Поворачивать голову влево и вправо, глядя через плечо назад.

5. Резко откинуть голову назад, приоткрыть рот. Напрягая мышцы подбородка с силой сомкнуть челюсти так, чтобы нижняя губа слегка прикрыла верхнюю.

6. Опустить уголки рта (маска «презрения») и напрячь мышцы шеи.

7. Вытянуть губы трубочкой и, напрягая мышцы шеи и сильно артикулируя, произнести звуки О-У-И-А-Ы.

8. Взять в зубы соломинку для сока (или карандаш) и, вытянув вперед подбородок, «выписывать» в воздухе цифры 1, 3, 8, 10.

9. Плечи расправлены, голова опущена на грудь. Наклонить голову к левому плечу до отказа, откинуть назад, потом к правому плечу и снова — на грудь. Повторить в обратном порядке.

10. Расправить грудь, положить руки на плечи и, нажимая на них, постараться сильнее вытянуть шею. В таком положении сделать вдох, считая до 10, а затем расслабиться — выдох.

Все эти несложные упражнения помогут сохранить кожу шеи упругой и предотвратить появление складок и морщин.

О пользе контраста

Для предупреждения увядания кожи и появления двойного подбородка полезно 2 раза в неделю делать контрастные компрессы. Они оказывают освежающий и тонизирующий эффект, улучшают кровообращение.

Плотную салфетку или полотенце смачивайте попеременно то горячей, то холодной водой и накладывайте на подбородок и шею, меняя салфетку 5—6 раз. Горячий компресс держите 1—2 минуты, холодный — 4—5 секунд. Начинать и заканчивать процедуру надо холодным компрессом.

Помните, что при заболеваниях щитовидной железы термические компрессы делать противопоказано. В этом случае можно ограничиться теплыми компрессами с травяными отварами. Для этого полотенце намочите в отваре липового цвета, чая, мяты, шалфея или обычного молока. Хорошо отожмите и оберните им шею на 15—20 минут. Можно «похлестывать» подбородок полотенцем, середину которого смочить в прохладной подсоленной воде. После компресса или «похлестывания» на кожу шеи и подбородка нанесите крем.

ОГЛАВЛЕНИЕ

Нина Шабалина

ЛЕГКИЙ СПОСОБ ПОБЕДИТЬ БЕССОННИЦУ

Ответственный редактор *Н. Дубенюк*
Художественный редактор *Н. Никонова*

ООО «Издательство «Эксмо»
127299, Москва, ул. Клары Цеткин, д. 18/5. Тел. 411-68-86, 956-39-21.
Home page: **www.eksmo.ru** E-mail: **info@eksmo.ru**

Оптовая торговля книгами «Эксмо»:
ООО «ТД «Эксмо». 142700, Московская обл., Ленинский р-н, г. Видное,
Белокаменное ш., д. 1, многоканальный тел. 411-50-74.
E-mail: **reception@eksmo-sale.ru**

По вопросам приобретения книг «Эксмо» зарубежными оптовыми
покупателями обращаться в отдел зарубежных продаж ООО «ТД «Эксмо»
E-mail: **foreignseller@eksmo-sale.ru**

International Sales: For Foreign wholesale orders, please contact International Sales Department at
foreignseller@eksmo-sale.ru

По вопросам заказа книг «Эксмо» в специальном оформлении
обращаться в отдел корпоративных продаж ООО «ТД «Эксмо» E-mail: **project@eksmo-sale.ru**

Оптовая торговля бумажно-беловыми
и канцелярскими товарами для школы и офиса «Канц-Эксмо»:
Компания «Канц-Эксмо»: 142702, Московская обл., Ленинский р-н, г. Видное-2,
Белокаменное ш., д. 1, а/я 5. Тел./факс +7 (495) 745-28-87 (многоканальный).
e-mail: **kanc@eksmo-sale.ru**, сайт: **www.kanc-eksmo.ru**

Полный ассортимент книг издательства «Эксмо» для оптовых покупателей:
В Санкт-Петербурге: ООО СЗКО, пр-т Обуховской Обороны, д. 84Е. Тел. (812) 365-46-03/04.
В Нижнем Новгороде: ООО ТД «Эксмо НН», ул. Маршала Воронова, д. 3. Тел. (8312) 72-36-70.
В Казани: ООО «НКП Казань», ул. Фрезерная, д. 5. Тел. (843) 570-40-45/46.
В Ростове-на-Дону: ООО «РДЦ-Ростов», пр. Стачки, 243А. Тел. (863) 268-83-59/60.
В Самаре: ООО «РДЦ-Самара», пр-т Кирова, д. 75/1, литера «Е». Тел. (846) 269-66-70.
В Екатеринбурге: ООО «РДЦ-Екатеринбург», ул. Прибалтийская, д. 24а. Тел. (343) 378-49-45.
В Киеве: ООО ДЦ «Эксмо-Украина», ул. Луговая, д. 9. Тел./факс: (044) 537-35-52.
Во Львове: ТП ООО ДЦ «Эксмо-Украина», ул. Бузкова, д. 2. Тел./факс (032) 245-00-19.
В Симферополе: ООО «Эксмо-Крым» ул. Киевская, д. 153. Тел./факс (0652) 22-90-03, 54-32-99.

Мелкооптовая торговля книгами «Эксмо» и канцтоварами «Канц-Эксмо»:
117192, Москва, Мичуринский пр-т, д. 12/1. Тел./факс: (495) 411-50-76.
127254, Москва, ул. Добролюбова, д. 2. Тел.: (495) 780-58-34.

Полный ассортимент продукции издательства «Эксмо»:
В Москве в сети магазинов «Новый книжный»:
Центральный магазин — Москва, Сухаревская пл., 12. Тел. 937-85-81.
Волгоградский пр-т, д. 78, тел. 177-22-11; ул. Братиславская, д. 12, тел. 346-99-95.
Информация о магазинах «Новый книжный» по тел. 780-58-81.
В Санкт-Петербурге в сети магазинов «Буквоед»:
«Магазин на Невском», д. 13. Тел. (812) 310-22-44.

Подписано в печать 18.07.2007. Формат 84×108 $^1/_{32}$.
Печать офсетная. Бумага тип. Усл. печ. л. 15,12.
Тираж 5000 экз. Заказ № 1245.

Отпечатано с готовых диапозитивов
в ОАО «Рыбинский Дом печати»
152901, г. Рыбинск, ул. Чкалова, 8.